Génération glisse

© 2003 by les Éditions Autrement, 77, rue du Faubourg Saint-Antoine, 75011 Paris.
Tél. : 01 44 73 80 00. Fax : 01 44 73 00 12. E-mail : contact@autrement.com
ISBN : 2-86260-535-2. ISSN : 0751-0144.
Précédents dépôts : janvier 1998, mai 1999. Dépôt légal : avril 2003. Imprimé en France.

Génération glisse

Dans l'eau, l'air, la neige...
la révolution du sport des « années fun »

Par Alain Loret

Éditions Autrement - Série Mutations n° 155-156

Sommaire

Le *fun* se présente comme une morale du plaisir.
C'est aussi une stratégie marketing, un look, un
vocabulaire, une musique et un ensemble d'attitudes.
C'est enfin une esthétique se reconnaissant dans les
cinq couleurs primaires du mouvement psychédélique,
dans un graphisme *underground* et des artistes
alternatifs. Le *fun*, c'est le totem des sports de glisse.

La presse sportive traditionnelle et la télévision se
trouvent plutôt démunies quand elles cherchent à
traiter des sports de glisse. Les magazines *fun* usent et
abusent du dithyrambe ludique, du détournement de
sens, du rêve et du fantasme pour mettre en scène les
nouveaux héros de la glisse. Ces leaders éminemment
charismatiques de la tribu *fun* ressemblent plus à Peter
Pan qu'aux figures de champions célébrées par
Coubertin.

De la « Route » à la « glisse »   104

La glisse est l'essence du *fun*. Elle ne se conçoit
qu'aux marges de la société et se présente comme une
quête d'absolu. L'origine de cette notion doit être
recherchée sur les plages californiennes à la fin des
années 50. Là, des surfers se présentant comme des
marginaux, des rebelles sociaux, créent pour la
première fois un véritable « mode de vie sportif
alternatif ». Ils s'inspirent des écrivains de la Beat
Generation et, en particulier, de Jack Kerouac. La
glisse est une forme de contre-culture qui conteste et
déstabilise les structures traditionnelles du sport.

« Fun-run », marathon et carnaval   142

Aujourd'hui, plus de 2 millions de Français pratiquent
la course à pied. En 1995, plus de 4 400 courses sur
route seront organisées. Une commune française sur dix
organise des épreuves de ce type. Ces événements
relèvent plus de la fête carnavalesque que de la
compétition. Or, la Fédération française d'athlétisme en
est, dans la grande majorité des cas, tenue à l'écart.
Ainsi, les autorités sportives ne sont même plus
contestées ; elles sont ignorées par les adeptes du *fun*.

2. *Les contradictions culturelles du sport contemporain*   173

Le sport d'utilité publique   174

Pour saisir l'ampleur du problème qui se pose aux
organisations sportives dans leur désir légitime de se
développer en intégrant les adeptes du « sport
alternatif », il faut comprendre que le sport a depuis
toujours été reconnu comme facteur d'éducation et
d'intégration sociale. Au-delà, la majorité des
fédérations étant nées dans la première moitié du
XXᵉ siècle, elles se sont nourries des vertus de la culture
industrielle naissante. Bien plus encore, nombreuses
sont celles qui remplissent une mission de service
public. Dans ces conditions, assimiler, comprendre et

intégrer dans leurs structures les nouvelles valeurs
sportives nécessitera une véritable révolution culturelle.

Le sport « d'utilité ludique »   212

La relation ludique élaborée pour le simple plaisir, *just
for the fun*, échappe à toute volonté organisatrice.
Contrairement à la relation sportive, ce qu'elle produit
ne se rattache à aucune finalité socialement reconnue.
Le monde du jeu relève du monde de l'inessentiel,
du déraisonnable, de l'irrationnel. Ainsi ses valeurs
ne peuvent guère s'apparenter à celles de la société
sportive, qui plébiscitent l'efficacité, la rationalité,
l'utile et le sérieux.

3. *Les cultures sportives « digitales »
et « analogiques »*   273

Un nouveau modèle d'analyse du sport   274

Le monde du sport traditionnel vit (au sens strict) de
classements, de mesures ultraprécises qui permettent de
distinguer le premier du second, le record de l'absence
de record. Nourri de chiffres, il s'inscrit dans un
système culturel de nature numérique que l'auteur
nomme la « culture sportive digitale ». Au contraire,
les nouvelles formes de sports apparues depuis deux
décennies, tout en sensibilité et en subjectivité,
fonctionnent selon une logique « floue », dite
« analogique ». Cette distinction entre cultures sportives
« digitales » et « analogiques » est indispensable pour
comprendre l'évolution du sport contemporain.

Le futur du sport   284

Pour les « sports analogiques », l'énergie dépensée n'a
pas d'importance dans l'appréciation de l'information
fournie par l'athlète (sa performance). Ce point est
peut-être le plus significatif de la distinction qu'il faut
établir avec le sport de nature « digitale » pour lequel

l'énergie dépensée EST l'information.
Cela a de nombreuses conséquences, en particulier sur
le spectacle sportif télévisé. Au-delà, l'analyse proposée
montre que le futur du sport verra une évolution
sensible des équipements lourds et l'apparition de
sports inédits, les « cybersports ».

« L'essentiel... » 316

Les acteurs politiques, institutionnels et économiques
devront apporter des solutions à ces sportifs d'un
nouveau type issus des années *fun*. Dans la mesure
où ils préfèrent partager émotions et sensations en
participant à une manifestation festive plutôt qu'en se
mesurant dans le cadre réglementé d'un banal
championnat, il s'agira de répondre à leurs besoins
nouveaux en proposant des services et des prestations
eux-mêmes inédits. Il faudra bien finir par admettre
que si pour certains la devise est « Plus haut, plus
vite, plus fort ! », pour les plus nombreux « l'essentiel
est de participer ».

*La sensation, voilà le but de la vie - sentir
que l'on existe, même en souffrant. C'est ce
« vide que l'on aspire à combler » qui nous
entraîne au jeu, au combat, au voyage,
à toutes les recherches immodérées mais
impérieuses dont le principal attrait est de
nous plonger dans une excitation inséparable
de leur réalisation.*

Byron

*Plus il y a de hauts et de bas,
plus nombreuses sont les joies que je ressens.
Plus grande est ma crainte, plus grande est
ma félicité.*

Kerouac

À mes parents

Prologue :
La grande transition sportive

Les différentes pratiques physiques et sociales que nous regroupons communément sous le nom de « sport » depuis plus d'un siècle se trouvent aujourd'hui engagées dans un processus de transformation radical. Il est donc indispensable de mettre à jour ce qui s'apparente à une véritable *révolution culturelle* aux yeux des acteurs du mouvement sportif (élus, décideurs, bénévoles, cadres techniques), à une *rupture pédagogique* pour les enseignants d'éducation physique et sportive et à un *bouleversement stratégique* pour les acteurs économiques (publicitaires, cadres et dirigeants d'entreprises d'équipements et de services sportifs). Au-delà, la compréhension des mutations en cours est essentielle pour les pratiquants. Elles inaugurent en effet des comportements de rupture totalement inattendus dans un domaine où la tradition s'avérait jusqu'alors particulièrement prégnante.

Pour utiliser une expression convenue mais qui présente néanmoins l'intérêt de montrer le caractère global du phénomène, nous pouvons considérer que c'est le paysage sportif français qui se renouvelle sous nos yeux depuis le début des années 80. Cette décennie a en effet confirmé un intérêt nouveau pour une forme de sport nettement « alternative » qui a pris le nom de *fun*, ou encore de « glisse ».

Le sport de ces « années *fun* » que furent les années 80 repose sur une évolution qui prend six formes distinctes.

- La première n'est pas originale puisqu'elle a de tout temps accompagné le développement du sport. Elle relève de l'émergence permanente d'innovations techniques ou tactiques propres à améliorer l'efficacité des gestualités sportives.

- La deuxième est déjà plus remarquable. Elle est liée à la volonté croissante de rendre le sport plus « télégénique » en adaptant ses règles aux contraintes de la télévision. Ainsi, par exemple, l'introduction du « jeu décisif » au tennis n'eut pas d'autre dessein que la maîtrise du temps de retransmission des rencontres. De même, si elle voit le jour, l'augmentation de la surface des buts de football aura pour objectif de rendre ce sport plus « téléspectaculaire » en augmentant le nombre de points marqués au cours d'un match.

- La troisième forme d'évolution se repère dans l'apparition et la multiplication récente de matériels et de matériaux inédits sur le marché des équipements de sport et de loisirs. Les raquettes de tennis à grand tamis, en carbone et au profil optimisé ; les chaussures de jogging ultralégères[1], sans lacet (« Turn it on »), à « Instantpump », avec régulateur « Tubular » ou « Air Max », équipées d'une semelle intérieure colloïdale à mémoire de forme ; les petites planches de funboard et leurs voiles en Durafilm ou Monofilm à « cambers » renforcées avec du Kevlar ; le « Legacy Solaire 2 × 2 » et le « Boulder-Legacy », derniers-nés des vélos tout-terrain (VTT) introduits sur le marché en 1993 et qui présentent l'étonnante particularité de posséder... deux roues motrices ; le « Kite-Jumping », cerf-volant (CV) surdimensionné qui permet d'effectuer des sauts de plus de trente mètres de longueur[2]. Associé à un « Fun Disk Kite[3] », ce type de CV autorisera bientôt l'apparition d'une pratique de glisse remarquable et totalement nouvelle ; les « patins en ligne » de type « Rollerblade », « Roces », « CaliforniaPro » ou « Bauer » qui renouvellent de manière étonnante le concept de

---

1. Au mois d'avril 1993, la revue *Jogging international* devait recenser pas moins de 161 modèles de « runnings » (chaussures de course à pied) sur un marché français qui a absorbé 5 millions de paires en 1992.
2. Lors du premier Festival du vent, qui fut organisé à Calvi à la fin du mois d'octobre 1992, cette pratique fut appelée le « sky surf ».
3. Sorte de ski nautique rond équipé de footstraps.

patins à roulettes[4]... Ce ne sont là que quelques exemples d'innovations sur un marché des équipements sportifs prodigieusement
créatif depuis une quinzaine d'années.

- Le quatrième type d'évolution que l'on peut constater est surprenant. Il relève d'une sorte de renouveau ou, plutôt, d'une renaissance de la créativité des hommes en matière d'invention de pratiques sportives. En effet, l'histoire du sport moderne montre que
la très grande majorité des activités que nous appellerons traditionnelles (sports collectifs, athlétisme, natation, par exemple), furent
toutes inventées et développées entre le milieu du XIXᵉ siècle et le
milieu du XXᵉ siècle. Ensuite, durant un quart de siècle, de la fin
de la Seconde Guerre mondiale jusqu'aux années 70, extrêmement
rares furent les activités sportives nouvelles qui apparurent sur le
marché des loisirs. Comme si l'inspiration était tarie. Aussi, la surprise est grande lorsque l'on constate que depuis le milieu des
années 70 une bonne quarantaine de pratiques nouvelles sont apparues sur le marché des sports de loisirs[5].

En 1995, rien ne permet d'affirmer que cette recrudescence étonnante de l'inventivité sportive va cesser brutalement. De même que
rien ne peut laisser supposer que les recherches technologiques et
biomécaniques ne permettront pas dans un avenir très proche la
création d'« objets techniques sportifs » totalement inimaginables
aujourd'hui. Ce qui revient à dire que nous ne connaissons probablement pas, d'une part, certaines activités sportives que nous pra-
tiquerons dans quatre ou cinq ans, d'autre part, le matériel sportif
que nous utiliserons au cours des prochaines saisons.

- La cinquième transformation du sport au cours des années *fun*
est nettement moins enthousiasmante. Elle porte sur l'émergence
d'une législation beaucoup plus draconienne dans de nombreux
domaines (fiscalité, financement, emploi, sécurité, normalisation,

4. Dans son numéro du mois de décembre 1993, le magazine *Sport Première* titrait en première de couverture : « Bienvenue dans le *fun* club Rollerblade » et estimait que « le patin
en ligne est un produit très séduisant. L'essayer c'est l'adopter ». *Sport Première* n° 131,
décembre 1993, p. 19. *Sport Première* est une revue professionnelle de la distribution et
de l'industrie du sport. « Rollerblade » est une marque appartenant au groupe Benetton
Sport (Nordica Sportsystem). Nous noterons qu'aux États-Unis les adeptes des patins en ligne
sont surtout des patineuses (45 % de femmes) et que le marché américain a absorbé
4,5 millions de paires en 1992... soit presque l'équivalent du marché mondial de la chaussure de ski. *Sport Première*, « Patins en ligne ou ''rollerblading'' ? », mai 1993, p. 8.
5. VTT, parapente, funboard, skate-board, surf des neiges et monoski, canyonning, nage en
eau vive, ultramarathon, benji, bodyboard, base-jump, triathlon, green roller, snowscoot, etc.

etc.) depuis que le sport est considéré comme un secteur économique à part entière. Le passage du sport amateur au sport professionnel qui se généralise largement (toutes disciplines confondues) entraîne des bouleversements dans les modes de gestion des organisations sportives. De moins en moins « amateurs », les managers bénévoles du sport doivent aujourd'hui intégrer dans leurs décisions les composantes administratives, économiques, juridiques voire même commerciales qui leur sont imposées par leurs partenaires (État, collectivités, sponsors).

- La sixième et dernière transformation est beaucoup moins facile à percevoir. Elle se débusque dans le domaine de l'évolution des mentalités, aspirations, motivations et symboles que nos contemporains plébiscitent aujourd'hui en matière de sport. C'est essentiellement à ce dernier type d'innovation sportive que nous allons nous intéresser dans ce livre. Ce type de changement est déconcertant pour tous les sportifs car, outre le fait qu'il était proprement inimaginable il y a encore une vingtaine d'années, force est d'admettre qu'il remet aujourd'hui brutalement en cause le concept même de sport.

Ces six formes d'évolutions entraînent des perceptions différentes de l'innovation sportive. Ainsi, les transformations techniques, tactiques ou réglementaires ne sont souvent perçues que par les spécialistes, alors que chacun constatera le foisonnement des petites planches de funboard sur les plages et la génération quasi spontanée des VTT sur les pistes de ski en été.

Pour illustrer la transformation des mentalités je prendrai l'exemple de la prolifération, depuis une dizaine d'années, des courses à pied de longue distance. En 1994, plus de 3 500 courses de ce type furent organisées en France ; ce qui représente une moyenne hebdomadaire de près de 70 semi-marathons, marathons, ultramarathons ou autres « corridas », proposés aux 2 166 800 Français qui courent[6]. Une telle multiplication laisse présager des bouleversements dans la façon dont est perçu le marathon, épreuve symbolique considérée comme « surhumaine » il y a vingt ans encore. Aujourd'hui, le marathon de New York, celui de Paris, la Stranmilano en Italie ou la Fun Run d'Auckland, en Nouvelle-Zélande, rassemblent des dizaines de milliers de coureurs. À lui seul, le

---

6. Selon une enquête INSEE-*Jogging international* réalisée en mai 1990. En 1995, *Jogging international* a recensé « 4 450 manifestations de courses pédestres en France, Suisse romande et Belgique francophone ». *Jogging international*, « Les rendez-vous 95 », janvier-février 1995.

succès - inconcevable il y a quelques années - remporté par ces manifestations montre que c'est à un profond renouvellement des valeurs
sportives historiques que le monde du sport est aujourd'hui confronté. Un renouvellement qui permet d'envisager que nous sommes en présence d'une nouvelle « culture sportive », entièrement
inédite et qui semble s'opposer à cette tradition sportive qui a traversé le XXᵉ siècle pour arriver jusqu'à nous aujourd'hui.

De fait, par-delà les apparentes transformations du sport que
je viens d'esquisser, il semble bien que ce soit plus profondément
encore qu'il convient aujourd'hui de rechercher l'innovation sportive. En effet, au-delà du renouveau des techniques, technologies
et règles sportives, au-delà de l'évolution étonnante de l'image du
marathon, au-delà même du relatif désintérêt envers des structures fédérales quelque peu ignorées au bénéfice d'une pratique dite
« sauvage », au-delà encore de l'intervention de plus en plus
efficace d'organisations à vocation économique dans la promotion
du spectacle et des loisirs sportifs, c'est à la recherche de
« l'extrême », du « hors-limite », du « destroy », du « hors-piste »,
de la « quatrième dimension », du site « radical », de la « tribu »
et du « fluo », du « vol » et du « vertige », des sensations et du
déguisement, de la « glisse » et du « fun », que nous sommes
conviés.

Recrudescence des inventions en matière de comportements sportifs se voulant alternatifs[7], exploitation d'un vocabulaire totale-

---

7. La notion de comportement et de « culture sportive alternative » transparaît aujourd'hui
dans le discours de certains responsables sportifs. Au mois de février 1994, par exemple,
la revue *Sport Première* rapportait les propos de Jean-Pierre Dusseaulx, de la Fédération française de basket-ball. Évoquant les « playgrounds » (le basket de rue), ce dernier affirmait :
« Alternatifs dans leur pratique, les adeptes des playgrounds le sont aussi dans les relations
qu'ils entretiennent avec les instances sportives susceptibles de les encadrer. » Et la revue
de poursuivre : « À l'origine du boom du basket, il y a une jeunesse désireuse [...] de se
démarquer par son style de vie. Une musique, le rap. Des vêtements, le look basket tout
en forme destructurée et en couleurs bigarrées. Un jeu, le *streetball* et son adage *"no coach,
no ref, no rules"* (pas d'entraîneur, pas d'arbitre, pas de règles). » *Sport Première*, n° 133,
février 1994, p. 40-41. La « rue » semble propice à l'émergence d'une « culture sportive alternative ». Dans sa livraison du mois de novembre 1993, le même magazine proposait un
article sur le « street hockey » dont les adeptes utilisent des « patins en ligne ». Donnant
la parole à Philippe Chenu, importateur des patins de la marque Ultra-Wheel, le magazine
estimait : « [Le patin en ligne] représente une culture alternative à un sport en passe de
devenir de masse. » (p. 6) Sur le développement des « sports de rue », on consultera avec
intérêt le livre de Pascal Duret et Muriel Augustini, *Sports de rue et insertion sociale*, Paris,
INSEP, décembre 1993.

ment inusité mais lourd de sens, investissement de sites toujours plus dangereux et inattendus sinon complètement surréalistes, réhabilitation de certaines couleurs représentatives de la contre-culture américaine des années 60, surabondance des références à des subcultures musicales comme le rock'n roll ou le rap, mais aussi utilisation d'un graphisme d'avant-garde dans le domaine de la décoration, valorisation ostentatoire de certains auteurs et romanciers quelque peu *underground*, c'est une débauche de références nouvelles qui envahit une nouvelle forme de presse sportive hyperspécialisée et souvent iconoclaste. Force est de reconnaître que c'est à un véritable bouleversement symbolique que le mouvement sportif se trouve aujourd'hui confronté[8]. C'est bien un corps de valeurs alternatives, de mythes et de symboles rompant avec la culture des organisations sportives traditionnelles (instituées pour nombre d'entre elles dans les trente premières années du XXe siècle) qui semble naître sous nos yeux.

Ces bouleversements perturbent grandement l'action des dirigeants des organisations sportives d'utilité publique chargées de gérer et de développer les pratiques. En effet, les acteurs du mouvement sportif s'avèrent souvent incapables de concevoir que c'est un autre type d'actions et de relations « sportives » que cherchent à promouvoir des pratiquants qu'il faut bien qualifier de nouveaux. Reste qu'en renouvelant en profondeur les valeurs sportives traditionnelles, ces transformations perturbent également le marché du sport. En fait, il faut envisager que ce soit le contenu même du mot « sport » qui est ici mis en question. Nous sommes en présence d'un type de relations très particulier, inconnu jusqu'ici dans les milieux sportifs, qui introduit perturbations et désordres au sein d'une culture sportive fondée traditionnellement sur la concurrence et la confrontation. Un paradoxe se fait jour, qui tient au fait que l'accès à la pratique sportive est de plus en plus massif, facile et donc égalitaire, alors même que la rationalité de l'échange compétitif, qui est fondée sur la stricte égalité des adversaires, est aujourd'hui mise en question.

---

8. Dans le domaine du ski, par exemple, la rupture culturelle s'accélère. Relatant une manifestation de snowboard organisée au Trocadéro par Fred Beauchêne au mois de décembre 1993, Luc Le Vaillant confirme bien ce point lorsqu'il estime : « [Au début des années 80] le mouvement "glisse" est en gésine. Enfant rebelle du ski et fils spirituel du surf, le snowboard va bientôt cohabiter avec le windsurfer, le deltaplane ou autre raft dans le culte de la pratique déréglementée et de l'envie hors cadre. [...] C'est Nirvana-sur-Neige, Seattle 2000, ou le mouvement grunge expliqué aux chamois. » *Libération*, 1er décembre 1993, p. 28.

Prenons encore une fois l'exemple du marathon. Une telle épreuve de masse n'est pas une véritable course au sens sportif du terme car tous les participants ne sont pas sur un pied d'égalité au départ. C'est là une redéfinition essentielle de l'éthique sportive. Une remise en cause qui valorise le nombre et l'inégalité des marathoniens et non pas les chiffres (temps chronométré et place à l'arrivée) et les règles égalitaires qui déterminent strictement le statut de compétiteur. En effet, quelle égalité existe-t-il entre le groupe des « as » qui s'élance en premier et le groupe des « masses » qui piétine plusieurs minutes durant avant de s'ébrouer ?

Les marathons urbains ne sont donc pas des courses au sens sportif du mot. Peut-être faudrait-il envisager ce terme selon l'acception que lui donnaient les corsaires lorsqu'ils partaient « en course », c'est-à-dire à l'aventure pour « courir les mers ». Ou bien encore au sens que lui donnent des randonneurs qui envisagent une « course » en montagne, autrement dit qui partent découvrir cette dernière. En effet, l'aventure et la découverte sont bien présentes au cœur d'un marathon comme celui de la ville de New York, par exemple, qui s'affirme de plus en plus comme une véritable épopée urbaine. C'est bien une forme de découverte, même si elle est de nature profondément intime et individuelle, que revendiquent les coureurs de macadam : elle prend la forme de l'exploration de leurs limites et de la mise à jour de leurs propres capacités de souffrance.

Ainsi s'élaborent les règles d'une conduite sportive entièrement neuve, distinguant la connivence de la domination, la personnalisation de la hiérarchisation, la similarité de l'altérité, le libre arbitre de l'arbitre, l'émotion de la raison, la participation de la confrontation, et d'une manière générale l'entretien à long terme du potentiel physique face à son exploitation à courte vue à laquelle nous a toujours habitués le sport de haut niveau. Cette remise en cause est récente et introduit du « bruit » dans un système sportif historiquement organisé pour compter et ordonner performances et individus. L'intégration de ces normes alternatives devient brutalement la règle d'une culture sportive parfaitement inattendue. Celle-ci plébiscite le jeu, l'humour, la massification des effectifs pour mieux rejeter la mesure traditionnelle des gestes sportifs et générer la démesure de certaines manifestations[9].

---

9. Il n'est pas rare que certains marathons regroupent plusieurs dizaines de milliers de coureurs.

Un élément montre bien que le sport est engagé dans une ère de ruptures : le marathon (encore lui !), la course culte, symbole de la tradition athlétique, épreuve de légende du monde sportif, relève aujourd'hui plus du *happening* que de la compétition. Le comportement surveillé et arbitré apparaît de moins en moins comme devant être valorisé. L'écosystème rural ou urbain est préféré aux stades, ces artefacts réglementés où sont mises en jeu les gestualités comptabilisables. C'est la simple connaissance de soi et de ses propres potentialités physiques qui semble aujourd'hui recherchée. La reconnaissance d'une valeur corporelle monétisée en or, argent ou bronze ne correspond plus à la quête des nouveaux sportifs. Leur Graal n'a plus la forme d'une coupe, distinction suprême identifiant l'athlète élu. Leur récompense est plus prosaïque : ainsi se voient-ils tous attribuer la même médaille-souvenir à l'issue du marathon de Londres, par exemple.

Pour ceux qui ont la charge de gérer les organisations sportives, il s'agit donc de prendre en compte les exigences et les besoins d'un nouveau « marché » du sport. En effet, ce qui se dessine derrière ces aspirations nettement originales c'est un rejet du chiffre et un refus manifeste de la transposition et de la transcription des prestations physiques sous la forme d'une abstraction numérique. Dès lors, l'amélioration du geste sportif ne prime plus toujours l'intensité de la sensation vécue et son évocation en termes de rapport au corps, à autrui et à la nature.

Il est délicat de dater avec précision l'origine de ce qu'il faut bien considérer comme une révolution culturelle bouleversant l'orthodoxie sportive. Admettons pourtant dès maintenant que les prémices de cette grande transformation doivent se situer à la fin des années 50 et au début des années 60, dans le prolongement des multiples mouvements contre-culturels qui virent le jour à cette époque au sein de la société occidentale. À titre de points de repère purement symboliques, nous prendrons en considération trois événements qui apparaissent comme des traces, des signes, des pistes (pour utiliser la terminologie de Carlos Ginzburg) permettant d'envisager qu'ils soient peut-être fondateurs d'une véritable contre-culture sportive qui remet en cause, aujourd'hui, cent ans d'histoire du sport.

Le premier de ces événements est le succès rencontré par un film anglais tiré d'une nouvelle d'Alan Sillitoe et réalisé par Tony

Richardson en 1962, *La Solitude du coureur de fond*. Ce film qui se situe dans la mouvance du Free Cinema est intéressant à considérer ici car il met en scène un héros, le jeune Colin Smith, qui rejette de façon provocante le symbole de la réussite sportive que représente la victoire.

Pensionnaire d'un centre de redressement pour délinquants, Colin est sélectionné pour représenter l'établissement qui est opposé à un collège chic des environs dans le cadre d'une rencontre sportive. En tête de la course, il laisse pourtant son adversaire gagner... refusant ainsi avec ostentation et dédain le rôle que le directeur du centre cherche à lui faire jouer. Au-delà de la simple révolte contre l'organisation pénitentiaire, c'est un rejet des normes sociales matérialisées par les règles de la course que veut signifier le héros du film. Colin Smith est un rebelle social qui, en déclinant la victoire sportive, combat les traditions bourgeoises des philistins anglais. C'est un comportement de subversion sociale qui est mis en scène et, de fait, c'est en tant que film d'opposition à l'« *affluent society* » britannique que cette œuvre cinématographique sera perçue et rencontrera le succès. Alan Sillitoe, en effet, ne cache pas sa sympathie pour le groupe des Angry Young Men (les Jeunes Gens en colère), un mouvement de contestation proche de la New Left (la Nouvelle Gauche) anglaise de la fin des années 50, qui regroupe des romanciers, des intellectuels, des auteurs de théâtre, « en colère » contre les traditions sociales.

Ainsi, en 1962, probablement pour la première fois de son histoire, le sport apparaît à l'écran comme un support approprié à la critique d'une société bourgeoise qui fut pourtant à son origine. Or, au cours du mois de septembre 1993, la société Nike devait reprendre les thèmes du roman de Sillitoe dans une campagne de publicité bien faite pour marquer comme une distance très nette avec la culture sportive classique. Traduisant « librement[10] » un extrait du roman, Nike interprète ainsi les pensées de Colin Smith : « C'est quelque chose d'être un coureur de fond. Seul au monde, sans un gêneur pour te chercher des poux dans la tête, te dire ce qu'il faut faire ou t'inciter à cambrioler le magasin du coin. Il y a des fois où je pense que je ne me suis jamais senti aussi libre que pendant ces quelques heures quand je franchis la grille et que

---

10. Selon les propres termes de la marque.

je pars galoper, tournant devant le grand chêne pelé au bout de l'allée. Tout est mort, mais c'est bien, parce que c'est la mort d'avant la vie, pas celle d'après la vie[11]. »

Le second événement fondateur de ce que j'appellerai la contre-culture sportive contemporaine est la transposition réelle, sept ans plus tard, de la fiction de Sillitoe.

Le 28 février 1969, au large de l'île de Tristan da Cunha dans l'Atlantique, Bernard Moitessier[12] est donné comme le vainqueur potentiel de la première course autour du monde à la voile en solitaire organisée par le *Sunday Times*. Pourtant, à la surprise géné-rale, il décide de « laisser porter » vers le Pacifique plutôt que de remonter vers l'Europe et la ligne d'arrivée. Cette décision de refuser la victoire - et le prix qui lui est associé : un globe d'or et 5 000 livres sterling - est totalement incongrue, inexplicable, injus-tifiable pour les organisateurs de l'épreuve. L'auteur de cette décision contre nature est d'ailleurs parfaitement incapable de la justifier : « Je ne sais comment leur expliquer mon besoin de continuer vers le Pacifique. Ils ne comprendront pas. Je sais exactement où je vais même si je ne le sais pas. Comment pourraient-ils piger ça[13] ? » Il reste que si Moitessier éprouve des difficultés pour fonder ration-nellement sa décision, ses raisons semblent bien entièrement moti-vées, à l'image de l'attitude du héros de Sillitoe, par le rejet des normes sociales occidentales matérialisées par les règles de la course : « [...] sauront-ils sentir que les règles du jeu ont changé peu à peu, que les anciennes ont disparu dans le sillage pour laisser la place à de nouvelles, d'un autre ordre[14] ? »

Ainsi, près d'un quart de siècle avant l'étonnante revendica-tion d'un fabricant de chaussures de sport contemporain - la mar-que Reebok, qui clame « *Break the rules* », Moitessier s'était déjà employé à « casser » ces règles sportives (qui sont aussi sociales !) jugées trop contraignantes. Il ne fait aucun doute, en effet, qu'en

11. Cette publicité fut publiée, par exemple, dans *L'Équipe Magazine* du 25 septembre 1993, p. 10.
12. Décédé au mois de juin 1994, Bernard Moitessier fut présenté en août 1994 par le maga-zine *Voiles et Voiliers* comme « l'un des plus libres parmi les rares hommes libres, [il] rap-pelait qu'un homme seul sur son voilier s'inscrit dans l'histoire du monde [...] et qu'il n'est pas interdit d'essayer d'en changer le cours de manière radicale ». *Voiles et Voiliers* n° 282, août 1994, p. 41.
13. B. Moitessier, *La Longue Route*, Paris, Arthaud, 1987, p. 219.
14. *Ibid.*, p. 220.

s'éloignant de l'Europe il fuit *le* système : « Je n'en peux plus des
faux dieux de l'Occident toujours à l'affût comme des araignées,
qui nous mangent le foie, nous sucent la moelle. Et je porte plainte
contre le Monde Moderne, c'est lui, le Monstre. Il détruit notre
terre, il piétine l'âme des hommes[15]. »

La presse devait s'emparer du personnage de Moitessier pour
le transformer en une sorte de héros moderne, véritable incarnation des rêves de vie différente nés des événements de Mai 68[16].
Il demeure que bien peu nombreux furent ceux qui relevèrent la
surprenante similitude entre la démarche intellectuelle, le mode de
vie, les aspirations de Moitessier et les espoirs de vie alternative d'un
Jack Kerouac, le leader américain de la Beat Generation. En effet,
le style, le ton, le souffle de son livre ne sont pas sans rappeler
le caractère très particulier des ouvrages de Kerouac. Jusqu'au titre
- *La Longue Route* - qui semble s'inspirer du principal roman de
cet auteur américain - *Sur la route*[17] - qui servit de référence au
mouvement beatnik. En 1993, à l'occasion du Vendée Globe, l'hebdomadaire *L'Express* fut l'un des très rares magazines à discerner
que sous Moitessier perçait Kerouac : « Il est le Kerouac des marins.
[...] En 1971, il publie *La Longue Route*. Ceux qui ont rêvé de
grand large connaissent ce titre. Il est aux vagabonds des mers ce
que *Sur la route* de Jack Kerouac a été aux routards[18]. » Plus
qu'un sportif engagé dans une course à la voile, Moitessier apparaît donc comme un marginal, un « va-nu-pieds », un « vagabond
des mers du Sud », vivant selon un code de conduite quasi identique à celui des « anges vagabonds » et des « clochards célestes » qui
peuplent les romans de Kerouac.

Bernard Moitessier fut probablement l'un des tout premiers

---

15. *Ibid.*, p. 225.
16. Encore aujourd'hui, Moitessier est présenté par la presse comme un héros charismatique fondateur d'une autre forme de relation à la mer, loin de toute confrontation classante, beaucoup plus proche des marginaux que des régatiers. Dans sa livraison du mois
de mai 1992, la revue *Voiles et Voiliers* consacra un important dossier aux « années Moitessier ». Le magazine estima : « L'époque (1968) s'invente les héros dont elle a besoin parce
qu'ils correspondent aux courants de pensée du moment ; elle les récupère. [...] Moitessier
n'était évidemment pas parti pour sa longue route par motivation de révolution sociale ou
culturelle, mais il représentait un symbole fort et concret des idées de 1968. [...] Ainsi,
étrangement, le synchronisme entre un vagabond des mers épris de liberté et toute une
génération en révolte est parfait. » *Voiles et Voiliers* n° 255, mai 1992, p. 89.
17. Publié aux États-Unis en 1957.
18. *L'Express*, 31 décembre-6 janvier 1993, p. 59-61.

« glisseurs ». Il mit en évidence une sorte de contre-culture sportive hors du monde restreint du surf considéré en tant que mouvement sportif « alternatif ». Autrement dit, un adepte de ce que l'on appelle aujourd'hui, à la suite d'Yves Bessas, la « glisse ». Les surfs de son Joshua dans les quarantièmes rugissants ne sont guère différents, en effet, de la recherche forcenée de nouvelles sensations qui s'exprime, comme nous le verrons, dans la démarche quelque peu métaphysique des « glisseurs » d'aujourd'hui. « On ne peut jamais prévoir exactement ce qui se passera pendant un coup de surf sous ces hautes latitudes. Le bateau a l'air tellement heureux qu'on peut craindre de le voir inventer quelque chose de nouveau. Je me demande comment j'ai pu oser aller si loin la nuit dernière. Ivresse des grands caps[19]... »

Enfin, le dernier événement initiateur d'un nouvel état d'esprit sportif fut une plaisanterie de potache, une « farce » pour le quotidien *L'Équipe*, qui frappa de plein fouet, cette fois encore, le symbole le plus représentatif de l'idéologie sportive : la victoire.

Lors de l'arrivée du marathon des Jeux Olympiques de Munich, en 1972, l'athlète « épuisé », filmé par les télévisions du monde entier, qui pénètre sur la piste et accomplit un tour d'honneur sous les applaudissements du public n'est pas le vainqueur de l'épreuve... C'est un garçon de seize ans qui, trompant la surveillance du service d'ordre, entre sur le stade sans avoir participé à la course quelques instants avant le véritable vainqueur.

Ce faisant, il entend protester contre la solennité de Jeux qui n'ont rien de ludique. L'humour et la dérision touchent cette fois l'institution olympique dans ce qu'elle peut présenter de plus symbolique en matière d'ascétisme, d'abnégation et de gratuité de l'effort athlétique : le marathon. Certes, l'acte contestataire de ce jeune lycéen allemand n'apparaît guère que comme un épiphénomène face à la tragédie qui marqua les Jeux de Munich, endeuillés par l'action du commando palestinien Septembre noir. Pourtant, si à propos de cette action terroriste la presse a pu parler de l'« assassinat » et de la « mort » de l'idéal de paix représenté par les Jeux Olympiques, il semble bien que la « farce » de l'arrivée du marathon portait en germe une remise en question autrement plus insidieuse, parce que invisible à l'époque, de la rationalité,

---

19. B. Moitessier, *op. cit.*, p. 194.

du sérieux, de la solennité, bref de ce qui constitue pour une large part l'éthique sportive défendue par le mouvement olympique. Il n'est pas impossible de penser que cette dérision largement amplifiée par les media contribua à la transformation de l'image du marathon, qui est plus proche, aujourd'hui, de la fête ou du carnaval que d'une épreuve sportive traditionnelle.

La portée médiatique conférée à ces trois événements me semble significative d'une évolution brutale dans la représentation commune que nous avons du sport. En effet, ils tranchent nettement avec le sentiment général qui prévaut dans les années 60, faisant du sport un système confit dans des principes inébranlables et ancrés dans des certitudes intouchables car représentatives des valeurs sociales les plus inattaquables : effort, égalité, solidarité, dévouement, mérite, gratuité de l'engagement personnel. Le sport à cette époque ne saurait être mis en question même si, çà et là, quelques voix s'élèvent pour dénoncer une institution totalitaire et aliénante. Dans cette perspective, il est très intéressant de remarquer que le sport ne fut guère critiqué lors des événements de Mai 68.

Il fut même l'une des rares institutions à ne pas être touchée par la contestation[20]. Dans un tel contexte, le film de Richardson, le renoncement de Moitessier et le canular des Jeux de Munich apparaissent bien comme des signes prémonitoires de changements à venir. Ferments de désordres sportifs, ils étaient gros des renouvellements qui se font jour aujourd'hui.

Quelques auteurs de langue française ont esquissé les contours d'une culture sportive différente, laquelle s'inspire de manière très étonnante, comme nous allons le voir, des symboles révolutionnaires nés des multiples mouvements de contestation des années 60. Outre Jean-Paul Callède, qui évoque ce point dans son analyse de « l'esprit sportif[21] », et plus récemment Jacques Defrance et Christian Pociello[22], celui qui s'est le plus approché de la réalité sportive « contre-culturelle » contemporaine semble bien être le journaliste suisse Antoine Maurice.

---

20. Voir à ce sujet J.-M. Brohm, *Sociologie politique du sport*, Paris, Delarge, 1976, p. 327.
21. J.-P. Callède, *L'Esprit sportif*, Bordeaux, Maison des sciences de l'homme d'Aquitaine, 1987, en particulier p. 153 *sq*.
22. J. Defrance, C. Pociello, « Structure et évolutions du champ sportif français », in *Échanges et Controverses*, Paris, décembre 1991, p. 67-84.

Dans un livre stimulant[23], cet auteur analyse l'émergence de ce qu'il appelle une « sensibilité alternative » dans le monde du sport. Avec beaucoup de pertinence il remarque : « Les valeurs véhiculées par la contre-culture américaine semblent avoir bel et bien touché le domaine du sport et ceci non seulement en Amérique mais aussi en Europe[24]. » Il reste, pourtant, que l'auteur ne fait pas vraiment la démonstration de ce qu'il avance. Il s'en tient à un inventaire d'attitudes et de comportements qu'il relie à des mouvements critiques comme l'écologie et les mouvements pacifistes. Pour être judicieuse, cette description me semble trop restreinte. S'il a parfaitement perçu l'évolution des formes de pratiques ainsi que l'apparition de motivations alternatives par rapport à la compétition, Antoine Maurice ne montre pas les multiples expressions symboliques que cette contre-culture revêt dans certains domaines très significatifs du sport contemporain.

D'autre part, un élément de sa démonstration pose un problème de fond : il fait totalement abstraction d'une nouvelle approche - particulièrement originale - du marché des sports de glisse développée à la fin des années 70 par certains acteurs économiques. L'auteur estime, en effet, que c'est la planche à voile qui a marqué de son empreinte la naissance de ce que l'on peut appeler une nouvelle « sensibilité sportive[25] ». Si cela semble bien être le cas, encore faut-il considérer qu'il s'agissait là d'une stratégie marketing remarquablement orchestrée. Cette précision est importante car elle permet de comprendre comment quelques acteurs (largement minoritaires à l'époque) du marché du sport ont su exploiter, en l'amplifiant, une transformation de l'état d'esprit des adeptes de certaines pratiques par rapport à la relation sportive traditionnelle. En l'occurrence, ce sont les fabricants de planches à voile qui ont introduit dans leur démarche commerciale les idées alternatives que véhiculaient déjà des activités comme l'escalade, la course à pied de longue distance, le deltaplane et, surtout, le surf.

Je pense, pour ma part, qu'il est nécessaire de renverser la proposition d'Antoine Maurice. Il faut envisager que la planche (plus exactement le windsurf pour reprendre la terminologie en usage en

23. A. Maurice, *Le Surfer et le Militant, valeurs et sensibilités politiques des jeunes, en France et en Allemagne, des années 60 aux années 90*, Paris, éditions Autrement, 1987.
24. *Ibid.*, p. 57.
25. *Ibid.*, p. 66.

1994) ait rencontré en France le succès que l'on connaît parce qu'elle
a su s'imprégner - et non pas imprégner ou marquer de son
empreinte comme le pense l'auteur - d'un nouveau système de
valeurs sportives proche des milieux alternatifs qui existait déjà,
notamment en Allemagne. Dans ce pays, en effet, malgré le dépôt
d'un brevet qui a considérablement limité les capacités de production des fabricants de planches à voile, le succès de cette pratique,
qui était nettement perçue comme une activité sportive de nature
alternative, fut très appréciable et a devancé la bonne fortune du
produit en France, celle-ci ne remontant guère qu'au Salon de la
navigation de plaisance de janvier 1977.

Pour ce qui concerne le marché du sport en France et, au-delà,
les stratégies marketing des entreprises, il est très important d'observer que c'est parce qu'un système de valeurs contre-culturelles était
en place dans d'autres domaines comme la peinture, le graphisme,
la musique ou la littérature, et s'opposait déjà à la culture domi-
nante que de nombreux sports récents ont connu la réussite en s'inspirant ouvertement de ces avant-gardes. Je tenterai de montrer que
c'est bien en collant au terrain sémantique de la contestation culturelle et en exploitant remarquablement à leur profit des symboles préexistants que les fabricants de planches français ont réussi,
au début des années 80, le tour de force de positionner ce produit
en marge de la pratique sportive traditionnelle. Tour de force en
matière de marketing, car il convient de se souvenir qu'au mois
de janvier 1977, au moment où la planche triomphe sur le marché des loisirs sportifs, l'objectif de tous les agents économiques
consistait à faire de cette pratique rien de moins qu'une discipline
olympique. C'est-à-dire de l'intégrer à une culture sportive parfaitement traditionnelle, représentée par la Fédération française de voile
(qui vient tout juste de retirer de son nom le terme de
« yachting[26] »), dont les membres les plus distingués ironisaient
encore sur ce qui n'était à leurs yeux qu'un engin de plage qui
ne représentait en aucune façon un symbole de contestation sportive.

Il est intéressant de remarquer, également, que cette stratégie
marketing est le propre des fabricants de planches et de la presse
spécialisée français. En Australie, en Grande-Bretagne ou aux États-
Unis, si l'on fait abstraction des entreprises de vêtements de type

---

26. La FFV s'appelait auparavant la Fédération française de yachting à voile.

« surfwear », le windsurfing est très peu représentatif d'un modèle sportif contre-culturel.

Dans une communication lors d'un colloque consacré au sport en Grande-Bretagne et aux États-Unis, en 1986, Catherine Augustin a bien montré le caractère contestataire qui imprègne un sport comme le surf aux États-Unis[27]. Décrivant l'attitude des adeptes de cette pratique, elle estime que « le surfer est, essentiellement, un individu qui se place hors des lois, non pas en s'y opposant, mais en les ignorant[28] ». Par contre, se fondant sur les analyses des deux revues spécialisées californiennes, elle montre que si le surf est une activité sportive de nature contre-culturelle, la planche à voile ne relève pas de cet état d'esprit : « Le véliplanchiste n'est nullement en rupture. C'est un consommateur éclairé[29]. » Contrairement au surf, la planche à voile a constitué très rapidement un marché en Europe. Après quelques hésitations sur la stratégie marketing à adopter, ce sont les promoteurs de ce marché qui ont volontairement introduit cette dimension contre-culturelle qui marqua la pratique du funboard dans les années 80. La planche pratiquée en régate sur parcours olympique et dont le calendrier des manifestations est géré par la Fédération française de voile ne représente, par contre, en aucune façon, un modèle contestataire.

Remarquons que cette attitude étonnante qui consiste à utiliser des activités sportives récentes dans un objectif plus ou moins affirmé de contestation sociale n'est pas vraiment une nouveauté. Dès le milieu des années 70, un auteur comme Christian Pociello avait déjà perçu la volonté de marginalisation des adeptes de certaines pratiques sportives que l'on n'appelait pas encore des « sports de glisse ». Parlant du ski hors piste et du vol libre, il évoquait la propension que montraient leurs adeptes à valoriser le « catalogue des ressources », les positions antinucléaires, la nourriture macrobiotique ou les drogues douces[30]. Il montrait surtout que, ce faisant, ces pratiquants cherchaient à se démarquer des comportements sportifs traditionnels, institués et donc reconnus socialement. Citant

---

27. C. Augustin, « Quelques remarques sur la presse anglo-saxonne des sports nautiques : l'exemple de *Surfer* et *Windsurf* », in *Le Sport en Grande-Bretagne et aux États-Unis*, actes du colloque organisé par le CERCA, Presses universitaires de Nancy, 1988, p. 73.

28. *Ibid.*, p. 78.

29. *Ibid.*, p. 78.

30. C. Pociello et coll., *Pratiques sportives et demandes sociales*, compte rendu de fin d'études d'une recherche financée par le CORDES, Paris, INSEP, 1978, p. 14.

les propos d'un « libériste[31] », Christian Pociello notait : « On dit
que les libéristes sont des gauchistes. [...] On a seulement affaire
à des gars qui en ont marre... Parfois réellement marre des choses
établies, de jouer au foot, de jouer à ceci, cela. Preuve en est, pour
le milieu haut-savoyard, les trois quarts des gars qui font de l'aile
volante, ce sont des gars complètement farfelus qui font des choses extrêmes [...], ça démontre [...] qu'il y en a vraiment ras-le-
bol des choses établies[32]. »

Il faut bien comprendre que ce rejet des « choses établies » s'ins-
crivait dans un contexte socioculturel qui dépassait nettement la simple critique des comportements sportifs pour s'étendre à une forme
affirmée de contestation sociale. Certaines prises de position particulièrement tranchées confortent ce point de vue. Ainsi, au milieu
des années 70, les libéristes se décomposaient en deux tendances
distinctes. D'une part, des puristes, qui n'étaient pas autre chose
que des « zonards », des « marginaux » qui « volaient » et n'aspi-
raient qu'à une seule chose : rester en l'air le plus possible[33].
Autrement dit, métaphoriquement, des individus qui cherchaient
à s'exclure de la société pour un temps le plus long possible. D'autre
part, des « bourgeois qui parachutent... Ceux-là, ils n'ont qu'une
hâte, c'est de retrouver le plancher des vaches, de retrouver la terre,
la vie de tous les jours[34] ». Il ne fait aucun doute que nous sommes là dans une perspective « sportive » qui n'a plus rien à voir
avec les modalités de pratiques traditionnelles, c'est-à-dire réglementées, arbitrées et dont l'objet premier est la victoire sur l'autre.
Comme pour le héros du roman de Sillitoe lorsqu'il courait librement à l'extérieur de la maison de redressement, comme pour Bernard Moitessier qui, en mettant le cap sur le Pacifique, affichait
une volonté de navigation libérée des contraintes de la course, voler
a pu représenter pour certains une forme affirmée de marginalisation considérée comme une véritable *libération*.

C'est cette attitude nouvelle qui va être exploitée dans le cadre
de stratégies marketing inédites par les fabricants d'objets sportifs
liés aux sports de glisse. En multipliant les approches sportives alternatives, les campagnes publicitaires des fabricants de windsurfs,

---

31. Un adepte du vol libre, c'est-à-dire du deltaplane.
32. C. Pociello, *op. cit.*, p. 230.
33. *Ibid.*, p. 250.
34. *Ibid.*

de VTT, de surfs des neiges, de parapentes, de chaussures de course à pied de longue distance, de vêtements de type surfwear - aidées et confortées par un nouveau type de media sportif - vont développer, durant toutes ces années *fun* que constitue la décennie 80, l'idée que le sport « authentique », tout compte fait, n'est peut-être pas cette activité physique institutionnalisée, de nature compétitive, éducative, mâtinée d'utilité publique et que l'État enserre dans des lois. Le sport *authentique* participerait d'un registre d'attitudes et de comportements nettement plus « sauvage », composant un rapport à l'autre, à la nature et à son propre corps distinct du rapport sportif traditionnel. Une orientation libérée de ces contraintes et coercitions normalisantes qui grèvent un plaisir que l'on veut personnel, « égoïste », sinon intimiste. Une pratique affranchie de règles qui pour être sportives sont aussi sociales, et qui, dans ces conditions, refrènent souvent toute velléité de plaisir et de jeu.

Une précision s'impose : l'objectif de ce livre n'est pas de procéder à une quelconque approche politique ou idéologique de la culture et des pratiques sportives contemporaines. Je n'ai pas non plus pour ambition de critiquer le sport de compétition à partir d'un point de vue moral, éthique ou déontologique. Je chercherai plutôt à montrer qu'une véritable rupture s'est faite jour dans notre façon de concevoir la relation sportive et, au-delà, dans notre représentation du sport, au cours des années 80. À terme, ce bouleversement sera susceptible de provoquer une recomposition brutale du « paysage sportif ». Élaborée sur des fondements entièrement neufs, cette redéfinition du concept de sport pourrait rapidement ébranler ce système de valeurs centenaire que d'aucuns considèrent encore comme l'« essentiel du sport ».

1. *La transition culturelle*

L'athlète, le rocker et le surfer

Le fun *se présente comme une morale du plaisir. C'est aussi une stratégie marketing, un look, un vocabulaire, une musique et un ensemble d'attitudes. C'est enfin une esthétique se reconnaissant dans les cinq couleurs primaires du mouvement psychédélique, dans un graphisme* underground *et des artistes alternatifs. Le* fun, *c'est le totem des sports de glisse.*

S'introduire dans le monde du sport des années *fun* sera une véritable aventure. Il s'agira d'abandonner tous les codes et symboles qui permettaient jusqu'à présent de comprendre la « signification du sport ». Parfois totalement incongrus, toujours étonnants, souvent surréalistes, les nouveaux repères heurteront probablement ceux qui, trop attachés aux coutumes, pratiques et usages sportifs traditionnels, refuseront d'envisager qu'une autre culture sportive - très différente - soit apparue au cours de ces années folles que furent les années 80 pour le monde du sport.

J'utiliserai la notion de « culture sportive » dans une acception bien particulière. Je parlerai de culture au sens de système de valeurs sportif ou d'« essence » du sport. Autrement dit, un modèle de référence aux actions et relations sportives, quelque chose comme une forme d'« extériorité symbolique » qui fonde la relation sportive en la rendant compréhensible aux yeux de tous les sportifs. Je vais donc considérer que tout comportement qualifié de « sportif » se rapportera obligatoirement à cet ordre transcendant qui se positionnera en quelque sorte « au-dessus » de lui. C'est dans le rapport, ou dans le lien, culture sportive-comportement sportif que ce dernier puisera, à la fois, sa justification et sa signification.

Nous le verrons, ce fondement culturel possède deux caractéristiques importantes. Tout d'abord, il est issu de l'histoire (souvent « fabuleuse ») du sport au sein de laquelle il puise constamment ses références. Ensuite, et corrélativement, il est irrécusable,
incontestable et indiscutable, bien qu'il relève plus d'une justification que d'une démonstration. En réalité, il s'inscrit dans le paradoxe que constitue l'« essence » qui fonde tout système de valeurs
(ici le sport « authentique ») : il est non vérifié. Ce qui rendra problématique une évolution culturelle qui semble pourtant nécessaire
aujourd'hui. D'autant plus problématique que la culture sportive
relève clairement (et officiellement !) de la notion d'utilité sociale
depuis la fin de la Seconde Guerre mondiale[1]. Elle est donc doublement légitime. Aux yeux des sportifs qui la reconnaissent en tant
que modèle de référence de leurs actions, d'une part. Aux yeux
du législateur (ou de l'État) qui la reconnaît en tant que support
d'une intégration sociale relevant du domaine de l'utilité publique, d'autre part.

C'est ce modèle de référence doublement légitime et dont
dépend totalement la société sportive qui est aujourd'hui mis en
question, voire véritablement contesté, par un certain nombre
d'acteurs sociaux issus d'un curieux mouvement d'indépendance :
la « glisse » et son expression *fun*. On mesure les conséquences d'un
tel phénomène s'il advenait qu'il gagne en importance. À terme,
ce serait alors une déstabilisation de l'ensemble du mouvement sportif qui risquerait de se produire.

Au début de la décennie 90, il semble bien que certains dirigeants (présidents de fédération), leaders d'opinion (presse sportive)
et acteurs économiques (chefs d'entreprise façonnant le marché du
sport), soient conscients des processus de transformation en cours.
Discours et propos intègrent progressivement les changements rapides
(technologiques, économiques, sociaux) d'un environnement sportif de plus en plus délicat à maîtriser. Rarissimes, cependant, sont
ceux qui conviennent qu'une évolution culturelle serait à

---

1. À titre exemplaire, on notera que, dès sa nomination à la tête du ministère de la Jeunesse et des Sports au mois d'avril 1993, madame Michèle Alliot-Marie devait réaffirmer
le caractère d'utilité sociale du sport : « Le sport est un élément important de l'éducation
de la jeunesse. [...] Dans notre société où certains repères sont gommés, le sport permet
à la jeunesse d'accepter certains principes : le respect de soi, le respect de l'autre, le respect
de l'arbitre, qui, transposés, sont la base même de l'éducation d'un bon citoyen. » *Podium*,
la revue du ministère de la Jeunesse et des Sports, juin 1993, p. 4.

l'œuvre[2]. Il faut bien convenir, en effet, que si les discours officiels tenus à l'endroit du sport admettent que celui-ci est en phase
de mutation, ils affirment également, dans la même foulée, que
cette mutation ne saurait être de nature culturelle. Bien au contraire, face à la crise que l'on constate aujourd'hui, c'est une
continuité culturelle qui est nettement revendiquée. S'il s'agit là
d'une revendication parfaitement légitime (nous le verrons plus loin
dans la partie du livre consacrée à la « cléricature sportive »), il n'en
reste pas moins qu'elle s'appuie plus sur une conviction que sur
une démonstration. Ainsi, par exemple, au mois de novembre 1994
Henri Sérandour, le président du CNOSF, devait affirmer dans sa
présentation du programme de formation du Comité olympique :
« Le sport est en pleine mutation. De nouvelles pratiques apparaissent, d'autres évoluent. Les aspirations des pratiquants, sportifs assi-
dus ou occasionnels, changent. Le mouvement sportif doit être à
l'écoute de cette évolution, et en être l'un des acteurs, car elle s'inscrit dans une continuité éthique et culturelle dont il est le garant,
et qui dépasse très largement les éphémères effets de mode[3]. »

Il faut admettre que le fait de considérer les contraintes issues
des transformations du présent et non plus seulement la force et
le poids de la tradition est une réelle nouveauté dans le monde
des dirigeants sportifs. Lorsqu'il était encore président du CNOSF,
Nelson Paillou[4] s'est interrogé à plusieurs reprises sur cette véritable métamorphose qui tend à transformer les principes constitutifs du sport contemporain. Ce fut généralement pour s'en inquiéter, comme - très symboliquement ! - lors du Surf Master de Biar-
ritz, en septembre 1991 : « Le sport en général est face à un enjeu
très important, celui de trouver un bon compromis sans compromission entre le mouvement sportif qui structure le sport et le secteur économico-commercial qui soutient le sport tout en en tirant
profit. Que le sport soit fait pour l'homme et non l'homme pour

---

2. Parmi les rares analyses admettant que la crise du sport contemporain relève d'une dimension culturelle, François Alaphilippe, qui fut le président de la Fédération française de cyclisme
jusqu'en 1993, estime, par exemple, que par rapport au cyclisme sur route, le VTT est « une
nouvelle culture qui entre sans complexe dans un milieu plutôt traditionaliste ». L'Événementiel n° 24, dossier spécial VTT, septembre-octobre 1992, p. 11.
3. Henri Sérandour, Programme national de formation 1994-1995, Paris, CNOSF,
14 novembre 1994.
4. Monsieur Paillou fut président du Comité national olympique et sportif français (CNOSF)
jusqu'en 1993.

le sport[5]. » Phrase forte et vocabulaire choisi pour désigner quelque chose qui, après tout, est le lot quotidien de n'importe quelle entreprise soumise aux fluctuations de son environnement. Car ce « compromis sans compromission » a un nom : cela s'appelle l'adaptation.

Étonnant à plus d'un titre, notamment si l'on considère la référence permanente à la tradition, ce souci de « coller au marché » relève d'une perception de plus en plus fine, encore qu'elle soit relativement mal exprimée, des transformations en cours. Pour ce qui concerne les Jeux Olympiques, par exemple, Nelson Paillou estimait en 1991 : « Il faudra que l'on parvienne à faire inscrire des sports nouveaux du type du surf, du parapente, du parachutisme, du triathlon. Voilà des disciplines qui correspondent aux goûts de nos jours. Il faut conserver la tradition du sport olympique, mais évoluer parce que le goût des jeunes évolue[6]. »

Il ne faut pas se le cacher : mêler « tradition » et « goût du jour » sera un problème insoluble à brève échéance. Il relèvera d'une impossible résolution dès lors que les stratégies développées ne seront pas indexées sur le long terme. L'intégration de l'innovation doit s'établir ici à l'aune de l'histoire, c'est-à-dire, pour ce qui concerne le sport, le quart de siècle. En effet, introduire le surf et le parapente, mais aussi, pourquoi pas, l'escalade, le VTT, le base-jump, l'ultramarathon, le funboard, le skate-board, le snowboard, le bodyboard, le handboard[7], le sky surf, l'hydrospeed, le benji, le speed-sail, le rafting, le canyonning, le cerf-volant acrobatique, le raid en autosuffisance, le freesby, le boomerang, le half-pipe[8]... ne se fera pas sans une remise en question fondamentale du système de valeurs historique sur lequel se fonde l'olympisme. Car le « goût du jour » a de moins en moins le goût du sport traditionnel. Dans cette perspective, un auteur comme Pierre Parlebas a bien montré que le choix des disciplines olympiques ne devait rien au hasard. Au contraire, si elles furent choisies (parmi de multiples autres possibilités) c'est bien parce que leurs structures correspondaient étroitement à certaines exigences olympiques... souvent en décalage mani-

---

5. *Surf Session* n° 56, mars 1992, p. 71.
6. *Ibid.*
7. Voir le numéro 14 (décembre 1992) du magazine *Body Rider*, p. 12.
8. Parmi ces différentes pratiques, certaines comme le surf des neiges, par exemple, seront en démonstration lors des prochains Jeux Olympiques.

feste avec les engouements les plus massivement exprimés au début
des années 90[9]. Dès lors, l'introduction de nouvelles disciplines et
la suppression de disciplines par trop anciennes, démodées ou trop
peu « télégéniques[10] » ne pourra s'envisager que sur des bases,
notamment réglementaires et symboliques, bien particulières ; très
différentes, nous allons le voir, des normes olympiques.

Il ne suffira pas de dilater la tradition olympique pour tenter
de l'établir aux dimensions du marché (le « goût » des consommateurs) car il devient progressivement évident que les « valeurs *de*
sport » sont engagées dans une véritable transition. Plus qu'à la
mesure des gestes produits par les athlètes dans une perspective de
victoire, donc d'exclusion d'autrui, les adeptes de ces multiples sports
récents que je viens d'évoquer aspirent à un autre type d'émotions.
Il semblerait, en effet, qu'ils souhaitent simplement vivre et éprouver
des sensations souvent vertigineuses nées des mouvements qu'ils pro-
voquent eux-mêmes, loin de toute coercition réglementaire. À sa
façon, Bernard Tapie ne disait pas autre chose lors du rachat d'Adidas au cours de l'été 1990. De manière exemplaire, en effet, le
nouveau et éphémère patron d'Adidas estima alors que miser sur
la « gagne » n'était peut-être plus le meilleur positionnement pour
une entreprise d'articles de sport. Selon lui, pour la firme qu'il
venait d'acquérir, le problème « de fond » consistait alors à savoir
si « Adidas va coller à son époque ». Or, fort de son expérience,
il considérait que les années 90 ne valorisaient plus le « look de
la gagne ». Il jugeait, au contraire, que l'époque « s'oriente vers

9. P. Parlebas, *Éléments de sociologie du sport*, Paris, PUF, 1986.
10. L'ancien président de la Fédération française de tennis, Philippe Chatrier, est chargé
par le Comité international olympique de supprimer certaines disciplines du programme des
jeux Olympiques. Il explique : « Le programme des Jeux doit être revu de fond en comble. » *L'Équipe Magazine*, 5 décembre 1992, p. 50. En 1995, le Comité international olympique devrait mettre en place deux groupes d'experts « neutres » qui auront pour tâche de
définir les nouveaux programmes des Jeux d'hiver de 2002 et des Jeux d'été de 2004. Selon
La Lettre de l'économie du sport du 30 décembre 1994. Sur un autre plan, dans le domaine
du football la modification de la Coupe des champions en 1994 (présentée comme une
réforme « élitiste » par le quotidien *L'Équipe*) a pour objet la constitution d'une Coupe
d'Europe « télégénique ». C'est-à-dire une épreuve qui préservera les équipes les plus pres-
tigieuses d'une élimination prématurée : « Lennart Johansson et Gerhard Aigner ont donc
peaufiné un nouveau projet qui, cette fois, devrait recueillir l'agrément des grandes fédérations et combler les financiers de l'UEFA et surtout des télévisions européennes, qui n'appré-
ciaient guère ces dernières saisons de payer des sommes colossales pour retransmettre des
rencontres de poule finale dont certaines équipes vedettes étaient exclues. » *L'Équipe*, mercredi 1ᵉʳ décembre 1993, p. 4.

des valeurs fondamentales [...], la recherche d'authenticité et de générosité[11] ».

C'était là une opinion paradoxale à plus d'un titre de la part d'un homme qui conjugua le verbe « gagner » à tous les temps et sous toutes ses formes au cours des années 80. C'est pourtant une opinion censée correspondre à une réalité sociale et sportive contemporaine (ou, si l'on préfère, à une réalité marketing) qui valoriserait les comportements alternatifs, utopiques, voire contre-culturels. Avec une clairvoyance surprenante, Tapie affirmait : « Quand je dis qu'Adidas, c'est pas de la frime, je vais dans le sens de l'histoire. Je "tricote" un pull-over qui colle bien à tous les adolescents d'aujourd'hui. Pourquoi suis-je si sûr de cela ? Parce que tous les groupes pop modernes, d'Amérique ou d'Europe, ceux qui tranchent, par l'utopie, par l'impertinence, qu'importe *[sic]*, sont en Adidas ! Ils le sont volontairement, pas par hasard[12]. » Étonnante prise de position, mais qui correspond parfaitement à une réalité du sport contemporain plus portée à valoriser l'« utopie » que la raison et l'« impertinence » que le respect des traditions. L'époque serait bien, en effet, à l'irrévérence face à la référence. Ou, dit autrement, face à cette « extériorité symbolique » évoquée plus haut, sur laquelle s'est construit le sport au cours du XXᵉ siècle.

Le Comité olympique et l'ex-patron d'Adidas ne sont pas les seuls à être extrêmement préoccupés par l'évolution des goûts et des besoins en matière de sport. Nombreux sont les acteurs du mouvement sportif qui constatent aujourd'hui une transformation à la fois insolite et inquiétante des « valeurs de sport ». Lors de leur congrès annuel, qui s'est tenu à Houlgate au mois de mai 1992, les inspecteurs principaux du ministère de la Jeunesse et des Sports devaient ainsi adopter une motion d'orientation faisant ressortir « une crise des valeurs sportives ». De son côté, *La Lettre de l'économie du sport*[13] remarquait au début des années 90 qu'une organisation comme la Fédération nationale des offices municipaux des sports (FNOMS) estimait que le modèle de référence sportif historique était brouillé et qu'il ne correspondait plus à la réalité d'aujourd'hui. Évoquant l'idée d'un grand rassemblement de tou-

---

11. « Tapie va-t-il sauver Adidas ? », in *L'Expansion* n° 391, octobre-novembre 1990, p. 114-127.
12. *Ibid.*, p. 123.
13. *La Lettre de l'économie du sport* (hebdomadaire), éd. Sport Une Jeunesse, Paris.

tes les parties concernées par le développement du sport en France
- État, régions, communes et fédérations - cette organisation proposait la construction d'un nouveau système de valeurs sportives :
« L'objet serait de permettre à tous les décideurs [...] d'avoir des repères, un système de référence pour leur action quotidienne en faveur
du sport, et qui actuellement, semble-t-il, n'existe plus[14]. » Très
exactement un an plus tard, le même hebdomadaire faisait état de
préoccupations strictement identiques, formulées cette fois par les organisateurs des Assises nationales du sport. Sous le titre « Pour une crise
de l'essence du sport », était évoqué « le théorème d'une crise du
sport » particulièrement difficile à cerner et donc à comprendre. Les
organisateurs de ces assises affirmaient : « Il s'agit de quelque chose
de complexe et d'insaisissable qu'il est nécessaire d'éclaircir[15]. »

   Cette crise du sport n'est pas seulement perçue en France. Elle
est également ressentie en Europe et en Amérique du Nord. Elle
est même tellement prégnante qu'elle a conduit un groupe d'universitaires allemands à créer le Club de Cologne, le 1er février 1993.
Rassemblant des chercheurs européens et nord-américains, ce groupe
de réflexion a été fondé à partir de l'hypothèse que c'est l'identité et l'objet même du sport qui subissent aujourd'hui une crise
profonde. Pour le Club de Cologne, il ne s'agit ni plus, ni moins,
que d'un problème de refondation du concept de sport à travers
le monde[16].

   Dans ce livre, je vais donc tenter de montrer et d'expliquer les
fondements de la crise que traverse le sport contemporain. Pour
cela, je commencerai par parler du *fun* et non pas de la « glisse ».
Celle-ci fera l'objet d'un développement ultérieur. Il est en effet
nécessaire de distinguer les deux termes. Le *fun* possède une fonction marketing alors que la glisse s'inscrit dans un registre contre-
culturel. Le *fun* n'est que le « totem » de la glisse car il exploite
à des fins commerciales la symbolique qu'elle véhicule. Une symbolique de nature profondément alternative et *underground*, nous le
verrons. Une précision s'impose ici : dans ses effets, notamment ses

---

14. *La Lettre de l'économie du sport* n° 66, 7 mars 1990.
15. *La Lettre de l'économie du sport* n° 113, 13 mars 1991. Ajoutons encore cette prise
de position des organisateurs de la 10e Université sportive d'été (Grenoble, du 29 août au
4 septembre 1993) qui estimaient dans leur texte de présentation : « Des valeurs nouvelles,
de plus en plus, ont tendance à s'imposer dans la pratique sportive. »
16. Voir *The Club of Cologne, Development of World Sport and Limits of Self-Regulation*,
Report n° 1, septembre 1993, German Sport University, Carl-Diem-Weg 6, D-50933 Cologne.

conséquences quant au marketing des marques d'articles et de vêtements de sport, le voyage au pays du *fun* que nous allons faire
est strictement limité aux années 80. Il faudra pourtant envisager
que l'origine du phénomène soit plus ancienne. Elle est à rechercher dans ce que les Américains appelèrent la *fun morality* au cours
des années 50. Autrement dit, une « moralité du plaisir » qui fut
plus particulièrement analysée par M. Mead et M. Loewenstein, qui
écrivaient, en 1955 : « L'aspect du développement récent de la culture américaine est l'apparition de ce que l'on peut appeler la *fun
morality*, la moralité du plaisir[17]. » Nous verrons ultérieurement
comment un lien peut être établi au cours des années 80 entre certains comportements sportifs d'aujourd'hui et cette *fun morality*
américaine des années 50.

Totem et marketing

Habituellement, le totémisme est une manière de percevoir et
de s'approprier symboliquement les qualités d'un élément naturel
(un animal ou un végétal) jugé particulièrement valorisant. En
l'occurrence, lorsque nous parlerons de *fun*, l'appropriation ne con-
cernera pas des éléments naturels mais des symboles socioculturels
à caractère « sportif ». Le surf, par exemple, a donné naissance à
un type de vêtements bien particuliers et appropriés à la vie quelque peu vagabonde et marginale des premiers surfers californiens
de la fin des années 50. En plébiscitant ces vêtements non plus
sur les spots mais en milieu urbain au cours des années 80, les
modes du surfwear puis du funwear et bientôt du streetwear, les
ont instaurés en tant que totems représentatifs d'un certain état
d'esprit « subculturel », propre aux surfers. Il est significatif que
la démarche marketing de nombreux fabricants (Oxbow, Gotcha,
Quiksilver, Mambo entre autres) ait mis l'accent non pas sur les
qualités sportives, techniques ou esthétiques des vêtements qu'ils
proposaient, mais sur les symboles à caractère alternatif qu'ils étaient
censés véhiculer. Ce point se vérifie particulièrement bien dans la
publicité rédactionnelle suivante, qui émane de la société de vêtements de sport Gotcha : « Les surfers étaient considérés un peu

---

17. « Fun morality, an analysis of recent child training literature », in M. Mead et M. Loewenstein, *Child in Contemporary Culture*, University of Chicago Press, 1955, p. 168.

comme des parias, des gitans de la plage, des vagabonds de la déferlante. Les surfers inquiétaient même quelque peu [...], des athlètes *underground* ne respectant aucune règle des sports traditionnels. [...] Des gens vraiment bizarres parlant un langage étrange
[...], incompréhensible pour les étrangers. Les gens des beaux quar-
tiers des collines les appelaient les ''beach rebels''. [...] De plus
en plus d'amoureux de la glisse, même s'ils ne pratiquent pas,
essaient de ressembler à ces ''modèles''. Et, bien entendu, le meilleur moyen de les copier c'est de prendre ce qui est le plus facile :
le look, l'apparence[18]. »

Exprimé autrement, cela signifie que les « surfers-vagabonds » sont
des marginaux, des exclus de la société, des rebelles[19], mais qu'ils
représentent malgré tout un modèle ou, plutôt, un prototype de comportements « sportifs ». La caractéristique première - et remarquable
- de ce prototype est qu'il est alternatif et nettement *underground*.
Nous verrons que ce type de conduite donna naissance à la notion de
« glisse » au milieu des années 70. Pour l'heure, selon la société Gotcha, promoteur de cette publicité, il s'agit de copier ce modèle si l'on
veut adopter l'image correspondant au look sportif contemporain.

Il va de soi que relever le caractère inédit de ce type de stratégie marketing ne suffit pas à apporter la preuve de la contestation
du modèle culturel fondateur de la société sportive. Reste qu'une
politique marketing[20] bien menée - et celle-ci fut particulièrement
performante - s'appuie sur les désirs, sinon sur les besoins du marché. En l'occurrence, les hommes de marketing qui étudièrent le
marché du sport des années 80 ont cherché à lui complaire en utilisant un totem parfaitement inattendu dans un monde où la

---

18. Ce passage est extrait d'un texte intitulé « Les rebelles du surf » publié par la société
Gotcha (un fabricant de surfwear) dans la revue *Surface Mag* n° 11, 3ᵉ trimestre 1987, p. 49.
De manière extrêmement significative de ce que je tenterai de démontrer, au mois de décembre 1992, en quatrième de couverture de la revue *Body Rider*, Gotcha s'insurgeait contre
la récente dérive sportive du surf en expliquant que celui-ci se devait de rester rebelle :
« Pris au piège du business, de la morale, de la raison, du sport, le surf se prostitue. [...]
Le surf se vit de l'intérieur. Gotcha revendique un surf total. [...] Le surf est autre chose,
quelque chose en marge, qui ne doit pas entrer dans un cadre. Le surf est la vie, il ne
peut être que subculturel et *more core*. »
19. Ce terme de « rebelle » est d'ailleurs utilisé en 1993 par une marque de bodyboard
(une forme de surf qui se pratique sur de très petites planches) qui a pris le nom de Wave
Rebel.
20. Les stratégies de communication des marques d'équipement et de matériel de sport représentent des investissements extrêmement importants en termes de publicité. Ce segment se
situe parmi les plus conséquents du marché publicitaire français : 352 millions de francs

tradition d'utilité publique et la vocation éducative sont la règle. Un totem qui véhicule tous les symboles de la contre-culture et de la contestation des années 60 : le rebelle social.

Un tel choix est surprenant. En effet, il est en rupture totale avec ce qui fut la vocation du sport depuis la fin du XIXᵉ siècle.

Le sport d'utilité sociale

Le sport moderne fut toujours considéré comme une activité possédant en propre certaines propriétés supposées favoriser l'intégration sociale de ceux qui s'adonnaient à sa pratique[21]. Ce point est remarquablement présent dans les écrits des propagandistes du sport comme Pierre de Coubertin mais aussi, et cela est plus étonnant, dans les discours des hommes politiques français qui, depuis un siècle, se transformèrent souvent en exégètes du baron[22]. L'idée générale qui étaie ces prises de position revient à considérer que le sport rassemblerait sur son nom les grandes valeurs sociales qui ont pour nom égalité, solidarité, persévérance, extrême considéra-

---

en 1992 (source : Secodip/*La Lettre de l'économie du sport*, 24 février 1993). En termes de communication, les options et les orientations prises par les marques sont donc loin d'être improvisées. Bien au contraire, elles reposent sur des analyses dont la cohérence se mesure à l'importance des enjeux. Bref, elles sont fondées sur une connaissance précise des attentes du marché. Ce qui justifie l'analyse qui suit.

21. J'ai déjà traité ce thème dans une communication intitulée « Le sport en France : de l'utilité publique à l'utilité ludique », présentée lors du colloque « Sport... le troisième millénaire », qui fut organisé à Québec par l'université Laval du 21 au 25 mai 1990.

22. Encore aujourd'hui, le regard que portent les hommes politiques sur le sport est nettement empreint d'une volonté de l'utiliser dans une perspective d'utilité et d'intégration sociale. Ainsi, en 1992, Charles Pasqua s'exprimait ainsi : « Le sport est porteur de valeurs essentielles pour la cohésion de la communauté nationale : égalité, solidarité, intégration, épanouissement de chacun. Son développement mérite donc un effort commun des responsables politiques à tous les échelons, afin de répondre aux besoins nouveaux exprimés par nos concitoyens. » « Sport et collectivités locales », in *Pouvoirs* n° 61, Paris, PUF, 1992, p. 85-89). De son côté, l'association Le Rassemblement pour le sport (RPS), qui est un mouvement qui se veut apolitique regroupant des cadres techniques et des dirigeants du mouvement sportif, présenta un candidat (le judoka Jean-Luc Rougé) aux législatives de mars 1993. À cette occasion, le président du RPS (l'ancien champion du monde de pentathlon Joël Bouzou) devait préciser : « Par son action à travers toutes les couches de la société, le sport devient pilier d'intégration et de cohésion sociale, il est notamment l'alternative à la drogue et à la délinquance. » *Ouest-France*, 15 janvier 1993, p. 3. Au mois de janvier 1995, lors de la présentation de ses vœux, Michèle Alliot-Marie, ministre de la Jeunesse et des Sports, devait rappeler que le sport est un facteur d'éducation civique. À cette occasion, elle devait lancer une grande campagne visant à préserver « l'esprit sportif » en créant un Comité national de l'esprit sportif.

tion de la règle et de l'autre, abnégation, goût de l'effort gratuit, idéal moral, respect du drapeau et volonté de dépassement de soi. Jusqu'à la notion de classes sociales qui, selon Henry de Montherlant dans *Les Olympiques*, se trouverait brusquement annihilée dès lors que les athlètes se rencontrent sur la piste.

Pour de nombreux observateurs, la pratique du sport ne serait pas autre chose qu'un résumé de la pratique sociale la plus pure. Elle relèverait donc d'une perspective d'utilité publique tant sa vocation apparaît éducative. Un exemple significatif de ce point de vue nous fut donné par le quotidien *L'Équipe*, qui publia au cours du mois de mai 1991 une « publicité » émanant de la Fédération française de judo qui positionnait très précisément la pratique de cette discipline dans ce cadre utilitaire. « Le judo est une véritable école de vie régie par un code moral dont les préceptes sont : la politesse, le courage, la modestie, le respect, le contrôle de soi, la sincérité, l'honneur et l'amitié[23]. » Selon la Fédération de judo, quel que soit votre âge, votre statut social, quel que soit votre problème - fatigue, stress, timidité, surmenage -, le judo[24] se révèle une thérapie efficace : « Votre enfant est timide, envoyez-le sur les tatamis. [...] Vous êtes étudiant, vous préparez vos examens, les chiffres vous trottent dans la tête, vous vous sentez tout mou ? Venez endosser le kimono. [...] Vous travaillez, vous vous sentez harassé de fatigue, les batteries déchargées ? Un coup de judo et ça repart. [...] Vous êtes enfin retraité, alors profitez de votre temps libre pour découvrir cet art martial. À tout âge, le judo a ses raisons d'être pratiqué[25]. »

Bref, le judo en particulier et le sport d'une façon générale seraient utiles à la construction d'une société harmonieuse. Une telle conception traverse l'histoire du sport moderne et, partant, le détermine en tant que support pédagogique propre à permettre une meilleure intégration des individus au sein de l'organisation sociale par le biais du sport à l'école, notamment. Le sport serait donc une activité d'utilité publique, un service public, voire une « thérapie sociale », comme devait le souligner le quotidien *Libération*[26]. Ce

23. *L'Équipe*, 7 mai 1991.
24. Il s'agit ici du judo mais il va de soi que ces thèmes sont applicables au sport en général.
25. *Ibid.*
26. Dans sa livraison du mardi 20 août 1991, et durant les trois jours qui suivirent, *Libéra-*

que confirme pleinement la loi du 16 juillet 1984 relative à l'organisation et à la promotion des activités physiques et sportives qui
affirme avec force dès son article premier : « Les activités physiques
et sportives [...] sont un élément fondamental de l'éducation, de
la culture et de la vie sociale. »

Or, le *fun* est un totem représentatif de qualités et d'une men-
talité propres à contester la société. L'adopter, c'est refuser le conformisme et les règles sociales en rejetant symboliquement les règles
sportives. On le voit, la démarche est osée, qui envisage une politique marketing sur de telles bases. Pour la première fois depuis
un siècle certaines pratiques « sportives » vont ainsi être présentées
comme une possibilité de rompre avec la société, donc comme un
symbole d'anticonformisme.

Pour illustrer cette étonnante stratégie marketing, nous allons
explorer[27] un corpus documentaire constitué par certains magazines
sportifs récents[28] dont la liste, à elle seule, montre l'ampleur du
mouvement *fun* : *Wind Magazine, Surface Mag, Nouvelles Sensations, Grandes Courses, Vertical, Freestyle, Surf Saga, Les Nouveaux
Aventuriers, Montagne Magazine, Jogging international, AlpiRando,
Snow Beat, Surf Session, VO² Magazine, Noway, VTT Magazine, Vélo
tonic, Anyway* (devenu *B. Side* au mois de janvier 1993), *Planchemag, Vélo vert, Fall-Line, Surf'n Fun, Maxi Basket, Mondial Basket, Vol libre, Body Rider, Snow Surf*[29]. Ces revues multidiscipli-
naires proposent à l'identique (avec plus ou moins de conviction,
certes[30]) un type de pratiques, d'attitudes, d'aspirations et de comportements *alternatifs* par rapport au modèle sportif traditionnel.

Certaines ont d'ailleurs fait de la notion de « contestation sportive » - voire de « contestation sociale » - une sorte de credo marketing. Ainsi, *Le News*, un éphémère magazine de funboard, se
présentait dans son numéro 1 daté du mois de mai 1991 comme
« le journal alternatif de la glisse ». Bien plus : *Anyway*, un men-

tion consacra quatre dossiers au sport d'utilité sociale en notant que l'été 1991 fut singulièrement marqué par une exploitation très importante du sport comme facteur de « thérapie
sociale ».

27. Au sens propre du terme, car il va s'agir d'une véritable aventure dont le caractère
ludique devrait renouveler toutes les normes qui conditionnaient jusqu'à présent la compréhension du concept de sport.

28. Le plus ancien, *Wind Magazine*, est né au début de l'année 1977.

29. La liste n'est pas exhaustive. La raison en est simple : chaque semestre voit naître de
nouveaux magazines de *fun*. Certaines de ces revues ont d'ailleurs disparu en 1995.

30. Positionnement et segmentation du marché obligent.

suel de skate-board dont le numéro 1 fut également publié au début de l'année 1991, promouvait nettement un mode de vie alternatif en proposant à ses lecteurs adolescents ce qu'il appelait un « *underground lifestyle*[31] ». Ajoutons encore cette phrase de René Char inscrite sous la forme d'un graffiti (comme pour mieux provoquer !) dans le sommaire du premier numéro de la revue *Freestyle*, édité en octobre 1994 : « Ce qui vient au monde pour n'en rien troubler ne mérite ni égards ni patience. »

En se positionnant sur un segment distinct de celui de la presse sportive traditionnelle, dont le quotidien *L'Équipe* représente l'archétype, les media *fun* montrent, à l'évidence, qu'un nouveau marché du sport issu d'une véritable transition culturelle est né au cours des années 80.

Les couleurs « fluo »

Les couleurs, sinon la débauche de couleurs, sont un des traits dominants des vêtements de sport dont les publicités envahissent les nouveaux magazines sportifs depuis une dizaine d'années. Face au noir, au rouge et au bleu roi, assortis de bandes blanches (autrement dit, aux multiples déclinaisons « bleu-blanc-rouge » qui, des pulls de ski aux survêtements, constituèrent durant de nombreuses années les standards des coloris « sports »), se sont substituées dans les années 80 des couleurs pastel communément appelées « couleurs fluo ». Ce type de couleurs a proliféré, recouvrant jusqu'aux visages des skieurs qui se griment, en même temps qu'ils se protègent du soleil, à l'aide de « zink fluo ».

Bien que déclinées à l'infini selon l'inspiration des fabricants de surfwear et de matériel de sport, les teintes utilisées reposèrent sur une base unique de cinq couleurs que l'on pourrait qualifier de « couleurs primaires » du mouvement *fun* : le violet, le vert pomme, le rose, le jaune et le rouge vif. Il se trouve que ces couleurs ne sont pas n'importe lesquelles : elles représentent l'un des principaux symboles du mouvement psychédélique créé au début des années 60 en Californie par Timothy Leary.

Ce dernier estimait, à l'époque, que seule l'injection d'un savant

---

31. Le titre de cette revue de skate était assorti d'un sous-titre : « *Anyway, underground lifestyle* ».

mélange d'acide lysergique et de Lyserg Saüre Diäthylamid (LSD) permettait l'expression de la créativité individuelle par expansion de la conscience en un délire planant qualifié de « psychédélique ». Le LSD fut déclaré illégal en 1966. Une illégalité bien faite pour qu'il soit élevé au titre de valeur cardinale de la contestation. Très vite, en effet, le LSD et ses effets induits, notamment les couleurs psychédéliques, devaient apparaître comme un objet de contestation de l'*American way of life*. Ce fut notamment le cas dans certains milieux intellectuels américains en lutte contre la guerre du Viêt-nam. Pour beaucoup la « défonce » *(turn on)* au LSD fut un bon moyen de s'exclure volontairement d'une société honnie. Certains y virent une possibilité de libération corporelle et/ou spirituelle. D'aucuns en vinrent même à considérer que ce n'était pas autre chose qu'un passage obligé vers l'innovation artistique. L'histoire retiendra que, outre les peintres se réclamant du Pop Art qui exploitèrent ces cinq couleurs « primaires », les principaux tenants du mouvement psychédélique furent les hippies, les adeptes du *drop out* (la fuite du système engendré par la société de consommation), qui en rejetant le monde *straight* (la société bourgeoise) et le *square* (celui qui accepte d'y vivre) vénéraient la Beat Generation et son leader, le romancier Jack Kerouac.

Il est particulièrement inattendu que, quelque vingt ans plus tard, le monde sportif use et abuse des couleurs psychédéliques. N'est-il pas étonnant, en effet, qu'une activité sociale comme le sport, expressément reconnue comme relevant du domaine de l'utilité publique, arbore de façon si ostentatoire l'un des symboles parmi les plus élaborés de la contestation d'une société bourgeoise qui fut pourtant à son origine ?

Le graphisme fun

Le graphisme *fun* relève d'un anticonformisme débridé qui puise ses références au sein de l'avant-garde picturale la plus imprévisible. Même si ces références sont multiples et ne s'inscrivent donc pas dans un courant particulier, il faut noter une constante volonté de s'inspirer d'écoles de peinture ou de graphisme qui ont toutes figuré, un temps, parmi les plus extrémistes : l'art abstrait, le Pop

Art, la figuration libre, d'autres encore, dont l'utilisation étonnante dans le domaine du sport brouille toutes les références traditionnelles antérieures.

Ainsi, par exemple, au milieu des années 80 la firme française Look introduisit un nouveau type d'équipement sur le marché de la planche à voile, les « lookstraps », destinés à maintenir les pieds des funboarders lors des sauts de vagues. La stratégie de communication qui présida au lancement de ce produit fut déclinée sur la base d'un « concept » publicitaire habituellement peu exploité dans le monde du sport : « Les couleurs de l'émotion ». Pour donner forme à ce concept, l'agence de publicité qui chercha à le promouvoir utilisa un graphisme s'inspirant des tableaux du peintre néerlandais Piet Mondrian, l'un des fondateurs de l'art abstrait. Or, il se trouve que les lignes noires et les rectangles de couleurs primaires utilisés par le peintre furent, dans les années 60, largement repris par certains artistes « pop » qui revendiquaient une inspiration artistique profondément anticonformiste[32].

En se déployant sous la bannière de l'*underground*, du renversement des valeurs et de la révolution culturelle, ce mouvement pictural qui prit le nom de Pop Art fut un utilisateur fervent des couleurs psychédéliques. Ce n'est donc peut-être pas un hasard si, un quart de siècle après la célèbre série des *Marilyn* réalisée par Andy Warhol, le sport des années *fun* s'égare souvent dans des interprétations débridées du Pop Art. Certains considèrent d'ailleurs sans aucune nuance que l'« identité » du sport contemporain puise ses références, sinon ses fondements, dans un registre dialectique qui va « du fluo au Pop Art », comme le souligna avec une certaine pertinence la revue *Planchemag* dans sa livraison du mois de mars 1992[33].

Plus prompt à percevoir l'évolution des désirs du marché que de nombreuses revues sportives, le magazine de planche à voile

---

32. Le style Mondrian inspira également de nombreux créateurs des années 60. C'est ainsi que l'on vit des robes Mondrian, du papier peint Mondrian et de nombreux objets de consommation décorés selon le style Mondrian.

33. « La fin des années frime », in *Planchemag* n° 134, mars 1992, p. 39-57. Ce dossier analysant l'identité du *fun* dégageait les grandes tendances du surfwear pour l'été 1992. « La nouvelle vague, sensible depuis 1988 et qui connaîtra son apogée cet été, est fortement influencée par les mouvements psychédéliques et Pop Art (étroitement liés) qui battent leur plein aux États-Unis à la fin des années 60. [...] Nous plongeons aujourd'hui nos racines dans ce que les US ont produit de plus vrai et de plus spontané depuis Mickey Mouse *[sic]*. »

Wind exploita dès le milieu des années 80 certaines tendances d'inspiration pop. Dans sa rubrique « Tam-Tam », par exemple, qui faisait état régulièrement des dernières nouvelles (et des derniers
potins !) de la « tribu [34] ». En 1987, la maquette de cette rubrique
fut systématiquement bordée d'un liséré dont les couleurs domi-
nantes - jaune, vert pomme, rose - mettaient en valeur des objets
de consommation courants des années 60 : tourne-disque Teppaz,
33-tours, vieilles automobiles américaines, aspirateurs, sèche-cheveux,
téléviseurs, téléphone en bakélite, etc. La référence pop est ici incontestable. Éloge de la trivialité, le Pop Art exploita de la même façon
les objets d'usage courant extraits des domaines de l'habitat, de
l'alimentation (les célèbres *Green Coca-Cola Bottles* de Warhol, par
exemple, une huile sur toile réalisée en 1962) et de l'environnement quotidien, tous issus de la consommation de masse [35].

Il est remarquable que, dans les années 80, les stratégies marketing qui furent développées sur le marché du textile sportif s'inspirèrent constamment, sur le plan du graphisme, de certaines avant-
gardes sociales et culturelles. En 1985, la société Oxbow, qui n'était
alors qu'une toute petite entreprise fabricant des vêtements de type
surfwear, remporta un succès commercial notable en diffusant un
blouson décoré sur la base d'un graphisme à damier. Ce type de
motif allait bientôt envahir le marché. Peu de gens réalisèrent alors
que le damier fut dans les années 60, sous le nom de *two-tone*,
le signe de ralliement du mouvement ska. Un mouvement jamaï-
cain d'abord, londonien ensuite, qui chercha à promouvoir une
forme de contestation non violente pour valoriser une société mul-
tiraciale. En 1992, certaines revues de « sport » n'hésitent pas à plonger dans ce passé contestataire comme pour y puiser du symbole.
Ainsi, la revue de skate-board *Anyway* plébiscite le ska en faisant
l'éloge d'un groupe musical, les Skarface, qui « fait péter les watts ».
Anyway affirme : « Précipitez-vous sur eux mes enfants, c'est gra-
vement méchant ! Le ska, c'est mortel, et pis, dans skate, y'a ska...
Vive le ska [36] ! » Nous remarquerons également, à titre anecdotique, que le damier fut aussi le totem « contestataire » plébiscité

---

34. La « tribu » des adeptes du funboard, cela va de soi.
35. Sur le Pop Art, voir en particulier T. Osterwold, *Pop Art*, trad. française, Cologne,
Taschen, 1989.
36. *Anyway* n° 11, mars 1992, p. 43.

par les jeunes filles de la Nouvelle Vague à la fin des années 50. Il avait alors une forme légèrement différente : le carré de vichy cher à Brigitte Bardot.

Au cours des années *fun*, les modélistes et les graphistes spécialisés dans la décoration du surfwear généralisèrent les emprunts inattendus en puisant leur inspiration dans les répertoires des diverses écoles et mouvements de peinture d'avant-garde. La marque de vêtements de funwear Poivre Blanc exploite encore aujourd'hui une technique de décoration originale basée sur des inclusions de bandes dessinées apparaissant çà et là sur les tee-shirts et autres sweat-shirts. Une technique extrêmement proche des conceptions graphiques de Roy Lichtenstein, le célèbre peintre pop américain qui affirmait : « Je dois à la bande dessinée les éléments de mon style mais non mes thèmes[37]. »

De son côté, la société de surfwear Quiksilver utilisa au cours des années 80 un logo dont le dessin figurait une tête stylisée aux yeux proéminents et aux dents apparentes. Une forme et un style de dessin qui ressemblaient étonnamment à certains détails des tableaux de Jean-Michel Basquiat (les fameuses « têtes » de Basquiat « où la mort rôde et la vie est éphémère », selon Sydney Picasso) et des peintres liés au mouvement de la figuration libre, notamment Robert Combas. On ne s'étonnera guère que Basquiat soit plus ou moins ouvertement copié par les graphistes *fun* chargés de la décoration des vêtements de type surfwear. En effet, il revendiquait une filiation intellectuelle avec le romancier beatnik américain Jack Kerouac[38], le peintre Andy Warhol et le Pop Art.

Il fut également très proche d'une galerie de peinture new-yorkaise de l'East Village, la Fun Gallery, fondée par Patti Astor, une comédienne « alternative » américaine qui joua notamment dans le film d'Eric Mitchell *Underground USA*. Une filiation bien faite pour inspirer les graphistes du mouvement *fun* qui, si l'on suit le raisonnement de François Lartigau (qui a remarquablement conçu l'« empreinte » commerciale de la société Quiksilver), doivent obligatoirement s'écarter des standards sportifs classiques. Évoquant le snowboard, Lartigau estime : « Le look surf des neiges ne doit sur-

---

37. T. Osterwold, *op. cit.*, p. 183.
38. Dans un article consacré à Jean-Michel Basquiat, en novembre 1988, la revue *Globe* le présenta en photographie pleine page, un roman de Kerouac à la main. *Globe* n° 32, p. 85.

tout pas être rigide, comme les pulls à bandes qui étaient la tenue classique pour skier autrefois. Il doit être plus rebelle, plus sauvage. C'est quand même plus ethnique que le ski, plus tribal, plus bariolé [...] ; ce sport est un bras d'honneur au ski[39]. »

Le groupe Finir en beauté

Sur le plan du graphisme *fun*, ce qui se dégagea le plus systématiquement au milieu des années 80 fut une inspiration directement liée au mouvement pictural d'avant-garde de la figuration libre ; plus précisément, liée à l'école de Sète et à l'esprit du groupe Finir en beauté.

L'originalité profonde de ce groupe provient du fait que certains de ses membres, comme Combas, Di Rosa et Boisrond, revendiquent le droit de peindre avant de penser pour mieux affirmer leur volonté de rompre avec les standards culturels contemporains. Il s'agit pour eux de « prendre la liberté de figurer avant de créer du sens, afin de laisser au sens une articulation plus large. [...] Réaliser une accumulation de faits incompréhensibles jusqu'à ce que naisse la compréhension[40] ». Nous noterons sans surprise que ces peintres qui « se déclarent peintre imbécile (François Boisrond)[41] » peignent pour s'amuser. C'est donc tout naturellement qu'« ils se réclament du *fun*[42] ».

Les peintres du mouvement de la figuration libre utilisent des formes d'expression bizarres, disparates, des traits irréguliers, des zébrures pratiquées à la brosse, l'ensemble relevant d'un dessin naïf et coloré proche des bandes dessinées. C'est une « figuration hâtive, jetée sur des supports de fortune : toiles libres, affiches, cartons d'emballage, vieux bidons[43] ». Il faut comprendre qu'il s'agit là de l'art, plus exactement de l'expression artistique, mis à la portée de tous et qui implique totalement l'observateur dans la compréhension de la toile. Il s'agit de s'investir soi-même armé de sa propre

---

39. *Surf Session* n° 56, mars 1992, p. 50.
40. Hervé Perdriolle, *Figuration libre*, Axe-Sud, p. 32.
41. *Ibid.*, p. 25.
42. *Ibid.*
43. C. Millet, *L'Art contemporain en France*, Paris, Flammarion, 1987, p. 227.

sensibilité pour décoder une signification qui n'est jamais immédiate. Une perspective très proche du modernisme qui, au début du XXᵉ siècle, chercha à dépasser les codes académiques pour créer une avant-garde picturale et qui, aujourd'hui, connote en permanence - nous le verrons amplement - le nouvel état d'esprit qui imprègne les comportements, attitudes et motivations des « sportifs » contemporains.

Cette forme d'expression artistique va parfaitement convenir à la décoration *fun* en lui permettant surtout de se démarquer des standards en vigueur dans le monde du sport : les trois bandes trop droites, trop *straight*, de la société Adidas. Au cours des années 80, la totalité des fabricants de vêtements de type funwear va puiser son inspiration dans cette forme d'expression artistique. Ainsi, la marque Quiksilver avec la ligne de vêtements Crew, dont la décoration exploitait un graphisme figuré à gros traits et un dessin naïf, proche du dessin d'enfant. Si l'on considère, parmi de multiples exemples, la publicité pour cette marque parue en février 1988 dans la revue *Wind Magazine*, force est de constater qu'elle s'inspire nettement de l'école de Sète. Elle figure à gros traits noirs un surfer dans le « tube », selon un modèle de dessin issu de la bande dessinée, « simple et joyeux » à l'image de peintures de Combas.

Au-delà, c'est toute une génération de concepteurs qui utilisera plus ou moins ouvertement les orientations picturales de la figuration libre au cours des années *fun*. Les tee-shirts de la marque Kong et Rita, les *bandanas-shorts* de la firme Tous les caleçons, les débardeurs Gotcha, le logo de la marque Voodoo, le graphisme de présentation de la société Vicidomini, pour ne citer que ces exemples, s'inspirèrent tous de ce style de peinture.

Les media *fun* ne pouvaient ignorer cette forme de graphisme. Si la télévision fit quelques tentatives discrètes, notamment avec le surprenant générique du magazine des sports de glisse significativement intitulé « Zig-Zag » diffusé sur FR3, c'est la presse écrite qui l'exploita le mieux. Les exemples les plus intéressants peuvent être relevés dans la revue de funboard *Wind Magazine* qui perçut rapidement (et très précisément) les liens qui existèrent dès le début des années 80 entre le mouvement *fun* et la contre-culture. Ainsi, la surprenante bande dessinée intitulée *King et Rota en vacances à la mer* que publia cette revue au début de l'année 1988[44] : de la même façon que pour le générique de « Zig-Zag », les personnages sont réalisés dans un matériau qui s'apparente à de la pâte à modeler. Cette façon de procéder est très proche de la technique utilisée par l'un des membres de l'école de Sète, Buddy Di Rosa, qui réalise des dessins en trois dimensions à partir de figurines modelées. Le graphisme est délibérément naïf et le texte - volontairement niais - se réduit à une simple phrase accompagnant chaque figurine : « 8 h : les surfers arrivent à Cocoho Beach. 10 h : le *swell* est bon. King est content. 11 h : le sable est chaud. Rota aime ça. 2 h : le soleil est vraiment chaud. » Etc. En fait, la meilleure description que l'on pourrait proposer de cette « BD sportive » correspondrait très exactement à ce commentaire de C. Millet décrivant les œuvres des peintres du groupe Finir en beauté : « Leurs saynètes disposées dans des cases, leurs bonshommes figurés d'un gros cerne, comme les zigzags et les onomatopées hystériques, décrivent un monde stéréotypé. Les personnages de Combas, ceux de Di Rosa, sont assaillis par des monstres archétypaux, cyclopes ou énormes bouches édentées[45]. »

La tendance générale à la spontanéité qui est le propre de la décoration *fun* s'est exprimée jusque dans la maquette de la revue *Sport Pro Mer*, une revue professionnelle par ailleurs fort conventionnelle puisqu'elle véhicule « l'information économique et technique des industries nautiques ». Dans son numéro de décembre 1987, cette revue fit le point du marché du surfwear sous le titre : « Surfwear, c'est tout bon ». Il est significatif que, là où habituellement la présentation des articles relève d'un classicisme de bon aloi qui sied bien à une revue professionnelle, le maquettiste ait jugé nécessaire de modifier la maquette pour présenter le surfwear. C'est ainsi que l'article est décoré de zébrures en zigzag et de points figurés à gros traits. Le titre est réalisé à l'aide d'un feutre, à main levée, en utilisant une écriture qui se veut spontanée. Des frises viennent égayer le classicisme habituel des photos... Autant de détails de présentation que ne renieraient (peut-être) pas les tenants de la figuration libre.

---

44. *Wind Magazine* n° 95, février 1988, p. 46-47.
45. C. Millet, *op. cit.*, p. 227.

La contestation revue et corrigée par le blouson « fun »

Dans les catalogues des fabricants de vêtements de sport, les termes « surfwear » puis « funwear » ont progressivement remplacé celui de « sportwear » à partir de l'année 1985. Ce n'est pourtant qu'en 1987 que les marques américaines, australiennes et françaises, pionnières de cette nouvelle tendance du marché, envisagèrent sérieusement les importantes possibilités de croissance de ce segment. En réalité, il faut bien admettre qu'au milieu des années 80 personne n'y croyait vraiment. C'est la raison pour laquelle certains « majors » historiques, comme Adidas, furent quelque peu pris de cours. Aux premiers frémissements du *fun* et de ses déclinaisons *wear* et *shoes*[46], ces structures lourdes, mal adaptées aux bouleversements d'une mode sportive jusqu'alors fort sage, ne se donnèrent guère les moyens de s'adapter promptement aux nouvelles tendances. À l'inverse, certaines firmes perçurent un engouement nouveau pour des vêtements de sport différents. Fréquemment dirigées par des adeptes de la glisse particulièrement entreprenants et sensibles à l'émergence d'une culture sportive alternative (des surfers, notamment, comme la société australienne Rip Curl dont le slogan est : *Made by surfers for surfers*), ces entreprises souvent minuscules étaient parfaitement à l'aise dans ce marché en gestation. En réalité, elles furent souvent conçues pour lui.

Les dirigeants de ces entreprises comprirent rapidement que face au sportwear évoquant la tradition sportive, une stratégie commerciale performante commandait un positionnement très différent. C'est la raison pour laquelle, à l'opposé des « trois bandes » trop parallèles, trop régulières, trop *straight* en un mot, que proposait depuis longtemps la firme Adidas, le graphisme spontané, les zébrures et les zigzags de la figuration libre furent jugés particulièrement appropriés. Ces derniers connotaient le surfwear d'un esprit alternatif, profondément avant-gardiste, sinon *underground*. Il s'agissait bien, en effet, d'apparaître comme une alternative aux classi-

---

46. Selon un magazine de skate-board comme *Anyway*, en 1992, « la *wear* est, avec les *shoes*, le marché le plus en expansion : c'est là que sont toutes les nouvelles marques et toutes les nouveautés. À devenir dingue ! ». *Anyway* n° 11, mars 1992, p. 32.

ques canons de l'élégance sportive (ou de loisirs[47]) en les rejetant violemment. Ce que confirme l'un des leaders de ce marché, la marque Gotcha. Décrivant ces nouveaux standards de la décoration qui envahirent bientôt le textile sportif, Gotcha affirme : « Les règles traditionnelles du bon goût, de l'élégance et de l'habillement en prennent un bon coup derrière les oreilles. Par la fenêtre les tissus et les couleurs parfaitement coordonnés ! [...] Un thème anticonventionnel domine le look : *cool*. [...] Les clés sont là, le mélange du *flashy* et du *trashy* : mixer les textures, oser les superpositions, plus d'esprit standard, laisser son corps et son imaginaire s'exprimer librement dans les fringues[48]. »

Parmi les pièces de vêtements rejetant les « règles traditionnelles » et que produisirent très rapidement les firmes de funwear, le blouson occupe une place particulière. Loin des blousons de coupe conventionnelle, très ajustée, que proposait le sportwear, les blousons de sport du segment *fun*, amples et ronds, s'inspirèrent des blousons américains du type « teddy boy ». Pour connoter le « zonblou[49] » d'un piment alternatif radicalement différent du sportwear, certains n'hésitèrent pas à forger de toutes pièces une sorte de « fabuleuse histoire » propre à ce blouson, qui devait nécessairement apparaître - positionnement oblige - comme un totem contestataire en regard de la mode sportive traditionnelle. C'est ainsi que selon G. Lhote (qui fut journaliste à *Planchemag* et à *Surf Magazine*), le blouson *fun* s'inscrit dans une tradition de la mode masculine qui trouve son origine au début des années 30 chez les aviateurs américains[50].

La filiation semble, pour une bonne part, devoir être recherchée au niveau de la décoration. Durant la guerre du Pacifique, le blouson de cuir des aviateurs devint le support de certains débordements picturaux ; sigles, logos, illustrations diverses, apparurent ainsi comme de véritables « peintures de guerre[51] ». G. Lhote explique : « L'art de la guerre, c'est ainsi que les stylistes des armées américaines surnommaient les blousons de cuir peints à la main par

---

47. Le surfwear déborda rapidement, en effet, le simple marché du sport pour envahir l'ensemble du marché des vêtements de loisirs.
48. « Les rebelles du surf », publicité rédactionnelle de la société Gotcha, in *Surface Mag* n° 11, 1987, p. 53.
49. « Le blouson ! », selon la revue *Wind*, numéro hors série, juin 1988, p. 29.
50. G. Lhote, *Le Cuir des héros*, Paris, Filipacchi, 1987.
51. *Ibid.*, p. 16.

les soldats [qui ne] reculaient devant rien pour tatouer leur "seconde peau" afin de conjurer le sort et faire face au destin[52]. » En 1986, reprenant cette idée, la marque de surfwear Quiksilver lança un nouveau « concept » en matière de décoration *fun* : les *warpaints*, autrement dit les peintures de guerre. Le succès fut immédiat. « Quiksilver, l'authentique panoplie du surfer, mille fois copiée, jamais égalée, toujours une folie d'avance. Le terminator trône au milieu des warpaints […] les plus *flashy* […] sans discussion possible[53]. »

Reste, pourtant, que s'en tenir aux *flying jackets* des aviateurs américains n'est guère pertinent car bien loin de la volonté de positionnement alternatif des fabricants de surfwear. Dans le livre à l'iconographie remarquable qu'il a consacré au blouson, G. Lhote explique donc comment le blouson d'aviateur est devenu, au cours des années 50, un symbole de contestation représentatif d'un profond rejet de l'*American way of life*. Cette mutation symbolique fut le fait de Hollywood. Au cours de cette décennie, ce que nous appellerions aujourd'hui des « films cultes » furent produits sur le thème du rebelle social. Stanley Kramer, notamment, réalisa *The Wild One*[54], un film sur les Hell's Angels qui mit en évidence le port ostentatoire et provoquant du blouson de cuir. Très vite, tous les « mauvais garçons » du cinéma mondial, de James Dean dans *La Fureur de vivre* à Mickey Rourke et Mel Gibson, en passant par Dennis Hopper, Henry Fonda et Jack Nicholson dans le film *Easy Rider*, firent du blouson de cuir décoré à la manière des Hell's Angels un symbole de contestation sociale souvent violente. Les blousons des marques Perfecto ou Harley Davidson entrèrent, dès lors, dans la légende de la « Route » et de la marginalité américaine.

C'est très exactement dans cette « filiation aviation-contestation » qui se veut nettement non conformiste que les fabricants cherchèrent à positionner le blouson *fun*. Dans ces conditions, on ne s'étonnera pas de trouver certaines références à des bandes dessinées vantant les exploits des pilotes américains (Buck Danny et les Flying Tigers en particulier) dans les revues de *fun*[55]. Il s'agit clairement

---

52. *Ibid.*, p. 25.
53. *Wind Magazine* n° 79, octobre 1986, p. 39.
54. En français, *L'Équipée sauvage*, réalisé en 1953 avec, dans les rôles principaux, Marlon Brando et Lee Marvin.
55. Par exemple, dans la revue *Wind Magazine* n° 50, avril 1984, qui présente un reportage sur le saut de vague intitulé « Air Force », p. 52. En janvier 1988, la même revue propose à ses lecteurs un « cadeau nostalgie aviation » en présentant la réédition des aven-

de réactualiser dans et par le *fun* un état d'esprit et une symbolique datant de près d'un demi-siècle (ceux des *flying jackets* et autres
« bombardiers ») et qui sont devenus un emblème contestataire par
la grâce de l'Actor's Studio au cours des années 50.

Remarquablement réalisé, le livre de G. Lhote est une forme
d'éloge du « sport alternatif » : « Cheveux longs, blonds et déla-
vés, éternellement bronzés, macrobiotiques et végétariens bien avant
l'heure, les surfers comme les Hell's Angels vont être catalogués
de rebelles et de marginaux. [...] Les ''junkies'' de la déferlante
portent tous le même uniforme : short long et large [...] tee-shirt
[...] et un blouson[56]. »

Le langage des furieux

Avec les couleurs fluo, le graphisme, le blouson et les vêtements
fun, nous sommes devant une volonté de communication qui
exploite une véritable mythologie de la contestation. C'est là un
choix totalement inédit dans le monde du sport. Il est clair, en
effet, que ce positionnement des vêtements *fun* se détermine contre un sport « d'utilité publique » trop représentatif des valeurs de
la société « bourgeoise ». Il ne s'agit plus de s'intégrer socialement
par la pratique sportive, il s'agirait, au contraire, de prendre ses
distances avec la tradition sportive en arborant certains symboles se
voulant nettement non conformistes. Véritable totem significatif
d'une qualité alternative, ce look sportif, que d'aucuns qualifiè-
rent de *destroy*, fut rapidement adopté par l'ensemble des acteurs
économiques qui se positionnèrent sur le segment *fun*.

Cette volonté va s'affirmer progressivement tout au long des
années 80. Elle consista principalement à utiliser certains symboles
de la « Route » ou de la marginalité américaine. Dans cette pers-

tures de Buck Danny, en page 17. Elle récidive en octobre de la même année en invitant
ses lecteurs à relire « tout Buck Danny », en page 23. En mars 1992, le magazine de skate
Anyway ne cache pas son enthousiasme pour ce type de décoration faisant explicitement
référence aux Flying Tigers : « Aaaaarggghhhh ! c'est bôôôôô... C'est brodé, cousu, imprimé,
chiné, mortel, maillé à la suédoise, mortel, mortel. Mortel ? Ouais ! Viennent ensuite les
marques les plus folles, style Sally Can't Dance, qui décline sur toutes ses frusques le dessin de bouche de requin qu'on voit sur l'avant des avions des Flying Tigers d'il y a juste
cinquante ans. » *Anyway*, mars 1992, p. 32.
56. G. Lhote, *op. cit.*, p. 139 et 141.

pective, il est remarquable de noter que ce look *destroy* se débusque jusque dans le vocabulaire *fun* qui utilise régulièrement des expressions empruntées au registre sémantique des Hell's Angels.

Le mot « baston », par exemple, ou encore le verbe « bastonner », un « verbe bien flippant » selon certains[57], est employé pour caractériser le très mauvais temps en planche à voile. Au mois de mai 1991, la revue *Wind Magazine* consacra un dossier au « baston ». La définition qu'elle en donna fut la suivante : « Le baston c'est le vent qui hurle dans les oreilles, un coup de poing au réveil, un océan en furie, un *run* d'hystérie. Le baston, c'est un canal de l'enfer, un après-midi de galère. Le baston, tout le monde y a droit au moins une fois. Le baston c'est bon[58]. » Or, pour les Hell's Angels, ce terme signifie la bagarre, la « castagne », comme en témoigne M. Lemoine dans son ouvrage *Le Cuir et le Baston*[59]. Décrivant les Hell's Angels, cet auteur souligne sur la page de couverture de son livre : « Racistes, intolérants, ils se jettent avec violence dans la musique, le bruit et la bagarre qu'ils appellent le baston. Ils n'ont qu'un idéal : vivre vite, mourir jeune et faire un beau cadavre. »

Des recoupements improbables s'opèrent ici. Il est très étonnant, par exemple, que cette volonté de « vivre vite » et de « mourir jeune » soit également le souhait du leader de la « tribu *fun* », le multiple champion du monde de funboard Robby Naish. Une volonté qui pourrait s'expliquer si l'on remarque que ce dernier montre une certaine propension à poser pour les photographes au guidon d'une Harley Davidson, la moto symbolique des Hell's. Bien entendu, là encore, c'est un positionnement marketing qu'il s'agit de décoder car il est clair que Naish représente les intérêts de certaines marques de funwear. Il n'est donc pas trop surprenant de constater que celui qui est présenté dans la saga du *fun* comme le « dieu » du funboard, voire comme le « maître du monde[60] », épouse parfaitement la profession de foi des Hell's Angels lorsqu'il affirme : « Je pense mourir avant d'avoir l'air vieux[61]. » On comprend mieux, dans ces conditions, qu'il puisse être présenté

---

57. *Wind Magazine* n° 139, décembre-janvier 1992, p. 19.
58. *Wind Magazine* n° 132, mai 1991, p. 52.
59. M. Lemoine, *Le Cuir et le Baston*, Paris, éd. J.-C. Simoën, 1977.
60. En particulier sur la couverture du numéro 46 de *Wind Magazine*, novembre 1983.
61. *Wind Magazine* n° 93, p. 48.

comme un véritable « loubard ». « Le gang des hell's surfers débar-
que sans prévenir sur les plages de la planète. Motif : terroriser
les populations par de terrifiants wheelings-on-the-sand. Robby le
Bon fait son méchant [...] et nous on a les foies comme des
rats[62]. »

Dans le lexique des Hell's Angels, le mot *run* signifie la route
ou le voyage : « Les mecs ici racontent n'importe quoi. On te dit
que le plus long voyage qu'ils ont fait, leur plus long ''run'', est
celui qui a conduit le chapitre d'Oakland de San Francisco à Sto-
nehenge, en Angleterre[63]. » Or, en skate-board le nom de *run* est
donné à l'enchaînement des figures effectuées par le skater sur une
rampe : « Quid des airs to lip trick to fakie *[sic]* ? [...] Un pro doit
obligatoirement intégrer ce genre de figures dans son *run*[64]. »
Dans les épreuves de vitesse en planche à voile, on appelle également un *run* la distance entre les cellules de mesures photoélectri-
ques qu'il faut parcourir le plus rapidement possible. Relatant une
épreuve de vitesse, le Johnnie Walker Mondial Speed Record en
1984, une revue de planche faisait le commentaire suivant : « La
horde est arrivée, massacrant en *runs* d'enfer le misérable clapot
de l'étang de Thau[65]. »

Dans les compétitions de vitesse à ski du type « kilomètre lancé »
(KL) qui furent, à leur origine, organisées par la Fédération unifiée de la glisse (FUG) avant d'être plébiscitées par les téléspectateurs des jeux Olympiques d'Albertville, la référence est plus ambiguë. Le *run* est plus proche du « voyage » au sens psychédélique
du terme. C'est-à-dire qu'il permet la recherche de sensations nouvelles hors de toute rationalité traditionnelle. Ce point devait être
exprimé de façon quelque peu imagée par Cathy Breyton, la pré-
sidente de la FUG, qui détint le record du monde du kilomètre
lancé de 1978 à 1982 : « En fait, dans ton *run* il faut arriver à
ce que ce soit seulement tes sensations qui te dirigent, et non ta
raison, c'est pourquoi tu dois bloquer ton cerveau gauche, la partie analytique, logique, oublier tout ça, et laisser travailler la partie droite, celle de la sensibilité qui guidera ta course[66]. » On le

---

62. *Wind Magazine* n° 132, mai 1991, p. 20.
63. M. Lemoine, *op. cit.*, p. 17.
64. *Anyway, underground lifestyle* n° 4, juillet 1991, p. 19.
65. *Wind Magazine* n° 51, mai 1984, p. 3.
66. « La vitesse éternelle », in *Nouvelles Sensations*, septembre 1988, p. 44-47. Au cours du

voit, nous sommes très proches de la démarche qui préside à la création artistique liée au mouvement de la figuration libre. Il s'agit ici de *skier avant de penser* de la même façon que les peintres *fun* du groupe Finir en beauté *peignent avant de penser*. On peut se demander, d'ailleurs, si dans les épreuves de KL « perdre la raison », ou perdre la notion de rationalité, n'est pas la seule façon de se lancer dans la pente si l'on considère que la vitesse atteinte dans ce type de *run* approche, pour les meilleurs, les 230 km/h et que l'accélération est égale « à celle d'un Boeing 747 au décollage[67] ».

Dans un autre domaine, une étude sur l'évolution du vocabulaire de l'escalade menée par la lexicologue C. Tetet a montré l'étonnante créativité linguistique des grimpeurs depuis 1976. « Alors qu'environ 2 100 termes appartenant au vocabulaire de l'alpinisme et de l'escalade sont apparus entre 1757 et 1975, soit plus de deux siècles, le même nombre de termes est apparu entre 1976 et 1989, soit en à peine plus de dix ans[68]. » L'auteur note que c'est surtout l'escalade libre, ou la « grimpe », qui est « le moteur de l'enrichissement actuel du vocabulaire[69] ». Si l'on prolonge l'analyse de C. Tetet dans le domaine du sens et donc de la portée culturelle des nouvelles références lexicales, un point apparaît très intéressant : il semble bien que la « grimpe » soit à l'origine d'une transformation du système symbolique au sein duquel les grimpeurs puisent les expressions qui leur permettent de nommer les voies. Aux différents registres classiques utilisant, par exemple, le bestiaire animalier (« la Voie du lézard », « le Passage du singe », « Privilège du serpent ») ou le nom du grimpeur ayant réalisé la voie pour la première fois (« la Voie d'Éric », « Quand Yannick s'en mêle »), se sont substitués, vers le milieu des années 70, certains noms « qui flairent le blouson de cuir et l'aigle sur le dos », autrement dit proches du vocabulaire des Hell's Angels, selon le magazine *Repor-*

---

troisième trimestre 1994, la revue *Planchemag* devait préciser : « Le courage c'est d'aller planter ton rail là où les autres fouettent de le faire. Faut pas trop réfléchir ; si tu réfléchis, t'y vas pas. Équation aquatique de base. » « Attitude », in *Planchemag* hors-série, août-octobre 1994, p. 81.

67. *Ibid.*

68. C. Tetet, *Approche lexicologique et lexicographique dans une perspective historique et multilingue du vocabulaire du grimpeur*, Institut national de la langue française (CNRS), 1989.

69. *Ibid.*

tage[70]. Depuis une quinzaine d'années et contre toute tradition alpine, certaines voies furent, en effet, baptisées « Easy Rider », « les Anges de la rue 27 », « l'Ange en décomposition », « Overcoolbabadose », « la Rage de vivre », « J'irai cracher sur vos tombes », « le Pilier des clodos », « les Valseuses », « Orange mécanique », « Septembre noir », « Ossuaire », « Dealer Street », « Destroy », « Miroir de haine », « Combat de rue », « Clochard céleste[71] »...

« *Fuck you, man !* »

Parmi les multiples symboles de violence extrême utilisés par les *chapters*[72] Hell's, l'expression *fuck* (ou *fuck off, fucking, fuck you*) figure au même titre que le chiffre « 666[73] » dans leur répertoire. Malgré (ou à cause de) l'extrême vulgarité du terme[74], les revues *fun* se plaisent à l'employer : « Fuck the blaireaux ! » s'exclame ainsi *Wind Magazine* pour fustiger ceux qui ne prennent pas de risques en funboard[75]. De la même façon, dans un article d'initiation à la langue *fun* paru sous le titre « La langue des furieux », en 1991, la même revue donnait l'exemple suivant pour illustrer son propos : « Fuck ! T'as vu l'aerial-off-the-lip re-entry *[sic]* de Dave après son cheese-rool-one-foot-one-hand[76]. » On notait encore un « fuckin' Bercy. [...] Putain de folie : la plus grosse claque depuis que la planche existe », en avril 1990, dans un « Spécial funboard show » relatant l'épreuve de funboard indoor de Bercy[77].

---

70. « Ceux qui dansent avec la falaise », in *Reportage* n° 34, octobre 1983, p. 65.
71. Il s'agit là du titre célèbre d'un roman de Jack Kerouac, voir *infra*.
72. Les « chapitres », c'est-à-dire les bandes, les clans, les tribus de motards.
73. Le chiffre mythique de l'Apocalypse.
74. L'hebdomadaire *Le Nouvel Observateur* estime que, selon les contextes, ce terme signifie « baiser, emmerder, enculer, escroquer ». Au mois de novembre 1990, ce journal se faisait l'écho du succès de la musique rap aux États-Unis. Présentant le groupe 2 Live Crew, il mettait en évidence certaines réactions particulièrement négatives eu égard au caractère obscène de son dernier disque intitulé *As Nasty as They Wanna Be* (Aussi méchants que possible). L'association Focus on the Family, notamment, réagissait violemment : « Ces défenseurs de la famille et de la morale sautent au plafond lorsqu'ils entendent les chansons [...] : des tombereaux de pornographie rythmés par des ''fuck, fuck !'' rageurs et provocateurs. » *Le Nouvel Observateur*, 22-28 novembre 1990, p. 55.
75. *Wind Magazine* n° 94, janvier 1988, p. 55.
76. *Wind Magazine* n° 129, février 1991.
77. *Wind Magazine* n° 120, avril 1990.

Il va de soi que le windsurfing n'est pas la seule pratique *fun* à exploiter le sens très particulier de ce terme. Commentant les comportements des grimpeurs californiens du Yosemite, la revue *Vertical* expliquait en 1987 que ceux-ci refusaient la grimpe « à la française » consistant à reconnaître et à équiper les voies. Selon *Vertical*, « *placing a fucking bold on rappel* » est, pour un grimpeur américain, la pire offense que l'on puisse faire à l'« éthique » de l'escalade[78]. Parlant du ski, le magazine *Nouvelles Sensations* n'hésite pas à écrire : « Fuck you man ! [...] Fuck ! Trois mois que je skie ici tous les jours ! Je croyais connaître le spot[79]... » Évoquant un « gang » de surfers des neiges, les Bootleggers Connection, cette même revue se plaît à rendre compte de leur « cri de guerre » qui est parfaitement à l'image de celui des *chapters* Hell's : « Bootleggers are the best, fuck the rest[80]. » Dans un numéro hors série consacré au surf des neiges, la revue *Wind* intitula un dossier consacré à la technique de cette discipline : « Fuck ze goofy, fuck ze regular[81]. » Reste que c'est moins le désir de choquer que celui d'être systématiquement « contre » qui semble recherché ici... même si l'opposant ne se révèle pas toujours bien identifié : « À chaque époque, à chaque sport son attitude, le ski par exemple est resté ''surfédéré'' pendant des siècles jusqu'à l'arrivée du freestyle. [...] [Dans ce cas] l'attitude est débridée, débraillée, voire rageuse. Par son attitude intense [le freestyler] est le porte-parole d'une génération. Une génération qui n'a pas encore délivré son message mais dont on peut déjà présager la teneur : *fuck something*[82]... »

Souvent extrémiste, le monde du skate-board ne pouvait pas être en reste sur le plan du vocabulaire. On ne s'étonnera donc pas de retrouver l'expression « Fuck the blaireaux » qui apparaît ici sous la forme du titre attribué à un « Skateboarding zine », autrement dit un magazine de skate : « Les enc... de blaireaux en sont à leur numéro 100, c'est du moins comme ça qu'ils ont appelé leur nouveau zine. [...] Pour l'obtenir, pas d'embrouille [...] demandez Môssieur..., un glandeur de première[83]. »

---

78. *Vertical* n° 9, décembre 1986-février 1987, p. 27.
79. *Nouvelles Sensations* n° 5, janvier 1987, p. 62.
80. *Ibid.*, p. 34.
81. *Wind* hors-série n° 22, p. 46.
82. *Wind* hors-série n° 21, p. 55.
83. *Anyway, underground lifestyle* n° 4, juillet 1991, p. 7.

Il est important de comprendre que ce n'est pas la simple vulgarité qui est recherchée ici. C'est une référence culturelle, plus exactement contre-culturelle, qui dépasse largement le mouvement des Hell's Angels. En effet, l'utilisation des expressions *fuck, fuck you,* ou *fuck off*[84] est une référence appuyée à la contre-culture new-yorkaise de l'East Village des années 60.

Ainsi, par exemple, cette expression utilisée aujourd'hui de façon ostentatoire par les revues *fun* fut l'une des expressions favorites de l'un des leaders du mouvement *underground* new-yorkais des années 60, le poète anticonformiste, écologique et antinucléaire Ed Sanders.

Pour diffuser ses idées alternatives, Sanders publia une revue intitulée *Fuck You, A Magazine of the Arts* qui égrenait les pires obscénités[85]. La référence confine à l'improbable[86] lorsque l'on remarque que Sanders dirigea un groupe de rock particulièrement provocateur et anticonformiste dont le nom, The Fugs, se trouve être identique au sigle qui fut choisi par les promoteurs de la première organisation qui, en France, à la fin des années 70, tenta d'organiser certaines pratiques de glisse liées à la neige. De la même façon que Sanders voulait créer une société alternative, cette association, qui prit le nom de Fédération unifiée de la glisse - autrement dit la FUG, dont j'ai déjà mentionné le caractère très « psychédélique » de certaines propositions -, fut la première à tenter d'imposer des « épreuves » de ski quelque peu « alternatives ». Le mémorial Joël Gery ou les épreuves de vitesse du type « kilomètre lancé » (KL), par exemple, qui relèvent d'un esprit bien différent des compétitions de ski traditionnelles (slalom ou descente) organisées par la « trop classique » Fédération française de ski (FFS). Un état d'esprit qui apparaît proprement contre-culturel et *underground* car anti-institutionnel à force d'être anticonformiste.

---

84. Cette dernière expression fut, par exemple, utilisée par la société de funwear Gotcha dans une publicité montrant un individu tout habillé, une valise à la main au fond d'une piscine. Pour sa part, son concurrent Quiksilver lançait dans une publicité parue en mars 1992 : *« If you can't rock'n roll, don't fucken come. »*

85. Voir l'ouvrage de William L. O'Neill, *Coming Apart*, New York, Times Books, 1971, p. 250.

86. Mais après tout, ce qui importe, ici, c'est l'accumulation de sens. Je ne pouvais donc laisser passer ce qui m'apparaît comme une coïncidence trop étonnante pour être simplement fortuite, même si pour beaucoup l'incertain et le douteux entacheront hautement le propos. Admettons donc que ce qui suit relève d'une « conjonction de sens qui fait synergie » et, ce faisant, qui ne pouvait être laissée dans l'ombre...

Cette volonté contestataire de la FUG fut particulièrement bien marquée et perçue par les media *fun*. Comme le remarquait la revue de sport *Nouvelles Sensations* (un nom évoquant clairement le mouvement psychédélique, notons-le) : si, pour la Fédération de ski, « des piquets [de slalom], il en faut bien pour imposer le parcours. Et le chrono est un juge incontestable », pour la FUG, en revanche, une épreuve de monoski c'est « avant tout des moyens de s'exprimer. Pas de lutter contre une trotteuse[87] ». Dès lors, *Nouvelles Sensations* pouvait mettre en évidence la distinction qu'il convenait d'établir entre ce qui apparaissait comme deux systèmes de valeurs sportives antinomiques : « Pour tout ce qui est renseignements sur les compétitions de kilomètre lancé, deux options : si tu donnes dans le costard trois-pièces cintré, pied-de-poule, souliers vernis, alors contacte la FFS. [...] Si t'es plutôt mèche rebelle, cheveux décolorés, sweat-shirt Rip Curl, short Gotcha et Vuarnet complices, alors une seule adresse : FUG[88]. » C'est donc clairement un rejet de tout conformisme social qui est ici affiché, à l'image des mouvements *underground* qui virent le jour dans l'East Village, à New York, au début des années 60. La seule différence tient au fait que la contestation de l'« establishment », dans ce cas, trouve un terrain d'expression privilégié dans le monde du sport.

La présence du mot *fuck* dans le vocabulaire *fun* est loin d'être un épiphénomène. En réalité, il revêt une grande importance pour l'analyse de la symbolique contestataire que véhiculent certains media « sportifs » depuis une dizaine d'années en France.

En effet, ce terme apparaît comme une sorte de datation, un point de repère, permettant de marquer la naissance de la Nouvelle Gauche américaine (New Left). C'est au cours des années 60 que ce mouvement de contestation de l'*American way of life* s'imposa en tant que force politique en cherchant à mettre en place une société différente. Selon David Caute, « ceci constitue peut-être l'héritage le plus durable de la Nouvelle Gauche et de la contre-culture : le projet d'une société alternative, formée de contre-institutions,

---

87. « Les Fédés font la course à l'éclate », in *Nouvelles Sensations* n° 5, janvier 1987, p. 26.
88. *Nouvelles Sensations* n° 6, mars 1987. En 1995, la rupture semble totale entre la FFS et la Fédération de snowboard (dont la FUG est l'ancêtre lointain). La FFS et la Fédération de snowboard ont toutes deux demandé un « agrément ministériel » pour être autorisées à promouvoir le snowboard en France. « Ces histoires de fédés peuvent paraître rébarbatives. C'est un problème pourtant essentiel pour le devenir de notre sport [...] que la Force soit avec nous. » *Surf Session Snow*, janvier-février 1995, p. 14.

décentralisées, destinées à la fois à défier les structures bureaucratiques de la société officielle et à éveiller en tout un chacun le sentiment de ses propres possibilités[89] ». Il reste, surtout, comme Caute l'explique bien dans son livre, que des difficultés de communication sont rapidement apparues entre les tenants de la gauche traditionnelle et les acteurs de la Nouvelle Gauche. La première n'appréciait guère « le style culturel en vigueur - le désir de choquer et l'emploi du mot ''*fuck*'', que cherchait systématiquement à promouvoir la seconde ».

Par ailleurs, l'histoire de l'utilisation de ce terme dans les media traditionnels apparaît à certains auteurs comme un point de repère particulièrement fiable caractérisant l'émergence d'un mouvement musical alternatif, la « musique pop[90] ». Dans son livre *La Révolution pop*, B. Lemonnier estime que l'année 1966 est l'année du triomphe du « pop ». Or, il souligne que parmi les temps forts de cette année « pop », il faut relever qu'au mois de mars 1966 « le critique de théâtre Kenneth Tynan prononce le mot *fuck* lors d'une interview à la BBC[91] ».

La pub « *fun* »

Il faut bien reconnaître qu'au milieu des années *fun*, certaines actions de communication développées par des marques de surfwear et de funwear nécessitèrent une grille de décodage très élaborée tant elles semblaient vides de sens en première analyse. La majorité des stratégies développées par les hommes de marketing qui eurent en charge le positionnement de ces marques au cours des

89. D. Caute, *Sixty-Eight*, trad. française : *1968 dans le monde*, Paris, Robert Laffont, 1988, p. 43.
90. L'historien B. Lemonnier a bien analysé la « culture pop ». Pour lui c'est « un vent de folie [qui] souffle sur l'Angleterre, dont la jeunesse tient le haut du pavé. La musique et les groupes pop, les bandes d'adolescents, Carnaby Street et la minijupe, le swinging London, le psychédélique : les médias du monde entier diffusent l'image d'une nation ''qui saute à pieds joints dans le siècle'', selon l'expression d'un journaliste. Le succès est universel. L'Amérique est conquise et l'Europe - même à l'Est - succombe aux modes anglaises. Quelle effervescence entre 1964 et 1969 ! ''L'Angleterre qui swingue'' brocarde joyeusement les valeurs du passé, sème la panique dans le show-business, dans le monde des arts et de la mode ; elle offre aux teenagers ravis une autre culture, différente de celle des adultes et de l'establishment ». *La Révolution pop dans l'Angleterre des années 60*, Paris, La Table Ronde, 1986, quatrième de couverture.
91. *Ibid.*, p. 152.

années 80 devaient être décodées de la manière suivante : celui qui porte ce type de vêtements rejette tous les canons de la mode sportive « bourgeoise » et, au-delà, toutes les références propres à la société ayant engendré cette mode.

Il s'agit d'être « Rebel by choice », soutient la firme Town & Country Surf Design dans une publicité parue au mois de janvier 1990 dans une publication qui se décrit elle-même comme « le magazine des sports fous[92] ». Certaines de ces stratégies marketing s'inscrivirent souvent dans l'esprit du mouvement pictural anticonformiste issu de la figuration libre. Dans cette perspective consistant à réaliser une succession de faits incongrus pour susciter une compréhension au second degré, c'est probablement la société de surfwear Gotcha qui est allée le plus loin dans - ce qu'il faut bien appeler - la « provocation » publicitaire. Provocation en regard, bien entendu, du caractère volontiers classique des stratégies de communication qui étaient en usage jusqu'alors dans le domaine du sport.

Lors du Salon de la navigation de plaisance de décembre 1987, Gotcha présenta un stand qui défraya la chronique car il servit de support à une exposition... de sculptures *underground*. Une exposition artistique totalement inexplicable et surtout inintelligible pour beaucoup par rapport aux stands réalisés par les concurrents de la marque qui se contentèrent de présenter, trop classiquement, leur production : planches, voiles, équipements et vêtements. Surprise et incompréhension se mesurèrent à l'aune de l'originalité d'une démarche de communication particulièrement insolite, sinon iconoclaste. Celle-ci voulait exprimer une signification au second degré à la manière de la figuration libre, qui accumule de l'incompréhension jusqu'à ce que naisse la compréhension. En l'occurrence, la compréhension, ici, relevait du décodage subtil d'une identité très spécifique mâtinée d'avant-garde et nettement contre-culturelle. Il s'agissait de positionner la marque selon un système de significations rompant brutalement avec la ligne de conduite publicitaire des autres fabricants. Pour ce faire, Gotcha exploita une forme d'expression alternative qui obligea les observateurs, acheteurs potentiels, à s'interroger, donc à s'intéresser non pas aux vêtements Gotcha, mais aux symboles « totémiques » qu'ils véhiculaient. Ce faisant, la marque proposait, certes, une collection de vêtements mais

---

92. La revue *Nouvelles Sensations*.

elle la connotait surtout avec une identité étroitement liée à une démarche artistique alternative. Le résultat fut atteint puisque, dès le mois suivant, la revue de planche à voile *Wind Magazine* faisait état des « T-shirts Gotcha été 88 : l'avant-garde *fun* [93] » dans son compte rendu du Salon. Dès lors, le funwear prit définitivement le pas sur le surfwear, ce dernier ne pouvant plus se situer au niveau du premier puisqu'il était en retard d'un système symbolique sur lui.

La volonté de distinction affirmée par les promoteurs de cette stratégie s'est traduite, simultanément, par l'utilisation encore une fois étonnante, car incompréhensible au premier abord, de photographies des années 50 pour illustrer les publicités Gotcha qui parurent dans les revues de funboard. Là encore un code était à l'œuvre. Comment admettre, en effet, que des photographies en noir et blanc, qui en d'autres circonstances seraient passées pour d'horribles chromos, puissent apparaître au milieu des années 80 comme des symboles de l'avant-garde *fun* ? Comment comprendre, surtout, que là où ses principaux concurrents utilisaient des couleurs fluo, des images de vagues, de soleil, de palmiers et de « groupies », Gotcha exploitât de vieilles photographies et des publicités anciennes représentant des scènes de la vie bourgeoise étrangement banales et surtout totalement incongrues dans le monde du windsurf ?

Soit, à titre d'exemple, une publicité noir et blanc montrant simplement une famille pique-niquant sur une plage qui fut publiée dans le magazine *Surf Session* en 1987 [94]. Deux choses frappent immédiatement : d'une part, la photo est ancienne, comme le prouvent les vêtements largement passés de mode des personnages, d'autre part, elle est particulièrement ordinaire. C'est exactement le genre de photographie surannée que toute famille possède au fond d'un tiroir et que personne ne regarde jamais, sauf à tomber dessus par hasard.

Il se trouve que, contrairement à cette première impression, la photographie n'est pas banale. Elle est l'œuvre du photographe américain Joe Steinmetz et fut exposée à l'International Center of Pho-

---

93. *Wind Magazine* n° 94, janvier 1988.
94. *Surf Session* n° 9, septembre 1987. En 1995, Gotcha récidive. Témoin, le caractère remarquablement banal de la photographie publiée dans le numéro de janvier 1995 du magazine *Snow Surf*, p. 17. Si l'on exclut le « rider » jumpant par-dessus le toit du chalet, il s'agit très exactement de n'importe quelle photographie prise par une famille en vacances (le caractère flou et approximatif du premier plan compris). Cette photographie que l'on doit à Scalp *[sic]* est intitulée « Lunch time ».

tography de New York en 1983. Prise à Longboat Key (Floride) en 1958, elle représente une scène - qui se veut symbolique - de la vie bourgeoise américaine des années 50. À l'évidence, pourtant, cette photographie n'a guère de sens dans un magazine de sport français en 1987. Or, elle en a un, bien entendu, mais à la condition de faire référence à l'identité contre-culturelle de la marque Gotcha, qui s'inspire là d'une conception graphique empruntée au groupe Bazooka. Groupe de graphistes extrémistes particulièrement provocateurs, les Bazooka furent « les premiers à détourner les vieilles publicités des années 50-60, s'inspirant au Pop Art et d'Andy Warhol[95] ». Dans ces conditions, on comprend mieux pourquoi les publicités Gotcha utilisèrent, dans la seconde moitié des années 80, de nombreuses photographies en noir et blanc des années 50 qui, une fois retouchées et coloriées, exprimaient, là encore, une volonté de provocation face aux usages publicitaires établis.

Ajoutons, pour tenter d'être le plus complet possible, que les pages de publicité élaborées par l'agence de communication de cette firme exploitaient très peu de texte. Par contre, celui-ci laissait clairement envisager que Gotcha était *bien plus* qu'un fabricant de vêtements de sport : la marque se présentait comme un modèle « subculturel », autrement dit comme un totem *underground*. Ce point se vérifie par l'usage du terme « subculture » qui est accolé au logo de la marque et à la profession de foi « Gotcha anti-industrial force » qui concluait systématiquement le message.

« Fuck the fashion victim »

À partir de 1992, l'agressivité ostentatoire de la mode liée à la glisse semble s'épuiser. Comme si le *fun* avait atteint un équilibre qui se traduirait par des références symboliques nettement plus douces. Un calme, sinon une sérénité, exploités par des stratégies marketing qui, ayant perçu comme une amorce de maturité du marché, s'attacheraient à y répondre sur le registre « cool », calme, en fait paisible. L'« esprit » du funwear, dès lors, puise son inspiration dans une harmonie quelque peu surannée qui rompt brutalement avec les standards des années 80. Il s'agirait d'oublier le fluo

---

95. « Ils l'ont tant aimée la provocation, l'aventure des Bazooka », document du *Nouvel Observateur*, mars-avril 1989, p. 89.

et la provocation pour « faire dans la dentelle » comme la société Oxbow[96]. L'équilibre du marché s'accompagnerait donc d'une mélodie publicitaire nettement plus sereine, quasi romantique. Il s'agirait d'être « sobre sur le symbole », de muer en pastel les couleurs criardes d'hier, d'exploiter la ligne courbe en lieu et place du zigzag, la broderie remplaçant le motif offensif et brutal. Une orientation nouvelle bien faite pour montrer que le *fun* aurait trouvé son assiette et que celle-ci reposerait sur des bases claires, parfaitement transparentes, autrement dit économiquement viables... Une sérénité qui ne serait pas sans danger immédiat pour la tradition sportive.

Remarquons pourtant que rien n'est acquis. L'évolution vestimentaire dans le monde du *fun* relève d'une forme d'expression symbolique constante : la marginalité. Il reste que cette contestation permanente exploite elle-même un ingrédient de base : l'obsolescence accélérée des symboles utilisés pour marquer sa différence. Sportwear, surfwear, funwear, streetwear aujourd'hui... « radwear » bientôt. Le streetwear se décline lui-même en « hardcore », « radical », « Left Coast Kulture », « workwear », « metal », « tribal techno », « funk », « acid », « gay » ou encore « clubwear régressif ». L'enjeu de ces transformations perpétuelles s'inscrit dans une volonté affirmée de ne pas... participer à un phénomène de mode. Dans le monde du streetwear, l'erreur la plus grave consiste à ne pas être en avance d'un symbole pour tomber dans le registre du « fashion victim ».

En 1995, le marché de la fringue *fun* (*ff*) se recycle constamment à l'aune de couleurs, de matières et de graphismes qui se présentent comme une alternative elle-même en permanence renouvelée.

Une telle instabilité favorise l'émergence de nouvelles marques qui tentent de se positionner sur ce segment prometteur. Certaines comme Homeboy, Eponime, Beastie Boy, Oui-Oui, Gomme magique, ou encore Act, Ski Hi et Iguana réussissent parfaitement

---

96. Au début de 1992, cette firme mit en œuvre une démarche publicitaire particulièrement harmonieuse, très éloignée de l'agressivité antérieure. Ainsi, en avril 1992 dans *Wind Magazine*, une double page présenta Pascal Maka, « Oxbow people » longtemps détenteur du record du monde de vitesse en planche à voile, non pas dans le « baston » comme à son habitude, mais plongeant les pieds dans une eau calme, fleurie, ornée de dentelle évanescente.

dans cette entreprise. C'est ainsi qu'à la fin de la saison 1994, les leaders historiques comme Oxbow, Gotcha ou Quiksilver se trouvent entraînés dans une véritable fuite en avant. Multipliant déclinaisons et collections, ils tentent d'enrayer l'invasion et, surtout, cherchent à maintenir un équilibre géo-identitaire fondé sur la zone Pacifique (Californie et Australie). L'issue de ce combat pour la mode *fun* n'est rien moins qu'incertaine car, au début de l'année 1995, la zone Pacifique se trouve nettement concurrencée par la montée en puissance de la zone Atlantique nord (Allemagne et États-Unis) : New York et surtout Düsseldorf prennent progressivement le pas sur Torquay, Bondi et Los Angeles.

L'art « fun »

Cette évolution vers ce que l'on pourrait appeler une sorte d'équilibre socioéconomique (le *fun* trouvant son marché en même temps qu'il répondrait à un besoin quasi social de distinction sportive...) se repère très bien dans les transformations successives de l'art *fun*. Avec cette référence à l'« art » nous allons bien entendu toucher un point particulièrement ludique de la démarche *fun*. Il ne s'agit certainement pas de prendre au premier degré l'affirmation qu'il existe un art spécifique à ce mouvement « sportif[97] ». Il s'agit plutôt de considérer que la décoration *fun* emprunte à l'art contemporain en jouant, et en se jouant, de la confusion qui y règne[98]. Le jeu consiste à affirmer, ni plus ni moins, que la déco *fun est* l'art contemporain. « De l'exotisme élémentaire au moderne froid, du babacoolisme primitif au Bazooka de pure faction, la décoration des flotteurs[99] a beaucoup évolué. Elle *est* l'art contemporain. [...] Les planches multicolores briguent le musée d'Art moderne [...] les plus belles custom-made [sont] de véritables objets d'art.

---

97. Encore qu'il convienne de remarquer le caractère esthétique de plus en plus affirmé des objets techniques sportifs d'aujourd'hui. Comme le souligne le fabricant de VTT américain Trek, l'art moderne s'accorde parfaitement avec la technologie sportive. « L'art moderne associé à la haute Treknologie », in *VTT Magazine* n° 38, mai 1992, p. 28.
98. Sur l'indétermination qui règne aujourd'hui au sein de l'art contemporain et donc des possibilités d'exploitation de cette confusion par certains acteurs économiques, voir C. Millet, *op. cit.*
99. Il s'agit, bien entendu, des flotteurs de planche à voile.

Le véritable art nouveau : celui qui exotise notre quotidien et nous appartient totalement[100]. »

En fait, soyons précis : la déco *fun* « *est* une avant-garde » picturale[101] dont l'originalité fit l'objet d'une « étude » approfondie parue dans *Wind Magazine* au mois de novembre 1983[102]. Selon l'analyse proposée, cinq phases d'élaboration de l'art *fun* sont à distinguer :

- Dans un premier temps, c'est le style figuratif qui présida à l'exploitation d'une allégorie primaire sur le thème de l'exotisme (palmiers, naïades, soleil et plages). Trop « élémentaire », selon certains, ce style se révéla vite « lassant » et fut remplacé par des « variations un peu déchirées sur ce thème, dites bazookées ».

- Une première évolution mit en évidence un style coloré exploitant des « motifs baroques ». Éphémère, le baroque fit rapidement place à l'art des années 60.

- C'est le Pop Art qui traduisit cette tendance en reproduisant des « objets [et des] motifs désormais classiques de ce courant majeur des années 60 : des glaces appétissantes, des boîtes de Coca-Cola, des lèvres pulpeuses, toute une gamme connue de sujets exécutés à l'aérographe, sans géométrie, sans autre considération que celle qui examine une surface neutre à aménager ».

- Vint ensuite le « moderne ». Il faut entendre par « moderne » des orientations s'inspirant du damier, des perspectives, des motifs géométriques, des dégradés de couleurs. « Concision et impact. Le moderne règne ; il est facile à exécuter et parle à tous sans distinction de culture. Les couleurs fluo apparaissent, les punks ajoutent leur note : moderne à mort. »

- Enfin, le dernier courant, le plus achevé, qu'il convient de distinguer est l'« art », le « vrai », « celui des expositions ». Dès lors, l'art *fun* n'hésite pas à exploiter les techniques des plus grands. « Les inspirations tournent toujours autour des mêmes peintres : Pollock, Mondrian, Matisse et Niklaas. »

On le constate, nous sommes très loin des standards esthétiques habituellement véhiculés par la culture sportive. Même s'il convient de prendre cette analyse au second degré, on mesure la dis-

---

100. *Wind Magazine* n° 46, novembre 1983, p. 63.
101. *Ibid.*
102. Toutes les citations entre guillemets qui suivent sont extraites du numéro 46 de cette revue.

tance qui existe entre ce type de propos et le contenu de *L'Équipe Magazine*, par exemple. Une distance qui va encore s'accentuer avec les surprenantes prédilections de la musique *fun*.

La provocation éditoriale

Le retour de la musique des *sixties* et du début des *seventies* est un des traits marquants du marché du disque au début des années 90. Joplin, The Doors, Dylan, Hendrix, Crosby, Still, Nash et Young font un retour en force et les disques du Grateful Dead ne se sont jamais autant vendus, un quart de siècle après les débuts du groupe sur la « scène » psychédélique de San Francisco.

Force est de constater que le monde du funboard n'a pas attendu les années 90 et le retour des babas « new New Age[103] » pour plébisciter la musique des années 60. Sur ce point, au moins, le sport des années *fun* devança d'une bonne dizaine d'années l'évolution des standards culturels.

Le premier article jamais consacré par la presse à la musique des sports de glisse fut publié par la revue de planche *Wind Magazine* au mois de septembre 1981[104]. D'emblée, une inclination marquée pour une certaine forme de musique nettement en décalage avec les standards de l'époque se fait jour. Les premières livraisons furent, en effet, très ciblées « west coast » avec Miles Davis, l'« empereur » du jazz cool (une musique chère au romancier beatnik Jack Kerouac) et les Beach Boys. Très vite, également, c'est une musique nettement alternative qui est mise en valeur. Une présentation des Stray Cats ne laisse planer aucun doute sur ce point : « Le son est râpeux comme un Kiravi trois étoiles, cuvée du patron, et baveux à souhait (une note sur la pochette annonce que seuls les instruments les meilleur marché et les plus pourris ont servi à l'enregistrement de cet album)[105]. » La pochette de ce disque, dont le caractère particulièrement « kitsch » fut très apprécié par *Wind Magazine*, montrait les trois musiciens du groupe ; « nos trois

---

103. Selon une expression de la revue *Actuel* qui consacra un numéro spécial au retour des *seventies* au mois de novembre 1990 (n° 137).
104. *Wind Magazine* n° 29, septembre 1981, p. 24.
105. *Wind Magazine* n° 31, janvier 1982, p. 25.

lascars bardés de cuir et tatoués jusqu'aux yeux[106] » posant devant des Harley Davidson, cheveux gominés et coiffures « banane » chères aux Hell's Angels.

Bien entendu, la *surf music* des Beach Boys fut rapidement portée aux nues par *Wind Magazine*. Il s'agissait de bien marquer la genèse d'une culture sportive dont l'origine *fun* devait être affirmée et attestée par certaines références musicales particulièrement symboliques. En effet, l'un des succès du groupe fut le titre *Fun, Fun, Fun* créé en 1964. Pour lever toute ambiguïté, *Wind Magazine* devait d'ailleurs consacrer un dossier aux Beach Boys dans lequel la revue n'hésitait pas à affirmer : « Vingt-cinq ans après ce raz de marée d'ambre solaire onctueuse à souhait, les refrains de *Surfin'USA* ou de *Little Honda, I Get Around* et *Surfer Girls* continuent à hanter nos planches et collent à nos footstraps[107] pour nous éclabousser d'une mythologie bleu turquoise toujours de saison[108]. »

Sur le plan du vocabulaire un emprunt devait, là encore, se révéler significatif. En effet, les Beach Boys s'inspiraient de deux courants musicaux différents[109]. D'une part, la surf-musique dont les paroles se référaient à l'argot et aux activités des surfers et dont les précurseurs furent le groupe des Deltones en 1962. D'autre part, la musique de type *hot-rod* qui puisait ses références chez les « routards », dont le groupe leader fut les Routers en 1963. L'un des titres majeurs des Beach Boys, *Little Deuce Coupe*, s'inscrivit dans cette seconde catégorie. Sur la pochette de ce disque figure une automobile dite « customisée », c'est-à-dire un véhicule au moteur « gonflé » et à la carrosserie personnalisée que les Américains appellent un *custom*. De manière très significative, une planche à voile fabriquée à l'unité selon des spécificités propres à la rendre très performante, en tenant compte des caractéristiques physiques de son propriétaire, fut également appelée *custom* par les véliplanchistes des années *fun*.

La référence aux Beach Boys relève également d'un souci de distinguer un mode de comportement *fun* de nature psychédélique

---

106. *Ibid.*
107. Les « footstraps » sont des sangles qui permettent de fixer les pieds sur la planche durant les sauts.
108. *Wind Magazine* n° 79, octobre 1986, p. 44.
109. Sur la musique des années 60, voir C. Gillet, *The Sound of the city, histoire du rock'n roll*, Paris, Albin Michel, deux tomes, 1986.

et, surtout, hallucinogène. *Wind Magazine* ne s'en cache guère en rappelant que le titre *Good Vibrations* (1966) symbolise parfaitement l'identité musicale du groupe en même temps qu'il marque sa dérive narcomaniaque. « À partir de 1967, nos oiseaux [...] glissent petit à petit vers des plages plus brumeuses, se lancent dans la méditation transcendantale [...], puis à partir de 1969 dans des délires baba largement poudrés. *Good Vibrations* fait des ravages dans les charts et annonce l'ère psychédélique... mais esquinte au passage quelques narines[110]. » Nous touchons là un point quelque peu délicat mais qui va être utilisé à bon escient pour démarquer le *fun* du sport traditionnel. Il est patent que, pour certains, la glisse est un « voyage ». Parlant de l'« herbe » Robby Naish, le « leader de la tribu *fun* », estime qu' « il y en a beaucoup dans le windsurf[111] ». Même si nombreux sont ceux qui minimisent le phénomène - « Avant le joint était de rigueur [...] ça se tasse[112] » - il reste que certaines indications étonnantes circulent dans une presse qui, je le rappelle, est *quand même* une presse « sportive ». Ainsi *Wind Magazine* prend un malin plaisir à diffuser ce type d'information pour le moins ambiguë dans un magazine de sport : « Environ 80 % des colis expédiés par la poste à partir de Hawaii contiennent de la marijuana[113] »...

Nous sommes ici devant une politique éditoriale qui se trouve dans l'obligation de se démarquer du discours sportif traditionnel, comme nous le verrons dans le chapitre suivant. C'est la raison première de l'existence de ces références qui sont volontairement provocatrices. Ainsi, cette présentation se voulant particulièrement élogieuse d'un groupe de « surf alternatif », les Washington Dead Cats, diffusés par Bondage Production : « Violence et rythmes, textes adoptant de nets penchants anars [...], les WDC ont été largement influencés par la surf music et tous les groupes de surf punk. [...] Anyway, le *surf & destroy* de leur dernier 45-tours est le plus vibrant hommage aux Trashmen et autres Cramps, surf groupes mythiques et définitifs[114]. » Dans le style agressif, le magazine de skate-board *Anyway, underground lifestyle* ne fait pas dans le détail, surtout

---

110. *Wind Magazine* n° 79, octobre 1986, p. 45.
111. *Wind Magazine* n° 93, p. 49.
112. *Wind Magazine* n° 69, p. 54.
113. *Wind Magazine* n° 50, p. 27.
114. *Wind Magazine* hors-série n° 9, p. 22.

si l'on considère qu'il s'adresse à un lectorat adolescent. Présentant un CD du groupe Geto Boys, cette revue écrit : « Geto Boys vous raconte ce qui se passe dans la tête d'un déséquilibré mental et vous décrit une scène du genre : ''J'ai frappé la fille sur son lit et ai sorti mon couteau. Elle m'a supplié et je lui ai donné une rose. Je l'ai poignardée dans les seins et ai fait l'amour au corps avant qu'il soit froid''. [...] C'est mieux qu'une greffe du poumon, mieux qu'une ligamentoplastie du genou, ou mieux que faire l'amour avec sa meuf après un mois d'abstinence, bien que là quand même je m'emporte un peu peut-être *[sic]*[115]. »

Il va de soi que le souci de la provocation a conduit les revues *fun* à plébisciter la littérature alternative. Certains collaborateurs de *Wind Magazine*[116] devaient ainsi commettre sous le titre *Ça Com* un livre *underground* « si extrémiste qu'il ne peut entraîner que la réflexion : mais où ont-ils été chercher de pareilles atrocités[117] ? ». De fait, le livre est un véritable « défouloir [...] mais c'est aussi un cri, le cri de tous ceux que la question sexuelle préoccupe, c'est-à-dire nous[118] ». L'ouvrage se veut sexuellement exhaustif : « Tous les thèmes de la vie sociale y passent (au crible sexuel) et c'est bien sûr la religion qui emporte la palme, car qui ou quoi d'autre peut être plus sexué que la religion[119] ? » Et *Wind Magazine* de s'interroger : « Poison violent ou décapant salvateur ? *Ça Com* c'est comme on veut, quand on veut[120]. » À n'en pas douter le livre plaît à la revue, qui apporte une touche finale en concluant par une phrase dont le vocabulaire approprié est censé recueillir tous les suffrages : « Une écriture qui découpe au chalumeau servie par un dessein sous speed[121]. »

115. *Anyway* n° 4, juillet 1991, p. 65.
116. J.-B. Blanchet et A. Convard, respectivement illustrateur et maquettiste du magazine dans les années 80.
117. *Wind Magazine* n° 83, février 1987, p. 24.
118. *Ibid.*
119. *Ibid.*
120. *Ibid.*
121. *Ibid.*

Les délires de la communication « fun »

La presse sportive traditionnelle et la télévision se trouvent plutôt démunies quand elles cherchent à traiter des sports de glisse. Les magazines fun *usent et abusent du dithyrambe ludique, du détournement de sens, du rêve et du fantasme pour mettre en scène les nouveaux héros de la glisse. Ces leaders éminemment charismatiques de la tribu* fun *ressemblent plus à Peter Pan qu'aux figures de champions célébrées par Coubertin.*

Le vocabulaire contre-culturel, le caractère oral et syncopé du discours écrit, la musique alternative, la bande dessinée, l'humour, le clown plutôt que le champion, le héros charismatique et « inhumain », sont, avec la photo en couleurs exotique et spectaculaire, les vecteurs privilégiés de la communication *fun*. C'est à ces différents niveaux thématiques que doit être recherchée la distinction que l'on peut établir entre la presse qui traite traditionnellement du sport consacré et une nouvelle forme de presse sportive qui est apparue, en France, dans les toutes premières années de la décennie 80.

L'archétype du discours sportif est le propre du quotidien *L'Équipe* qui diffuse essentiellement du commentaire et du chiffre. Ce commentaire, qui est très proche des propos tenus par les *commentateurs* sportifs de la télévision, est, dans une certaine mesure, destiné à expliquer, juger, ou encore interpréter, un résultat sportif qui prend toujours la forme d'un ou de plusieurs chiffres[1].

---

1. En 1987, lorsque le Canadien Ben Johnson établit le nouveau record du monde du 100 mètres, *L'Équipe* se contenta d'annoncer un nom et un chiffre sur six colonnes à la une : « Johnson : 9'87 ». Il en fut de même lorsque Mike Powel établit le nouveau record du monde de longueur lors des Championnats du monde d'athlétisme de Tokyo le 30 août 1991.

Dans une certaine mesure seulement, car la fonction principale du commentaire sportif, qu'il soit écrit ou parlé, est de produire du mythe à partir du chiffre. Comme le souligne E. Seidler : « La presse sportive contemporaine cherche sans doute beaucoup moins à analyser, à comprendre ou à expliquer le sport [...] qu'elle ne s'applique à y trouver matière à exaltation[2]. »

Le commentaire est important pour greffer du drame ou de l'épopée sur la sécheresse des mesures sportives. Le pur discours sportif - en réalité le seul qui *compte* vraiment - serait uniquement technique et numérique, ce qui ne manquerait pas d'être pour le moins rebutant. C'est la raison pour laquelle les commentateurs sportifs de la télévision fonctionnent si souvent par deux[3]. D'une part, un consultant-expert explique le déroulement de l'action sur la base d'une communication de type rationnel fondée sur le chiffre et la logique technique ou tactique permettant sa production. D'autre part, un observateur-journaliste raconte l'histoire du jeu en s'efforçant d'inclure drame, romantisme et lyrisme dans un discours technique qui, sans lui, resterait trop aride et froid.

Le taux de commentaires, télévisuels ou écrits, reflète exactement l'intérêt ou le désintérêt des media pour les différents sports. Ainsi, certaines pratiques se situent au degré zéro du commentaire, lorsque le journaliste se contente de présenter les « tableaux » de résultats. D'autres, au contraire, sont saturées d'exégèses et de paraphrases propres à exprimer les sentiments des athlètes, ces femmes et ces hommes qui *font* le sport par-delà les chiffres qu'ils produisent. Ainsi, le Tournois de Roland-Garros n'est jamais simplement présenté sur la base du tableau synoptique officiel des résultats. Ce serait pourtant là le meilleur support d'une information claire et précise. Ce serait aussi le meilleur moyen d'occulter la « chanson de geste » que crée de toutes pièces le commentaire sportif pour hisser le tournois à la hauteur d'un *événement* médiatique

---

2. E. Seidler, *Le Sport et la Presse*, Paris, Kiosque, 1964, p. 8.
3. « Tout à fait Thierry ! » : au mois de novembre 1993, dans un entretien avec un journaliste de *L'Équipe Magazine*, Thierry Roland devait expliquer que le travail du journaliste sportif de la télévision repose sur deux catégories de discours, le discours descriptif et le discours technique : « Il faut quand même penser que l'on ne s'adresse pas uniquement à des gens qui sont fondus de football. Alors quand tu leur parles de flèches, les attaques qui viennent de la gauche, de la droite, que le gars a dégagé vingt-sept fois dans le troisième carré, très honnêtement, je crois que les gens s'en foutent. » *L'Équipe Magazine* n° 615, 13 novembre 1993, p. 34.

et pas seulement d'une compétition sportive. De ce point de vue, un sommet fut atteint avec les jeux Olympiques de Lillehammer retransmis en exclusivité aux États-Unis par la chaîne américaine CBS qui ne présenta *aucune* épreuve en direct... ce qui est unique dans les annales olympiques. Loin de se contenter de proposer des séquences classiques présentant les différentes épreuves, CBS les a proprement mises en scène de manière à les « dramatiser ». Le quotidien *Libération* explique : « Épreuves de ski alpin tronçonnées et entrelardées de reportages (réalisés à l'avance) sur les vainqueurs, mise en haleine des téléspectateurs par des promesses perpétuelles d'événements clés [...] repoussés en fin de soirée pour conserver l'audience jusqu'au bout. Voire racolage pur et simple du chaland : ainsi les épreuves reines de patinage ont été diffusées en plusieurs morceaux au cours des émissions. Un peu en début, un peu en milieu, le "clou" en fin de soirée, le remplissage étant assuré par des épreuves qui risquaient d'envoyer le téléspectateur prématurément au lit, comme la luge ou le ski de fond. » (*Libération*, 28 février 1994, p. 35.)

McLuhan l'avait pourtant dit !

La digression du commentaire n'est pas le fait principal de la communication *fun*. Même si l'on peut, bien entendu, retrouver çà et là des propos de ce type, c'est essentiellement le panégyrique burlesque, le dithyrambe ludique, le délire verbal, le détournement de sens, le rêve et le fantasme, qui scandent les discours intuitifs qui permettent de relater *efficacement* les sports de glisse dans la presse spécialisée. Nous trouvons là la raison principale de la relative inefficacité des media sportifs classiques dans le monde du *fun*.

Force est de reconnaître qu'il n'existe pas encore un modèle d'expression *fun* parfaitement maîtrisé par les professionnels de la presse. Depuis quelques années, un nombre non négligeable de revues et d'émissions de télévision[4] ont cherché - souvent vainement - à structurer et à canaliser ce type de discours pour tenter

---

4. La télévision s'intéresse depuis peu aux sports de glisse. Quelques émissions ont tenté avec plus ou moins de succès de retranscrire la culture *fun* sur le petit écran ; on peut citer « Zig-Zag » (excellent, sur F3), « Fun-glisse » (M6), « Eurofun » (Eurosport), ou encore « Avis de grand frais » qui est présenté par Canal + de la manière suivante : « "Avis de grand frais",

d'en maîtriser la diffusion. Vainement, car le modèle d'expression utilisé était beaucoup trop proche des standards exploités de longue date par les media sportifs traditionnels. De nombreuses tentatives avortèrent à cause d'une absence d'analyse sérieuse et, surtout, d'une véritable compréhension des attentes du marché. Dans la majorité des cas, en effet, le commentaire sportif habituel apparut comme l'unique référence possible faute d'une perception suffisamment fine des aspirations d'un lectorat totalement nouveau. Or, à l'évidence, la forme revêtue par le discours sportif orthodoxe ne correspond pas aux attentes des adeptes du *fun*.

Dans son analyse des media, Marshall McLuhan souligne combien le lecteur d'un journal recherche avant tout ce qu'il connaît déjà. Rapportée à notre objet, cette proposition pourrait être traduite ainsi : ce que recherche le lecteur d'une revue consacrée aux sports de glisse c'est éprouver *de nouveau* les sensations et impressions qu'il a déjà ressenties personnellement à l'occasion de sa propre pratique. McLuhan ne dit pas autre chose lorsqu'il explique : « L'expérience traduite en un nouveau *medium* fait littéralement voir ou entendre la délectable reproduction d'une conscience antérieure. La presse reproduit la sensation que nous avons éprouvée à nous servir de nos sens[5]. » Le véritable magazine *fun* ne peut donc être qu'un prolongement direct, écrit et iconographique, des attitudes et des comportements déjà éprouvés sur le « terrain » par les « glisseurs ». Ce qui, nous allons le voir, relève d'une forme d'expression très originale, bien faite pour coller aux désirs nettement alternatifs des lecteurs de ce qu'il faut considérer comme un nouveau type de magazines sportifs.

L'innovation éditoriale

Au cours des années *fun*, les seuls qui rencontrèrent le succès

c'est une fenêtre ouverte un jour de grand vent [...] qui n'a d'autre objectif que de vous oxygéner les neurones à coup d'images spectaculaires et de portraits chocs de ceux qui osent braver les éléments. Pas de résultats de compétitions, pas de longs comptes rendus d'événements, mais une série de courts reportages construits autour de ces ''givrés'' de l'extrême. Ceux du funboard, du surf des neiges, de la voile, du parapente, de la chute, de la plongée. En un mot, tous ceux qui ne fonctionnent qu'à l'adrénaline. » Magazine des programmes de Canal+ du mois d'octobre 1993.

5. M. McLuhan, *Pour comprendre les médias*, Paris, Seuil, coll. Points, 1977, p. 242.

furent les magazines qui innovèrent au point d'inventer une forme déconcertante de « message sportif ». Pour ce faire, ils élaborèrent un nouveau référentiel qui s'inspirait de certains domaines de la modernité totalement inattendus dans le monde du sport, comme la musique rock, la peinture contemporaine, la culture alternative, ou bien encore les romans *underground* et les bandes dessinées *hard*. Parmi les réussites incontestables de ce nouveau type de media « sportif », la revue *Wind Magazine* fait figure de précurseur. Elle fut, en effet, la première à créer un style et un ton neufs en sortant nettement des standards admis par les media sportifs depuis le début du XXe siècle.

Cette revue traite essentiellement de funboard (ou de windsurf, pour utiliser l'expression hawaiienne). Elle réalise aussi régulièrement des numéros hors série qui couvrent l'ensemble des sports de glisse (surf des neiges, parapente, VTT, skate...). Ce faisant, elle montre bien le caractère parfaitement homogène des multiples pratiques qui forment le champ sportif et culturel couvert par la notion de glisse. Si elle traite des informations techniques et des résultats des compétitions, cette revue publie surtout des histoires, des fables, des bandes dessinées, elle produit des « romans », des jeux, des tests, se transforme en critique littéraire, musicale, en banque de conseils techniques et touristiques. Bref, plus que produire du commentaire sportif, elle cherche surtout à *mettre en scène* les pratiques de glisse en créant de toutes pièces des supports-media toujours étonnamment ludiques par les formes, le style ou le ton qu'ils revêtent.

Un exemple parmi d'autres : au cours de l'été 1986, *Wind Magazine* proposa à ses lecteurs un incroyable « roman » surréaliste intitulé « Suivez la vague perdue et n'oubliez pas le guide ». Dans le numéro du mois d'août, le « roman » était résumé de la façon suivante : « Qui sont-ils ? Les bons : Velvet, Vanity, Chok. Les méchants : l'OPEV (l'Organisation de prévision et d'estimation du vent). Que font-ils ? Ils partent pour surfer la Vague perdue, une montagne de liquide de 6 000 mètres. Pourquoi ? Parce que. Mais encore ? Fellapeep, la reine du royaume des Dessous de la Mer a demandé de cueillir la carotte de la Vague perdue. C'est l'unique moyen pour ramener la vague au royaume... » L'épisode se terminait ainsi : « Velvet fut alors aspergé par le sang des baigneurs alentour. Il aurait bien continué à faire un nettoyage radical. Il avait en tête un plan démoniaque : l'élimination de tous les blaireaux. [...] Au-delà de cette limite, le *fun* n'est plus voilable[6]. »

Loin de toute appréciation, il faut retenir le caractère oral et spontané de cet extrait. Il ne relève pas de phraséologie écrite traditionnelle, c'est le langage parlé que semble vouloir évoquer le style employé ici. L'ensemble du texte procède d'une intention similaire. Bien plus, la quasi-totalité de la revue apparaît construite sur des bases semblables. La volonté est manifeste de « coller » aux terrains sémantiques, morphologiques et syntaxiques de la culture *fun*. La chaîne syntagmatique utilisée dans ce court passage est particulièrement décousue, primaire, comme s'il s'agissait de recréer sur le papier les caractéristiques d'un certain type de discours récent : celui des *breakers*, du rap et du hip-hop. Il s'agit d'exploiter un style proche de celui d'un lectorat qui s'exprime en partie ainsi sur le terrain de sa propre pratique « sportive ». Il faut noter, en effet, que le marché cible de la revue est un marché de pratiquants, ce n'est pas un public de spectateurs ou de téléspectateurs (comme pour *L'Équipe*, par exemple). C'est donc un lectorat qui ne se reconnaîtrait probablement pas (ou, en tout cas, qui ne s'identifierait pas) dans la phraséologie traditionnelle utilisée par les journalistes sportifs.

Dépeindre ou décrire, il faut choisir !

La culture *fun* est surtout une culture orale, jouée, musicale, perçue et ressentie. C'est le langage parlé qui véhicule le plus aisément ses rites, ses mythes et ses tabous. La communication écrite traditionnelle, précise, exacte, digitale, n'est donc pas la plus appropriée pour véhiculer ce discours « sportif » contemporain. C'est une communication de type analogique[7] n'exploitant aucune des règles habituelles qui est la plus adaptée pour répondre à la demande d'un nouveau type de lecteurs. Il semble que ce point soit progres-

---

6. *Wind Magazine* n° 77, août 1986, p. 38-43.
7. Voir G. Bateson, « La communication analogique contre la communication digitale », in *Vers une écologie de l'esprit*, Paris, Seuil, 1980, p. 126. Je reviendrai longuement sur ces deux concepts pour construire un modèle d'analyse de la transformation du sport contemporain. Voir la troisième partie du livre, « Les cultures sportives ''digitales'' et ''analogiques'' ».

sivement admis par les professionnels de la presse. Ainsi, le sport relève de moins en moins d'une communication conventionnelle de type numérique, comme le faisait remarquer G. Lagorce, en octobre 1986, lorsqu'il affirma dans le premier numéro de *L'Express Sport* : « Le sport ne se résume plus à une affaire de mètres, de secondes et de buts marqués[8]. »

Dans cet esprit, la photo en couleurs constitue l'essentiel de l'iconographie des magazines *fun*. Il est en effet difficile d'envisager l'illustration d'un texte cherchant à refléter une activité sportive souvent réellement vécue par le lecteur sur la base de photographies en noir et blanc. Cette distinction est intéressante car elle montre bien que les publications *fun* cherchent moins à décrire qu'à dépeindre. La description convient à une action évoquée, elle ne convient plus à une action vécue. Le journal *L'Équipe* peut parfaitement illustrer en noir et blanc une scène de la vie sportive que le spectateur-lecteur ne vivra jamais personnellement dans sa réalité physique et matérielle, le commentaire souvent métaphorique du quotidien suffisant à faire la part de l'imaginaire[9]. À l'inverse, il s'agira de dépeindre par la couleur et un vocabulaire approprié une action ou des comportements que le lecteur connaît d'autant mieux qu'il s'y livre (ou qu'il cherche à s'y livrer) régulièrement. Dans cette perspective, il est intéressant de noter que lorsque *Wind Magazine* publie les résultats et commentaires des régates de planche à voile (olympiques ou « raceboard »), les photographies sont rarement en couleurs, les textes sont conventionnels, les titres descriptifs, l'ensemble étant renvoyé en fin de publication. La raison en est simple : ce type de compétition ne représente guère un idéal de pratique *fun*. Le classement sportif traditionnel ne correspond pas aux aspirations, aux comportements, sinon aux besoins de la majorité des lecteurs de ce mensuel.

Une revue comme *Nouvelles Sensations* estimait que l'iconographie des magazines *fun* va bien au-delà de la simple illustration. En réalité, elle véhicule une culture, c'est-à-dire un système de valeurs ou un modèle de référence aux actions et aux relations de ceux qui s'adonnent aux pratiques de glisse. Elle dépasse la

---

8. Éditorial du numéro 1 de *L'Express Sport*, octobre 1986, p. 6.
9. La couverture en couleurs de *L'Équipe* ne date que de l'année 1987. Cette décision quasi historique pour le journal fut prise en réaction à la naissance d'un concurrent paraissant en couleurs, le quotidien *Le Sport*.

simple image sportive platement illustrative pour accéder au domaine
du rêve et de l'imaginaire. Elle s'inscrit dans une forme de trans-
cendance en dépassant la finalité traditionnelle des photographies
de presse. Elle dénote plus un « style de vie » qu'un « style de
sport », en montrant principalement des acteurs en situation de vol,
de décollage, en quête de vertige, de déstabilisation des sens, à
la recherche de sensations toujours plus originales. « Clichés intem-
porels d'où émane un parfum d'imaginaire. [...] Fête des sens, de
l'esthétisme, notions vitales pour que les sports de glisse ne se résu-
ment jamais à de vulgaires activités physiques. [...] Il en est ainsi
de ces images qui, dépassant leur état premier d'illustration, deviennent alors des vecteurs, des catalyseurs de cet univers. Plus que
l'expression de la prouesse technique de l'athlète, ces photos dépei-
gnent [...] le véritable visage de la glisse[10]. »

La gloire ou la « glande »

Dans ce monde « sportif » singulier, le champion n'a pas sa
place. Une personnalité charismatique comme Robby Naish, même
s'il fut champion du monde professionnel de funboard à de nombreuses reprises, n'est pas un champion au sens sportif du terme ;
c'est un héros[11]. Aujourd'hui, alors que Naish ne domine plus le
World Tour (ou la World Cup), c'est-à-dire le circuit international
des épreuves professionnelles de funboard, personne ne l'a encore
remplacé en tant que leader de la « tribu » *fun*.

C'est que le champion professionnel possède un statut très
ambigu dans le milieu du funboard. Admiré pour ses prouesses inaccessibles au commun des windsurfers, il n'en est pas moins un individu qui « galère » pour atteindre ce niveau de réalisations techniques. L'entraînement auquel il doit s'astreindre et les contraintes
multiples qui participent de ses contrats sont des paramètres difficiles à intégrer pour des individus qui se trouvent, marketing oblige,
dans l'obligation d'adopter un style de vie quelque peu alternatif
au sein duquel le travail ne devrait guère trouver sa place.

10. *Nouvelles Sensations* n° 14, décembre 1989, p. 21.
11. Sur le thème du héros dans le domaine du sport, voir P. Duret, *L'Héroïsme sportif*,
Paris, PUF, 1993.

C'est ainsi qu'au pays du *fun*, la « gagne » c'est le « plan galère ». Dans un numéro spécial « Attitude » (août-octobre 1994), la revue *Planchemag* commenta certains renoncements étonnants. Évoquant la « carrière » de Mark Angulo, l'un des meilleurs fun-boarders du monde, la revue estimait : « Pourvu de dons éclatants, Mark n'a jamais pu se faire au cadre exigu de la compétition. À vingt ans, il envoie tout balader. Sa carrière est terminée. Exit le pognon et la reconnaissance, vive la sensation[12] !!! » Pour beaucoup, choisir entre la « glande » et la « gloire[13] » est donc délicat. Bien peu « assurent ». Ils sont rares, en effet, ceux qui parviennent à résoudre élégamment ce dilemme qui oblige à conjuguer deux systèmes de valeurs antinomiques : le jeu et le travail. « J'ai longtemps hésité entre la dolce vita hawaiienne, la vie au gré de l'alizé, et la World Cup où il faut bosser dur, fabriquer et concevoir ses planches, voyager sans arrêt, s'entraîner sans relâche ; [...] seulement au bout du labeur - vieille valeur judéo-chrétienne - il y a la saveur des dollars, des hordes de fans, et des photos dans les magazines. On n'a rien sans rien[14]. »

Ceux qui choisissent la gloire resteront des hommes et deviendront des « guerriers[15] », quelquefois des champions. Par contre, ceux qui choisissent la « glande » auront une autre alternative : devenir des « saltimbanques », des « funambules[16] », des amuseurs, des clowns ou des acrobates qui transformeront les « spots » en cirques[17]. Étrangement, la carrière de clown peut être nettement plus valorisante (et plus lucrative !) que celle de champion dans le monde du *fun*, car celui qui y réussit fait souvent la première page des magazines.

La logique de Peter Pan

Certains - la majorité ! - ont clairement fait leur choix : ils ne seront jamais des « guerriers » car ils préfèrent la « glande ». Ils

---

12. *Planchemag* hors-série, août-octobre 1994, p. 84.
13. *Wind Magazine* n° 79, octobre 1986, p. 56.
14. Selon le *champion* Alex Aguerra, *Wind Magazine* n° 79, octobre 1986, p. 56 *sq.*
15. *Wind Magazine* n° 111, juin 1989, p. 64.
16. *Ibid.*, p. 68, 71.
17. « Question : le *fun* est-il du cirque ? Réponse : pourquoi n'en serait-il pas ainsi ? », in *Wind Magazine* n° 111, juin 1989, p. 62.

seront donc des amuseurs. Ainsi l'Autrichien Michael Ribovitz, dit
« Mike Eskimo », véritable Peter Pan de la déferlante qui a décou-
vert « le Pays de nulle part » à Hawaii (« Vous prenez la deuxième
étoile à droite et, ensuite, tout droit jusqu'au matin »). Eskimo n'a
pas gagné une seule épreuve du circuit professionnel mais, peu
importe, il est un « leader d'opinion *fun* » car il a su rester un
« grand enfant[18] » à l'image exacte de Peter Pan.

Rapprocher Peter Pan et Mike Eskimo va nous permettre de
décoder certains comportements qui sont valorisés ici car ils apparaissent totalement et volontairement détachés du quotidien fréné-
tique et agressif du *square*, du « cadre » ou du *yuppie*[19]. Autrement dit, de celui qui « galère » pour accéder à un statut social...
ou sportif. Ériger Eskimo en modèle de la personnalité *fun*, c'est
donc montrer un point essentiel : le *fun* ne se conçoit qu'aux marges
de l'organisation sociale légitime, c'est-à-dire structurée, réglementée et rationnelle. Il n'existe *réellement* qu'au Pays de nulle-part,
là où l'imaginaire se débride et où, selon Peter Pan, « il suffit de
penser à des choses merveilleuses pour planer[20] ».

L'analogie est réellement surprenante. Pareil à Peter Pan, Eskimo
ne semble pas vouloir devenir grand. Il pourrait faire sienne la profession de foi de Peter : « Je veux rester pour toujours un petit garçon et m'amuser[21]. » Au-delà, pourtant, il convient de remarquer
que Peter Pan et Eskimo sont proches par de nombreux points qui
sont autant de symboles participant du système de valeurs propre
à la culture *fun*. L'élément probablement le plus remarquable est
que tous les deux volent... comme pour mieux exprimer leur volonté
de s'exclure métaphoriquement de la société des adultes. Si pour
voler les compagnons de Peter Pan utilisent la poussière magique,
Eskimo n'est pas en reste : de mémoire de lecteur de revues *fun*,
on ne l'a jamais vu les deux pieds sur terre. L'iconographie est bien
faite pour le montrer volant entre ciel et eau, réalisant des sauts
de vagues spectaculaires, tout auréolé d'écume, sa poussière magique à lui.

---

18. *Ibid.*, p. 68.
19. À cet égard le film *Hook*, de Steven Spielberg, sorti sur les écrans français au début
de l'année 1992, doit absolument être présent à l'esprit du lecteur pour saisir le développement qui suit.
20. J.M. Barrie, *Peter Pan*, trad. française, Paris, Gallimard, coll. Folio Junior, p. 53.
21. *Ibid.*, p. 43.

Dans le roman de Peter Pan, le chapitre IV est intitulé « Le vol ». À l'image des sensations de vertige que goûtent particulièrement les adeptes du *fun*, il décrit les indéniables émotions ressenties par les compagnons de Peter : « Si grisant était le plaisir de voler qu'ils perdirent beaucoup de temps à tourner autour des clochers et autres édifices altiers qui se dressaient sur leur passage[22]. » Un élément semble commun : la recherche de la figure spectaculaire relève d'une volonté nettement exhibitionniste. La « frime » se repère chez Eskimo (mais après tout, il est là pour cela), comme chez Peter Pan, ce qui est plus surprenant. « Peter, après quelques instants, exécutait un piqué et rattrapait adroitement Michael juste avant qu'il ne touche les vagues. Mais il attendait toujours la dernière seconde et l'on se rendait bien compte que seule sa dextérité l'intéressait[23]. »

Dans le cas du funboard, le saut de vague s'avère correspondre à une volonté métaphorique de marginalisation, ou de retrait volontaire de la société raisonnable des adultes, tout simplement parce que cette situation s'inscrit dans un registre de comportements très inhabituels dans le monde de la mer. Les conditions particulièrement dures de vent et de vagues que nécessite cette pratique récente[24] sont exactement celles qui sont honnies depuis toujours par la tradition maritime. Le « gros temps » est la hantise du marin. Tous les dictons l'affirment : lorsque la tempête menace, la voile est à carguer. Le « gros temps », au contraire, est un régal pour Eskimo qui ne peut réellement exprimer ses qualités que lorsque « ça bastonne ». Ainsi, « c'est lorsque l'océan se drape de fureur et de drame pour le commun des mortels que le windsurf trouve sa plus belle expression. Ça dérange[25]... ». Quand le marin rentre au port pour fuir la tempête, le funboarder grée sa planche et prend tous les risques pour créer des figures « suicidaires » étonnantes de maîtrise, de technique et d'esthétique, très appréciées des media. L'expertise et la « frime » se mélangent alors dans des sites incertains, là où la raison n'a plus sa place, au creux de l'imaginaire le plus « cru », hors de toutes les références sociales habituelles.

22. *Ibid.*, p. 57.
23. *Ibid.*, p. 58.
24. Les premiers sauts de vague dignes de ce nom ne datent que d'une petite dizaine d'années.
25. *Wind Magazine* n° 141, mars 1992, p. 5.

« Mike Eskimo est un créateur au sommet de son art. Après l'Aerial Duke Jibe, Mike nous propose un Aerial Off The Lip Killer, une sortie de vague hypertechnique et qu'il n'hésite pas à qualifier de très dangereuse. Après avoir surfé à coups de Bottom Turn et d'Off The Lip successifs, Mike s'est jeté dans un saut périlleux avant sur l'extrémité du peak. Et il ne désespère pas de réaliser la même figure en ''re-entry'', c'est-à-dire en se réceptionnant dans la même vague. Banzaï[26] !!! »

Reste que cette créativité débordante, une fois répliquée à l'infini *via* l'iconographie des magazines, ne représente guère que l'ombre d'Eskimo. Que cette « ombre » vienne à disparaître (c'est-à-dire que les photographes ne s'intéressent plus à lui), comme ce fut le cas pour Peter Pan avant qu'il ne rencontre Wendy Moira Angela Darling, et son univers s'arrêtera de jouer.

Si, comme Peter Pan, Eskimo vit sa vie dans un autre espace que celui des adultes responsables, ils apparaissent également semblables dans un domaine beaucoup plus intime, très significatif d'un rejet de la société organisée. Tous deux sont marqués par une sorte de mélancolie liée aux difficultés de vivre un quotidien par trop lugubre et conventionnel. Une mélancolie qui se niche au plus profond de leur personnalité.

C'est à ce niveau précis qu'il faut rechercher la véritable signification du *fun*. Une signification qui en fait réellement une pratique de nature juvénile débouchant sur une certaine forme euphémique de contestation sociale. Non pas une pratique simplement juvénile, c'est-à-dire qui ne serait que le fait des adolescents, mais un registre de comportements « de nature » juvénile qui peut parfaitement correspondre à ceux que mettent en œuvre nombre d'adultes atteints de ce mal de vivre que le psychologue américain Dan Kiley appelle le « syndrome de Peter Pan[27] ».

Comme Peter Pan, Eskimo est fondamentalement triste car il éprouve les plus grandes difficultés à s'intégrer au sein de la communauté des adultes. Une tristesse qui, à l'origine, est due à une

---

26. *Wind Magazine* n° 99, juillet 1988, p. 48.
27. D. Kiley, *Le Syndrome de Peter Pan*, trad. française, Paris, Robert Laffont, 1985. « Il y a de par le monde des centaines de milliers d'adultes qui refusent de grandir et qui, même parvenus à l'âge mûr, demeurent incapables d'affronter leurs responsabilités et d'accéder à leurs sentiments profonds, à leurs véritables émotions. Égocentriques, narcissiques, ils feignent la gaieté, l'insouciance, le bonheur et tentent de cacher aux autres comme à eux-mêmes les figures qui lézardent leur séduisante façade. »

absence identique de liens familiaux. Peter Pan habite avec les
« enfants perdus ». « Ce sont des bébés qui sont tombés de leur
poussette. [...] Si on ne les réclame pas dans les sept jours, ils sont
envoyés au Pays de nulle part[28]. » Eskimo est lui-même un
« enfant perdu » que personne n'est jamais venu réclamer et qui
vit à Hawaii comme Peter au Pays de nulle part. En effet, Eskimo
est orphelin. Il est donc parfaitement capable de parler de lui
comme le ferait Peter Pan de lui-même (l'analogie dans la forme
de l'expression est d'ailleurs tout à fait surprenante). Eskimo
affirme : « C'était dur de ne pas avoir de famille. J'aurais souvent
aimé avoir quelqu'un qui puisse être fier de moi. Les jours de pluie
sont longs à Hawaii lorsque l'on n'a pas de maison digne de ce
nom, ni personne qui pense à vous[29]. »

Il est nécessaire de comprendre que dans le monde du *fun* Mike
Eskimo n'est pas un cas unique. De tous les « enfants perdus » qui
s'adonnent à la glisse il est simplement le plus « médiatique », car
lui seul a poussé la logique de la « glande » jusqu'au bout. Il a
réussi la gageure d'en faire une source de revenus. En réalité, il
représente l'une des rares figures emblématiques de la culture *fun*
qui permet aux autres de s'identifier *via* l'iconographie des magazines : il est le « premier d'une race exclusivement *fun*[30] ». Tout
comme Peter Pan est le « capitaine des enfants perdus », Mike
Eskimo est le « maître du look[31] » et la seule chose qu'on lui
demande c'est d'être « l'écume de nos jours[32] ».

Hawaii (le « vrai » pays du *fun*) et le Pays de nulle part seraient
donc très proches. Ce qui reviendrait à considérer les « glisseurs »
(ceux qui s'adonnent à la glisse) comme les « enfants perdus » de
la société sportive traditionnelle. Nous le verrons amplement, ce
point n'est pas sans conséquence car il est susceptible de remettre
profondément cette dernière en question.

Reste qu'un autre élément mérite une attention particulière dans
cette perspective qui consiste à présenter la glisse et son totem *fun*
comme une forme inédite de contre-culture sportive. Au-delà de
ses facéties, Eskimo correspond bien à l'idéal hippie qui s'inscri-

---

28. J.M. Barrie, *op. cit.*, p. 46.
29. « Faut-il brûler Mike Eskimo ? », in *Wind Magazine* n° 111, juin 1989, p. 70.
30. *Ibid.*
31. *Wind Magazine* n° 83, février 1987, p. 72.
32. *Ibid.*, p. 67.

vait, au moins partiellement, dans le profond refus de renoncer au goût de l'enfant pour la magie du jeu[33]. Eskimo joue et, ce faisant, il fait remarquablement écho au message de Jerry Rubin, le gourou hippie des années 60, qui affirmait : « Notre message est : ne grandissez pas. Grandir, c'est abandonner ses rêves. Nous sommes d'éternels adolescents[34]. »

« *Putain d'Bercy* »

Mike Eskimo est très prisé, notamment par la presse et les sponsors, car il est facétieux. Une absence de sérieux très appréciée et qui fait de plus en plus d'émules. Beaucoup ont compris, en effet, que les media spécialisés dans le *fun* s'intéressent plus aux pitreries des clowns qu'aux victoires des champions.

Dans cet esprit, on notera que c'est à partir d'une formule bien faite pour se démarquer de la presse sportive traditionnelle que la revue *Wind Magazine* présenta le « Swatch Superfundoor » (le championnat du monde de « funboard indoor ») qui s'est déroulé au POPB de Bercy au début de l'année 1991. Le titre choisi pour introduire la relation de cette épreuve fut : « Bastons, ventilos et rock'n roll[35] ». D'emblée, le ton utilisé pour relater cette « compétition » diffère du style habituel propre aux commentateurs sportifs : « La deuxième édition de Bercy a explosé la première. Plus de vent, plus de jibes, plus de sauts, plus de chaud, plus de fric, moins de Robby, plus de *fun*. Oui, c'est ça, plus de *fun*[36] ! »

Là encore, l'accent est mis sur des situations inédites dans le monde du sport[37] et sur des comportements qui, partout ailleurs, susciteraient de nombreuses controverses. Ainsi, selon la revue, ce

---

33. Voir à ce sujet A. Lombard, *Le Mouvement hippie aux États-Unis*, Paris, Casterman, 1972, en particulier p. 95 *sq*.

34. J. Rubin, *Do it !*, Paris, Seuil, 1971, cité par A. Lombard, p. 95.

35. Ce même titre fut repris par *Wind* en première de couverture au mois d'avril 1992 pour présenter l'édition 1992. En 1993, *Wind* titra : « Bercy : du sang, des rires, des larmes et un héros ». Avril 1993, p. 10.

36. *Wind Magazine* n° 131, avril 1991, p. 28.

37. En 1993, par exemple, photos à l'appui, *Wind* insiste sur la situation suivante : « Tériitéhau et Naish se percutent violemment. Bercy l'horreur. La planche de Robert vient frapper le crâne du Hawaiien avant d'entrer dans sa bouche. C'est atroce. Le spectacle est terminé. [...] Horreur intégrale. » *Wind Magazine* n° 153, avril 1993, p. 13.

qu'il faut surtout retenir de l'édition 1991, ce n'est pas tant la victoire d'Éric Thiémé (alias - significativement au pays du *fun* ou au Pays de nulle part ! - « Thiémousse »), que les débordements de certains « acteurs[38] » particulièrement turbulents et inspirés qui animèrent l'épreuve. Par exemple : « L'un des très grands moments de Bercy 1991 aura été ce jump par-dessus les balustrades de Robert Tériitéhau. » Autrement dit, c'est l'atterrissage pour le moins humide d'un concurrent au beau milieu du public qui doit être considéré comme l'un des temps forts de l'épreuve. Déjà, en 1990, c'est l'envolée volontaire de quelques coureurs parmi les spectateurs et non la réussite du vainqueur qui avait fait l'objet des commentaires les plus fournis de la part de certains media. Le titre particulièrement idoine de « Putain d'Bercy » utilisé à cette occasion par *Wind Magazine* en page de couverture donnait bien le ton[39]. Suivait cette narration étonnante : « Image symbole de la folie indoor. Robby vient de donner le signal en jumpant par-dessus la rambarde. Teriitéhau : "Dégagez, dégagez" et un deuxième jump dément par-dessus la bordure [...] ; à ce moment, nul ne peut stopper la machine. Déchaînés, les coureurs ne doivent leur salut qu'à la main heureuse qui coupe l'alimentation des ventilateurs [...]. C'était grand, très grand[40] ! » En d'autres termes : les hooligans n'étaient pas dans les tribunes mais sur le « terrain ».

La catégorie humaine

Si Eskimo est le « chamane[41] » du *fun*, Robby Naish en est le « dieu ». Dans ce monde sportif si particulier, la personnalité de Naish est surnaturelle car sans lui le funboard n'existerait peut-être pas. Si l'on considère sa « carrière » sportive, une telle affirmation n'est pas dénuée de fondements. Naish est celui qui totalise le plus grand nombre de victoires dans le championnat du monde professionnel de funboard. Mais, surtout, il remporta son premier titre de champion du monde à l'âge de treize ans, en 1976. À l'épo-

---

38. Au sens propre du terme.
39. En 1991, c'est sous le titre « La totale » que la revue présenta le reportage sur Bercy en première de couverture.
40. *Wind magazine* n° 120, avril 1990, p. 38, 40.
41. *Wind magazine* n° 111, p. 64.

que, la revue *Windsurfing* le présenta comme « l'enfant prodige » du windsurfing[42]. Depuis, il incarne le funboard. Contrairement aux autres, Naish ne « galère » pas pour remporter des victoires. Cela semble naturel. Un peu comme si, à l'image d'Obélix, il était tombé dans le *fun* lorsqu'il était enfant. C'est la raison essentielle pour laquelle il n'est pas un vulgaire champion. En fait, Naish est le « dieu » créateur du funboard.

En matière de gestes techniques, par exemple, il semble avoir tout produit. « Robby a tout inventé, ça tout le monde le sait[43]. » Certains voient d'ailleurs de la provocation dans une telle créativité : « Scandale : Robby ne se tient plus. Nous l'avons surpris en train de se livrer à une pratique que réprouve la morale : le cut-back-main-dans-l'eau, exaction jamais commise jusque-là. Mais où donc s'arrêtera-t-il[44] ? » Naish est une véritable « divinité ». Il peut donc tout se permettre ; même braver certains interdits « historiques » comme surfer plusieurs spots d'Hawaii jusqu'alors uniquement réservés aux véritables surfers (ceux qui n'utilisent pas de voile et qui ont véritablement créé la « glisse »). « Sacrilège. Quand Robby arrêtera-t-il de surfer les vagues sacrées du North Shore au grand dam des surfers purs et durs ? Il ne respecte plus rien : après le magnifique Pipeline, surfé comme jamais un rampant ne l'avait fait, [...] Robby s'est offert la deuxième vague de la trilogie du North Shore, Sunset. Reste Waimea, le monstre[45]. » Nul doute qu'il surfera le « monstre » car rien ne semble l'arrêter. D'ailleurs, comme le souligne *Wind Magazine*, « la raison du plus Naish est toujours la meilleure[46] ».

La déification de Naish posa un sérieux problème à ses adversaires dans les épreuves de la coupe du monde de funboard au cours des années 80. Ces derniers estimèrent anormal de concourir dans la même catégorie que lui. Certains jugèrent plus juste de courir dans la catégorie... humaine. « Un jour où j'avais fini second derrière Robby, on m'avait demandé mon impression. J'avais répondu que je ne pouvais faire mieux que gagner la classe humaine[47]. »

---

42. *Windsurfing* n° 1, janvier-février 1977, p. 20.
43. *Wind Magazine* n° 54, août 1984, p. 36.
44. *Wind Magazine* n° 90, septembre 1987, p. 19.
45. *Wind Magazine* n° 86, mai 1987, p. 28.
46. *Wind Magazine* n° 79, octobre 1986, p. 62.
47. Cort Larned, *Wind Magazine* n° 46, novembre 1983, p. 30.

Bien entendu, les journalistes renchérirent sur un tel thème : « Pour que les humains aient une chance de l'emporter, il eût fallu obliger Robby Naish à naviguer les mains attachées derrière le dos. Les juges n'ont pas osé[48]. » De tels propos et, surtout, cette interprétation particulière d'une situation de domination somme toute normale dans le monde du sport ne manquent pas de surprendre. L'étonnement va grandissant à la lecture de l'exploitation médiatique du cas Naish qui fut entreprise par les media *fun*. Sa supériorité et son charisme devinrent rapidement le prétexte à de nombreux délires et débordements étonnamment ludiques. Quelques journalistes très sensibilisés aux désirs des lecteurs vont, en effet, s'appliquer à satisfaire ces besoins de fantaisie, d'humour et de jeu que réclame en permanence le monde du *fun*, à partir de la personnalité de Naish.

Les fables du « fun »

D'aucuns estimèrent que si Naish n'était plus à la mesure humaine il était possible de le transmuer en un être de fiction, tel un héros de bande dessinée. C'est ainsi que la destinée de Naish va rencontrer celle de Silver Surfer, le personnage légendaire des BD américaines des années 60, dans une parabole intitulée « La saga du Surfer d'Argent[49] ».

La trame du récit est fort simple, comme dans toute fable. Il était une fois Robby Naish le windsurfer solitaire inaccessible à ses semblables. De la même façon que lui, « le Surfer [d'Argent] est un homme seul. Et même si, parfois, les sillages s'entrecroisent comme autant de destins mêlés, il sait qu'il se retrouvera solitaire face au vide de la vague, face au vide de son âme ». Si Naish est un dieu, s'il est « le maître du monde[50] », le Surfer d'Argent est « le nouveau Christ [...] qui se sacrifiera pour racheter les hommes que leurs péchés condamnent ». Un certain jour, Naish l'invincible présuma de sa force face à l'océan « qu'il croyait avoir dompté à jamais ». Une vague monstrueuse de cinquante mètres de haut

---

48. *Wind Magazine* n° 54, août 1984, p. 67.
49. *Wind Magazine* n° 90, septembre 1987, p. 60 *sq*. Toutes les citations qui suivent sont extraites de ce numéro.
50. *Wind Magazine* n° 46, novembre 1983, photo de couverture.

l'engloutit en déferlant sur lui à plus de 100 kilomètres à l'heure. Au seuil de la mort, il fut rejoint par Silver Surfer qui le rassura : « J'ai entendu ta détresse et je suis venu. Lâche ta voile, et laisse-toi porter par mes bras. » Confiant et apaisé, Naish se laissera donc emporter dans la mort... « Lorsque l'employé de l'hôpital de Maui (à Hawaii) emballera le corps de Naish, il se demandera : comment est-il possible qu'un type puisse mourir laminé ainsi, et conserver un sourire béat sur son visage ? »

Les journalistes n'hésitèrent pas à pousser très loin le caractère morbide de la fable précédente en mélangeant étrangement le réel et la fiction. Pour cela, ils exploitèrent habilement les risques grandissants encourus par les funboarders qui surfent des vagues toujours plus dangereuses pour tenter de figurer en bonne place sur les photos dans les magazines. Ce faisant, ils atteignirent probablement un sommet de l'humour noir appliqué au sport, tout en restant dans la logique du *fun* qui autorise toujours une lecture au second degré, même dans l'horreur. En janvier 1988, la revue *Wind Magazine* proposa à ses lecteurs un dossier intitulé : « L'un d'entre eux va bientôt mourir... Lequel[51] ? » Et le journaliste de relever, sans aucun scrupule, les noms de dix champions de funboard pour analyser froidement leurs possibilités de décès « avant deux ou trois ans ». Ce faisant, il créa une nouvelle forme de classement « sportif » : le « top 10 ». La raison invoquée pour la création de ce « hit-parade » fut la suivante : « À force de narguer l'océan, ils vont finir par trouver l'ultime punition qu'ils méritent, la mort. Il faudra bien que l'un d'entre eux soit rapidement sacrifié sur l'autel des dollars et des vertiges. »

Du championnat au défi

Une explication peut être avancée pour tenter de donner un sens à cette initiative morbide qui serait considérée comme une véritable provocation dans tout autre milieu[52] que le *fun* : le classement sportif ne fait pas l'unanimité dans le monde de la glisse.

---

51. *Wind Magazine* n° 94, p. 42 *sq.* Toutes les citations qui suivent sont issues de ce même numéro.
52. Imagine-t-on la même proposition de classement faite par un magazine automobile pour la Formule 1 ?

Dans ces conditions, la domination de Naish lors des épreuves de la coupe du monde de funboard rendait très opportunément caduque toute velléité de classement sportif. La revue chercha donc une autre forme de classification correspondant mieux, à la fois, aux aspirations du milieu et aux risques encourus par les coureurs. En effet, « le danger a tellement augmenté qu'il faut craindre le proche avenir, la courbe approchant dangereusement la verticale. Et, dans ce genre de calcul, la verticale c'est la mort ». Le premier sacrifié sur l'autel du funboard sera donc le premier à triompher de Naish. À condition que celui-ci ne soit pas ce vainqueur toutes catégories. En effet, à la question « Qui va y passer ? », Naish figure en bonne place. « L'imperator est en train de prendre un drôle de virage. Lui qui était si prudent naguère semble avoir rompu toutes ses chaînes, et se dire qu'il n'a plus rien à perdre, justement (et paradoxalement) parce qu'il a tout. »

Cette volonté de sortir d'une logique compétitive trop classique va bientôt amener la revue à proposer ses propres normes de classement sportif. Elle préparera ainsi le terrain à certaines initiatives inédites qui conduisirent en 1987, par exemple, les organisateurs du grand prix de l'Almanarre (une épreuve française de funboard) à rejeter toute forme de réglementation pour atteindre le véritable esprit du *fun*. En opposition et en réaction à toute l'histoire du sport au cours de laquelle la règle fut constamment partie prenante du jeu sportif, le jury de cette course prôna une seule contrainte : « On ne porte pas réclamation [53]. » Cette décision ressortit à une véritable « leçon de *fun* » selon *Wind Magazine*, qui devait affirmer : « Les responsables [...] viennent de nous offrir une belle leçon et un excellent thème de réflexion. [...] *Fun* avant toute chose, *fun* un point c'est tout. Chapeau messieurs ! C'est en lettres d'or que vous auriez dû l'écrire, pour la plus grande gloire de notre sport [54]. »

Une telle emphase dans l'approbation relève d'une perception très précise de l'évolution des attitudes des windsurfers face à la confrontation sportive traditionnelle. Une transformation qui tend à rejeter de plus en plus la relation sportive de nature compéti-

---

53. *Wind Magazine* n° 90, septembre 1987, p. 20. Une telle décision revient à considérer que tout est permis. En effet, « porter réclamation », c'est fonder une argumentation sur des règles de course. Interdire les réclamations revient donc à interdire les règles.
54. *Ibid.*

tive. En 1987, lorsque les organisateurs du grand prix de l'Alma-narre prennent cette initiative, ce type de relation (dont l'objet est la domination et l'exclusion des adversaires du podium) n'est plus réellement plébiscité par les adeptes de la culture *fun*. Au cours de la saison 1988, *Wind Magazine* devait d'ailleurs relever avec un intérêt non dissimulé le fait que la Fédération française de voile ne classait que 948 coureurs dans la catégorie funboard... sur plus de 100 000 licenciés[55].

Se faisant fort de passer outre la règle sportive traditionnelle, la revue devait lancer, dès 1984, un nouveau concept compétitif plus approprié au *fun* : le défi. La différence fondamentale entre le défi et la compétition classique est, dans le premier cas, l'absence de règle institutionnellement établie. En ce sens, le défi est très proche du jeu. C'est une confrontation « sauvage », un combat singulier, une provocation qui ne relève que des conventions particulières, ponctuelles et éphémères, passées entre des protagonistes. Il est donc très éloigné des réglementations officielles qui permettent la gestion des combats sportifs, en ce sens qu'il ne s'inscrit dans aucune forme d'objectivité, ni aucune logique égalitaire. Comme le souligne Jean Baudrillard, le défi « s'oppose au contrat, à l'échange, à l'équivalence, à tous les réglages dominants. La logique du défi est indéterminée quant à sa finalité, quant à ses résultats. Défier c'est se placer par-delà les situations objectives[56] ».

Loin des enjeux officiels, le premier « défi wind » opposa un Australien et un Néo-Calédonien sans raison bien précise ; « comme ça, juste pour voir lequel dégainait le plus vite[57]. » Aucune logique sportive ne présida à son organisation. Par contre, la mise en scène que proposa le magazine fut propice, une fois de plus, aux débordements ludiques.

Seul le hasard et les conditions particulières d'une scène de bar très ordinaire (significativement identique à celle que l'on rencontre dans les westerns) permirent à l'idée de voir le jour. « Un soir, en mars dernier, à Hawaii, chez Mama Fish's House, Robert et Phil étaient gentiment en train de s'enivrer [...] quand à partir d'une plaisanterie quelconque, le ton a monté. [...] Et comme il se trouve

---

55. Chiffres de l'année 1988, *Wind Magazine* n° 101, août 1988, p. 60.
56. J. Baudrillard, *Entretiens avec Le Monde. Idées contemporaines*, Paris, La Découverte/*Le Monde*, 1984, p. 98.
57. *Wind Magazine* n° 83, février 1987, p. 31.

que je traînais dans les parages, j'ai carrément proposé d'organiser
le duel, simplement parce que je ne suis rien d'autre qu'un
charognard[58]. » Ce n'est pas le classement des deux véliplanchistes qui intéresse ici, c'est uniquement le spectacle de leur confrontation, « la peignée qu'ils vont se mettre ». Il reste que c'est aussi
le souci de sortir les protagonistes des artefacts trop réglementés que
sont les parcours de régates classiques. Lors de ce premier « défi
wind », la nature n'est pas balisée pour devenir un stade. Elle reste
un champ de jeu qui ressortit à une seule juridiction : celle de
l'aléatoire. « J'entendais parler d'un petit coin très sympa, sur la
côte Est, répondant au doux nom de Broken Bay [la baie brisée],
réputée pour ses requins et ses bambooras [imprévisibles lames de
fond]. Là je me suis dit ''my god, mais c'est bien sûr !'', et nous
voilà partis vers le champ de bataille. » Dans de telles conditions,
on comprend aisément qu'aucune règle ne vienne contraindre ce
jeu très particulier. De fait, le règlement de ce défi est « simple
comme un combat à mort, [...] tous les coups sont permis ».

Cette proposition de nouvelles formes de confrontations
« sauvages[59] », volontairement similaires aux combats de western
propres aux « chasseurs de primes », devait intéresser certains commanditaires. Pour différentes raisons, ces derniers ne pouvaient guère
exploiter l'identité trop *regular* des compétitions traditionnelles. À
la recherche de scènes « sportives » susceptibles de représenter un
support-media approprié au développement d'une stratégie de communication quelque peu alternative, certains virent rapidement tout
l'intérêt qu'ils pouvaient tirer de cette notion de défi à la vocation ludique affirmée. C'est ainsi, par exemple, qu'un producteur

---

58. *Ibid.* Le locuteur est bien sûr un journaliste de *Wind Magazine*. Robert et Phil sont
deux funboarders de niveau international. Toutes les citations qui suivent figurent dans le
numéro 83 cité plus haut.
59. Au mois de février 1993, le défi wind prit la forme du Speed Crossing Guadeloupe/Mar-
tinique. Significativement, les autorités sportives de tutelle martiniquaises mirent tout en
œuvre pour que le défi ne soit pas organisé. « Intimidations, intervention auprès de la Ligue
puis par ricochet des Affaires maritimes et de la délégation Jeunesse et Sports : plus d'une
fois le projet manque capoter et dans la dernière ligne droite le club (de Schoelcher) va
même appeler Alternative nautique, une société de location de bateaux à moteur, pour les
dissuader de prêter trois vedettes ; [...] merci bien la dictature d'instances qui nous ont
donné du fil à retordre ainsi que quelques bonnes séances de rigolade. » *Wind Magazine*
n° 153, avril 1993, p. 66. Dans le domaine du snowboard, les choses prennent une forme
similaire. Ainsi, par exemple, du 22 au 25 octobre 1994, la station des 2 Alpes a organisé
une épreuve très particulière qui a pris le nom de « Woodstock des neiges ». Ce qui laisse
envisager le caractère très alternatif de cette manifestation.

de whisky s'érigea en prestataire de services dans le cadre de l'homologation du record de vitesse en planche à voile en proposant le Johnnie Walker Mondial Speed Record, en 1984. L'organisation qui fut mise en place joua parfaitement le jeu puisqu'elle prit la forme d'un « avis aux chasseurs de primes » en proposant une « récompense de 15 000 dollars au planchiste qui battra le record Johnnie Walker[60] ».

La tribu

En matière d'organisation de compétition *fun*, la dérive institutionnelle est donc très importante. D'une part l'absence de régularité calendaire préside à des duels, à des défis, spontanément organisés, loin des artefacts sportifs historiques (les stades nautiques), sans règles et sans arbitre. D'autre part, lorsqu'un calendrier sportif voit le jour, il est le fait d'acteurs privés et se présente sous une forme peu comparable avec celles qui furent créées par le mouvement sportif au cours du XXᵉ siècle. Ces structures compétitives inédites vont générer des formes de sociabilité sportive très éloignées de la notion d'« équipe » pour donner naissance à un type d'organisation sociale inattendu dans le monde du sport : la tribu.

La socialité *fun* est tribale. Ce que ne pouvait manquer de relever *Wind Magazine*. Dans sa livraison du mois de mars 1984, la revue présenta la vie errante des funboarders qui participent au circuit professionnel. D'emblée, le vocabulaire utilisé laisse transparaître le caractère singulier des groupes en présence : ils sont plus proches de la horde que du classique rassemblement d'équipes sportives venant disputer un championnat. « De loin, on pourrait croire à un campement de ces nomades dont la soif d'espace n'a pas de limites terrestres. Mais dès que flottent les bannières et retentissent les tambours de guerre (hard rock), on comprend le sens de cette vie d'errance : les soldats de fortune ne survivent qu'entre eux. [...] La horde sort de sa tanière pour s'en aller porter la croisade aux confins du monde vivant[61]. » Cette horde possède des rites particuliers qui rythment les *runs* : « Le choix des armes, l'incanta-

---

60. *Wind Magazine* n° 50, avril 1984, p. 84.
61. *Wind Magazine* n° 49, mars 1984. Toutes les citations suivantes sont issues du même numéro.

tion, le sacrifice, les lauriers. » Elle possède ses castes : « Les guerriers, les puissants, les hérauts, les fidèles, les scribes, les écuyers,
les marchands du temple, les compagnes, les courtisanes. » Nous
sommes loin, on le voit, de la notion d'équipe qui engendre partenaires et coéquipiers, avants et arrières, buteurs ou défenseurs.

Cette « structure sociale » n'est pas propre au windsurf. On la
trouve également dans le monde du snowboard (le surf des neiges) au cours des années 80. Ainsi, selon la revue *Nouvelles Sen-*
sations : « Les *gliss-addicts*[62] se serrent les coudes. Plus facile et
plus *fun* de survivre en tribu que de dépérir seul sur son *gun*[63].
Les gangs ont marqué leurs territoires. Chacun son fief, Tignes,
Cham', Orcières ou Val-Thorens. Et formation en escadrille de
rigueur pour aller défier les locaux. Les staffs sont organisés : il y
a le leader, le sage, le fabricant d'armes, les coursiers et l'infante-
rie. On défend son clan, on a son verlan poudreux et ses fringues
signalisées [...]. Place, les touristes, les tribus débarquent[64]. » Il
semble qu'à la différence de celles du windsurf les tribus de snowboard soient plus structurées. Chacune porte un nom : les Lézards
impériaux et les Golden Faisans à Tignes, les Reptils à Orcières-
Merlette, les Babous à Chamonix, les Sliding Cokonuts à Val-
Thorens, par exemple. Leur objectif consiste à « défendre » un ter-
ritoire, c'est-à-dire un spot, à la fois contre l'envahissement des
« blaireaux[65] » et contre l'invasion des autres gangs. Certains clans,
en effet, sont nomades et cherchent donc à investir des spots déjà
reconnus et balisés par d'autres tribus.

Il est significatif que ces bandes nomades soient (se veulent !)
proches des Hell's Angels dans leurs attitudes et comportements.
Soit les Bootleggers Connection : « Privés de spots permanents les
Boots errent de station en station, de course en course, jalonnant
çà et là leurs passages de quelques graffitis, ne laissant derrière eux
que la pagaille semée [...]. Salissant tout et tout le monde, un
Bootlegger ne reculant devant rien pour saloper son voisin[66]. »
Cette tribu est organisée selon une structure parfaitement repérable. Nous trouvons :

---

62. Autrement dit, ceux qui « s'adonnent » à la glisse, comme on « s'adonne » à la « poudre », à la « blanche »... c'est-à-dire à la neige poudreuse.
63. Un « gun » est un surf, une planche. C'est aussi une arme en anglais...
64. « Touche pas à ma bande », in *Nouvelles Sensations* n° 5, janvier 1987, p. 31-37.
65. Les touristes, les vacanciers.
66. *Nouvelles Sensations* n° 5, janvier 1987, p. 34.

- « Un parrain [...] El Presidente. Boulot clean, quiet family, appart soft : c'est la face cachée de celui qui, dans l'ombre, tire toutes les ficelles. »

- « Un public relation [...] c'est celui par qui le scandale arrive, celui qui monte tous les mauvais coups. Look dégradé et dégradant, l'injure au coin des lèvres, [il] est de loin le plus dangereux. »

- « Un fabricant d'armes [...] et quelles armes ! Sorcier des matériaux composites, [il] met au point tous les nouveaux guns. Vénéré par le clan, sa parole n'est jamais mise en doute. »

- « Un designer qui réalise tous les logos, projets commerciaux et publicitaires[67]. »

Il est délicat de faire la part de la plaisanterie et du sérieux dans cette description. La revue *Nouvelles Sensations* le reconnaît implicitement, qui estime : « C'est l'esprit gang dans son sens le plus primaire. Rêve ou réalité, infâmes personnages ou acteurs talentueux, premier ou deuxième degré, les Boots ne le savent plus eux-mêmes. Plus médiatisés qu'eux, tu meurs. Personnages de série noire, ils ne consomment que de la blanche[68]. »

Le « Manifeste néotribal »

C'est moins la volonté de choquer que le désir de marquer une distinction entre les structures sociales reconnues comme légitimes et la « horde » *fun* fomentant un désordre revendiqué qui est à

---

67. *Ibid.*

68. *Ibid.* Il semble pourtant que les choses se précisent. Dans un article récent intitulé « La guerre des neiges », la revue *Fall-Line* écrit : « Des bandes se forment, des clans voient le jour. Les surfers envahissent les stations amenant avec eux leur propre philosophie, et leurs habitudes qui ne plaisent pas forcément à tout le monde. Sur les pistes, surfers et skieurs se mélangent, se croisent, se doublent et se heurtent parfois. Accrochage verbal, mais accrochage quand même. Différence de comportements ? Problème de générations ? [...] Le skieur serait-il devenu la cible du surfer, sa bête noire ? » Et d'expliquer - pour s'en inquiéter - que dans des stations américaines les surfers se voient interdire certaines pistes, qu'ils surfent les escaliers au beau milieu des stations, qu'ils se pendent aux télésièges, qu'ils sautent sur les tables... bref, qu'ils s'identifient trop aux skate-boarders des banlieues. « Quand les Américains se lancent dans quelque chose, ils y vont toujours à fond. Alors le surf n'a pas échappé à cette règle. Comme les motards il y a quelques années. Ils se déplaçaient toujours en bande, s'habillaient de la même façon, comme aujourd'hui. Ils aiment et recherchent cette marginalité comme les surfers qui détestent les skieurs et leurs principes, les stations et leurs règles. Ils refusent les interdits et ignorent le respect. » *Fall-Line* n° 1, février 1993, p. 16.

l'œuvre ici. L'objectif est clair : il consiste à identifier une structure propice à la reconnaissance de ceux qui se veulent en marge des standards sportifs. L'explication avancée pour justifier le choix d'un autre « ordre sportif » peut être recherchée dans le « Manifeste néotribal » que publia *Wind Magazine* au cours de l'été 1988[69]. Encore une fois, il faut bien convenir que la cohérence d'un tel choix ne peut être perçue qu'à un échelon symbolique, nettement transcendant, et non pas à un niveau platement rationnel ou technique. À l'évidence, nous sommes là devant une tentative (ludique, bien évidemment !) de construction d'une matrice culturelle susceptible d'organiser la relation *fun*.

Le « Manifeste néotribal » se présente sous la forme d'un numéro hors série. Une introduction liminaire explique les raisons du choix de ce nouvel « ordre *fun* » et « dix commandements » cernent les attitudes et les comportements obligatoires qu'il convient d'assimiler pour qui veut devenir membre de la tribu. La forme et le contenu du texte sont à la mesure habituelle... « Pourquoi tribu ? Parce que tribu (point). Et aussi (accessoirement) parce que le *fun* n'est pas partout, et qu'il fallait quelqu'un pour le traquer parce que l'aventure est au fond du *fun* et que le *fun* est au fond de vous. Parce que l'espace est à nous et à personne d'autre. Parce que la seule chose qui vaille que l'on prenne des risques, c'est notre plaisir, aussi égoïste puisse-t-il être (qu'il le soit !). Parce que l'adrénaline est l'ultime drogue (et qu'elle est rare). Parce qu'il n'est d'autre danse que celle du vent dans nos voiles, de l'asphalte sous nos wheels, du swell sous nos rails, de la poudre sous nos swallow-tails[70], etc. Parce que je hais tout ce qui ne m'éclate pas la tête. Na[71]. »

La volonté du magazine consiste à baliser le champ du *fun* et, au-delà, de la glisse, en montrant qu'il s'agit plus d'un système de valeurs que d'une technique permettant de glisser sur un substrat approprié (neige, eau, air, terre). On aura compris que ce point soit essentiel, d'une part, à la diversification du magazine qui peut ainsi toucher un lectorat plus large, d'autre part, à la compréhension de la contre-culture sportive à l'œuvre aujourd'hui dans le

---

69. *Wind* hors série n° 9. Toutes les citations qui suivent sont issues de ce numéro.
70. « Wheels » : roues de skate-board ; « swell » : vague qui referme ; « rails » : carres de planche de surf ; « poudre » : neige poudreuse ; « swallow-tail » : surf des neiges.
71. *Wind* hors-série n° 9, p. 30.

« paysage sportif français ». Je reviendrai bien entendu longuement sur ce dernier point. Pour le moment, il s'agit surtout de saisir cette réalité symbolique contre-culturelle. Les « dix commandements et des poussières » [sic] du « Manifeste » permettent de la cerner :

> 1. Sans relâche, sur tout ce qui bouge tu glisseras (vague, pente, piste, rampe, air, toile cirée, moquette du salon...).
> 2. Point de blaireau tu ne fréquenteras (sous peine d'être damné à jamais et privé de hamburger aussi).
> 3. Toujours ton look tu soigneras (oublie le fluo, mon frère).
> 4. Jamais la peur du risque ne t'effleurera (ou alors, semblant de ne pas les avoir à zéro tu feras).
> 5. Seulement ton sponsor bassement tu flatteras (ta croûte il faudra bien que tu gagnes).
> 6. Sans cesse en quête de galbes torrides tu seras (sans que nuire à ta divine mission de glisse cela puisse).
> 7. Jamais bière mexicaine tu ne refuseras (Corona por favor).
> 8. Toujours voitures et chambres d'hôtel tu pourriras.
> 9. Du soir au matin Tribus tu reliras [...].
> 10. Cool toujours tu seras [...].

Nous noterons avec intérêt qu'à la fin du XIXᵉ siècle, certaines organisations sportives françaises cherchèrent également à construire un socle doctrinal susceptible de définir un « manifeste sportif ». À l'évidence, il s'agissait également d'une tentative d'élaboration d'une matrice culturelle destinée à organiser les attitudes et comportements qui devaient être adoptés sur les stades. À titre de comparaison (purement ludique, cela va de soi !) voici « les dix commandements du footballeur patro » qui furent édictés à la fin du XIXᵉ siècle par l'organisation sportive confessionnelle qui devait bientôt donner naissance à la future Fédération française de football :

> 1. Un seul but tu chercheras
> te divertir chrétiennement.
> 2. De ton patro observeras
> le règlement très soigneusement.
> 3. Au capitaine obéiras
> toujours fort scrupuleusement.
> 4. Pour les arbitres tu seras
> soumis, poli, spontanément.
> 5. Pendant le jeu tu garderas
> ta place rigoureusement.

6. Dans la partie ne parleras
quoi qu'il arrive... aucunement.
7. Avec grand soin t'entraîneras
sans cesse courageusement.
8. Tous les bons conseils tu suivras
d'où qu'ils te viennent... fermement.
9. Des autres tu ne médiras
par-derrière trop méchamment.
10. Nul rabatteurs n'écouteras
ils te perdraient assurément[72].

Plus récemment, dans son numéro spécial « Surf des neiges »
du printemps 1993, *Wind* devait récidiver mais, cette fois, sur un
mode nettement plus « anarchiste ». Sous le titre « Ni dieu, ni maître : ni bible, ni code, ni morale », la revue précisa ainsi les nouveaux comportements *fun* des années 90 :

- Vous n'aurez jamais une seconde chance.
- Aimez votre prochain. Be nice.
- Ne laissez personne vous dicter votre style.
- Faites face à la peur.
- Refusez le pouvoir. Trahissez les pouvoirs.
- Don't talk too much. Apprenez le silence. Celui qui grandit l'âme.
- Le pire est toujours à venir.
- Cherchez à vous élever. Pas à briller au milieu de la foule.
- Le surf est un art et la montagne une toile infinie.
- Refusez les écoles. Suivez votre inspiration.
- No pain. No gain. No guts. No glory. No work. No pride.
- Le jour se lève [...] il est à vous et à personne d'autre.
- Allez en paix[73].

Le « matos » totémique

Bien entendu, chaque tribu possède son totem. Pour ce qui concerne le windsurf, les totems relèvent d'une référence qui, en seg-
mentant le marché, positionne très précisément les marques de planches et de voiles (le « matos » dans le langage *fun*). Un peu comme

72. Cité par J.-P. Augustin, « Espaces et histoire des sports collectifs, rugby, football, basket-
ball », in C. Pociello, *Histoire sociale des pratiques sportives*, Paris, INSEP, 1985, p. 90.
73. *Wind* hors-série n° 26, mars 1993, p. 48-57.

si l'« esprit » de la tribu était matérialisé par l'image de marque
du « matos » qu'elle utilise. Reste que pour le consommateur, un
travail d'identification est nécessaire. Une opération de reconnaissance qui n'est pas à la portée du premier venu. En effet, l'éven-
tail du matériel proposé est très large et très fluctuant sur un marché à la recherche permanente de son équilibre. Le positionnement
des marques ne va donc pas de soi. Pour éviter toute ambiguïté,
Wind Magazine s'est attaché à préciser chacun des totems du marché par le biais d'un jeu basé sur un questionnaire. La revue permit ainsi au pratiquant de connaître exactement son « identité » -
ou son fantasme - en fonction des réponses qu'il formulait.

Sous le titre « Quel team êtes-vous ? », la revue devait préciser
l'objectif du jeu de la manière suivante : « La planète *fun* est, grosso
modo, divisée en cinq différentes galaxies se livrant une âpre lutte
pour le pouvoir universel. Elles-mêmes sont les résultats d'alliances
chèrement négociées entre les fabricants d'armes (voiles et planches)
qui sont les vrais seigneurs de la guerre. Au fil des carnages et des
assauts, chaque armée s'est forgé une identité, un style, que symbolisent aujourd'hui les bannières frappées aux logos des grands teams ;
[...] si vous deviez vous lancer dans la bataille, quelle armée
rejoindriez-vous[74] ? » Les « teams » dont il est question ici correspondent aux marques de planches et de voiles disponibles sur le
marché à la fin des années 80. À chacune d'entre elles est associé
un look, ou une identité, symbolisant un système de comportements
correspondant à une certaine façon d'envisager la pratique du windsurf. Pour connaître son totem, donc le « matos » qui lui convient
le mieux, le lecteur devait réagir à des questions dont la formulation particulièrement ludique cachait une perception très précise des
aspirations des consommateurs. Par exemple, il devait répondre à
ce type d'interrogations :

ALIAS
Vous déambulez sur votre plage-territoire, scrutant la mer, seul comme
sont ceux qui sont respectés. Vous savez que les regards et les conver-
sations sont tournés vers vous. Ils vous ont même affublé d'un surnom. Lequel ?
a) L'animal
b) Le playboy

---

74. *Wind Magazine* n° 90, septembre 1987, p. 48. Tous les passages entre guillemets qui
suivent sont extraits de ce numéro.

c) Le calculator
d) Le terminator
e) Le chevalier teutonique.

CECIL B. DE WIND
Après que vous ayez gagné la World Cup onze années consécutives, la Warner Bros décide de tourner un film sur votre vie et vous demande quel acteur devrait vous incarner :

a) Clint Eastwood
b) Arnold Schwartzenegger
c) Christophe Lambert
d) Mickey Rourke
e) Sly Stallone.

À l'issue du questionnaire, le locuteur levait toute équivoque sur la nature marketing de la démarche en s'adressant au lecteur à la manière *fun* (c'est-à-dire au second degré) le rabaissant au niveau d'un « nain », autrement dit, d'un vulgaire consommateur à la recherche de sa propre image et incapable de la trouver seul. « Et maintenant, mes amis les nains, je vous invite à vous reporter en page 88 pour savoir quel est votre team. »

Les cinq totems, symbolisant autant de modalités de comportement plus ou moins *fun*, étaient matérialisés par des couples formés par les noms des dix principales marques de planches et de voiles disponibles sur le marché. Chaque couple proposait une marque de planche associée à une marque de voile, l'ensemble étant censé correspondre à une identité homogène.

BIC/NORTH. Vous êtes prêt pour la vie austère des champions purs et durs, ceux dont l'œil de glace ne brillera jamais que pour l'or des victoires. Pour vous l'être humain n'existe qu'en fonction de la place qu'il occupe au sein de son groupe. Et plus cette place tend vers le haut, plus il l'est [humain], [...] votre sens de la société se borne à jauger autrui afin de déceler ceux sur la figure desquels vous pourrez marcher pour mieux approcher votre objectif, le sommet.

FANATIC/ART. Vous êtes une bête. À tous les sens du terme : bête de course, bête de scène. Lorsque retentissent les tambours de guerre, un sourire carnassier se dessine sur votre visage et l'odeur du sang excite vos narines. [...] Pour vous l'instinct est la seule force en ce bas monde.

F2/F2. Entre la colonie de vacances, le Club Med et la caserne, il faut vous habituer à vivre en collectivité. [...] Rien n'a plus d'attrait pour vous que ces longues cavalcades à plusieurs où vous pouvez tout à loisir vous prendre pour une horde de Huns à vous tout seul.

MISTRAL/GAASTRA. Calme et puissance sont vos maîtres mots, [...] efficace, serein et vif à la fois, vous manquez sans aucun doute de cette poésie qui transforme les victoires en odyssées.

TIGA/PRIDE. Vous êtes *fun*, au sens positif du terme. [...] Il vous faut une bande de potes qui va vous accueillir comme une famille où chacun aura sa personnalité mais où tous seront égaux. Vous jouissez de l'instant présent. Et c'est sans doute le plus précieux.

Deux totems se dégagent particulièrement. D'une part, « Bic/North », qui correspond clairement aux comportements sportifs traditionnels qui structurent la relation interindividuelle selon deux possibilités : l'individu est ou bien le vainqueur, ou bien le vaincu. D'autre part, « Tiga/Pride », qui relève très exactement du comportement *fun*, lequel considère chaque individu selon ce qu'il est, selon ses possibilités, sans chercher à le classer dans le cadre d'une hiérarchie quelconque. Les trois autres teams sont plus nuancés et peuvent être considérés comme des déclinaisons des deux précédents.

Il est très intéressant de noter que la revue jugea nécessaire d'aller plus loin que cette simple description dans la reconnaissance totémique. Pour lever toute ambiguïté quant à la véritable « matérialité » de l'exploration symbolique proposée, elle s'attacha à faire correspondre à chaque totem une personnalité du monde du spectacle. Autrement dit, un acteur dont l'identité (ou l'image) se trouvait être particulièrement tranchée dans le cas des totems « Bic/North » et « Tiga/Pride ». En effet, Clint Eastwood correspondait au premier team et Mickey Rourke au second.

Pour que la revue s'engage aussi loin dans la personnalisation de deux types de comportements sportifs, c'est probablement parce qu'il existe une adéquation très forte (bien qu'inexpliquée) entre ces deux personnalités du cinéma contemporain et deux types de « sensibilités » sportives. Or, ces deux acteurs symbolisent deux modalités bien distinctes de comportements sociaux. Eastwood représente l'ordre, la loi et la règle, alors que Rourke symbolise le désordre, le non-conformisme et les Hell's Angels.

Le bon, le Hell' et Cantona

Pour une majorité de critiques de cinéma, Clint Eastwood est
« l'héritier de John Wayne[75] ». Ce dernier apparaît toujours à
l'écran comme un redresseur de torts et un gardien vigilant des
règles et des lois. C'est un héros qui se veut toujours « positif »
et qui incarne des personnages symbolisant « une solide
morale[76] ». Eastwood, le shérif, qui fut d'ailleurs maire de la ville
de Carmel aux États-Unis, se situe exactement dans cette perspective en jouant très souvent un personnage qui apparaît comme « un
bon héros souriant, loyal, fidèle, respectueux du code de l'honneur
et chargé d'affronter des méchants fortement typés[77] ».

Loin du respect de l'ordre établi, Mickey Rourke se présente
comme un ancien Hell's Angel et joue des personnages à l'opposé
des héros « positifs » incarnés par Eastwood. Dans *Homeboy*, un
film autobiographique, il campe un individu que le quotidien *Libération* décrit de la manière suivante : « Le regard d'un bœuf à
l'abattoir, la joue défigurée par la chique, gluant, suant, sale,
déchiré, lourd, fragile, une marionnette humaine qui ne tient plus
qu'à un fil ténu[78]. » Rourke s'inscrit parfaitement dans la lignée
des comédiens de l'Actor's Studio. Pour certains critiques il est d'ailleurs le nouveau James Dean. À la manière de ce dernier, il se
plaît à porter un blouson de cuir de type Perfecto, dont nous avons
vu l'importance dans la culture *fun*, qui représenta un symbole du
rejet de la société américaine dans les années 50. Proche des héros
du film *Easy Rider*, il aime prendre la route pour de longs *runs*
à moto. « Encore maintenant, la moto a pour moi des vertus thérapeutiques, je viens de me faire un voyage de la Californie au
Dakota du Sud. Dix jours de route[79]. »

Au-delà des personnages qu'il incarne à l'écran, Mickey Rourke
a joué un rôle non négligeable sur la scène sportive française : il
s'est, en effet, illustré dans l'« affaire Cantona » qui a défrayé la
chronique du football français au mois d'août 1988. À cette époque, Éric Cantona, qui était déjà l'un des meilleurs joueurs de foot-

---

75. F. Guérif, *Clint Eastwood*, Paris, Artefact, 1985, p. 11.
76. E. Leguèbe, *John Wayne*, Paris, éd. Garancière, 1986, p. 37.
77. F. Guérif, *op. cit.*
78. *Libération*, 24 août 1988.
79. *Ibid.*

ball français, entra en conflit ouvert avec la Fédération française de football à la suite de sa non-sélection en équipe de France. Relayés par l'ensemble des media[80], les propos très durs qu'il tint à l'endroit du sélectionneur produisirent un véritable choc au sein d'un mouvement sportif peu habitué à voir les joueurs contester les décisions des autorités. Totalement isolé, rejeté par ses pairs, critiqué par le quotidien *L'Équipe*, sanctionné par la Fédération, Éric Cantona trouva pourtant, à l'étonnement général, un appui de poids en la personne de Mickey Rourke.

Sur cinq colonnes, *L'Équipe* répliqua en estimant qu'il ne s'agissait que d'une « réunion de grandes gueules[81] ». Et Rourke d'expliquer, défendant les prises de position de Cantona : « Tant qu'on est en vedette, il ne faut lécher le cul de personne. Il faut dire ce que l'on pense[82]. » Il se trouve que le joueur avait vraiment dit ce qu'il pensait en tenant publiquement des propos insultants, totalement inédits pour un membre de l'équipe de France de football. Au point que le sélectionneur mis en cause devait affirmer : « On n'avait jamais entendu de telles choses dans la bouche d'un joueur[83]. » En prenant publiquement position pour Cantona, Mickey Rourke confirmait bien son identité *fun* étroitement liée à son personnage de héros « négatif » rejetant l'ordre sportif établi. Ajoutons qu'il s'attachait également (surtout !) à promouvoir un film, *Homeboy*. Ce film retrace l'histoire d'un boxeur... broyé par le système sportif traditionnel. Un système qui repose uniquement sur l'établissement d'une distinction entre le vainqueur et le vaincu, portant aux nues le premier et, dans le film de Rourke, détruisant le second...

---

80. En particulier par les media non spécialisés dans le sport, comme les journaux télévisés qui firent une large part à cette première « affaire Cantona ».
81. *L'Équipe*, 24 août 1988.
82. *Ibid.*
83. Conférence de presse du 23 août 1988, *Libération* du même jour. Remarquons la constance que montre Éric Cantona dans le dénigrement des dirigeants du football français. Au mois d'octobre 1994, c'est le même joueur qui polémiqua très durement avec Claude Simonet, le président de la FFF. *L'Équipe* rapporte les propos du joueur : « Tout le monde sait que je ne porte pas les dirigeants dans mon cœur. Pas la peine d'y revenir. » *L'Équipe*, 6 octobre 1994, p. 8. Enfin, dernière « affaire Cantona » en date : le mercredi 25 janvier 1995, le joueur de Manchester a asséné un spectaculaire coup de pied à un supporter de l'équipe adverse, Crystal Palace. Résultat : le plus gros scandale de la carrière du joueur et une suspension immédiate.

De la « Route » à la « glisse »

La glisse est l'essence du fun. Elle ne se conçoit qu'aux marges de la société et se présente comme une quête d'absolu. L'origine de cette notion doit être recherchée sur les plages californiennes à la fin des années 50. Là, des surfers se présentant comme des marginaux, des rebelles sociaux, créent pour la première fois un véritable « mode de vie sportif alternatif ». Ils s'inspirent des écrivains de la Beat Generation et, en particulier, de Jack Kerouac. La glisse est une forme de contre-culture qui conteste et déstabilise les structures traditionnelles du sport.

Nombreux sont ceux qui ne comprennent pas que le patinage artistique ne puisse pas être considéré comme un sport de « glisse »[1].

Cette incompréhension - somme toute bien normale[2] - provient du fait que, pour beaucoup, la « glisse » n'est qu'une sim-

1. Né en Angleterre à l'époque victorienne, le patinage *(figure skating)* fut longtemps considéré dans ce pays comme une véritable discipline (au sens propre du terme) particulièrement élitiste, extrêmement codifiée et dans laquelle le maintien et la perfection de la trace « propre » primaient la création esthétique. À partir de 1968, des patineurs comme J. Curry et T. Cranston commencent à faire évoluer les figures dans un sens plus créatif. Dès lors, les « figures libres » prennent le pas progressivement sur les « figures imposées ». Mais cette évolution reste limitée par le poids important du « répertoire classique » et des valeurs traditionnelles qu'il impose toujours. En 1994, la lutte apparaît de plus en plus criante entre les juges - les gardiens du temple - plus enclins à valoriser ce type de chorégraphie classique et les tenants d'une créativité artistique plus moderne (Elvis Stojko et Philippe Candelloro à Lillehammer, par exemple). Ces derniers restent pourtant emprisonnés dans un véritable carcan qui les oblige à produire de la pseudo-création. On l'a bien vu aux jeux Olympiques de Lillehammer avec la prestation (relativement décevante) d'Oksana Baïul, incapable de faire la part entre tradition et modernité. Selon Philippe Pélissier, entraîneur des Français, il s'agissait là « d'un travail en simili ». *Libération*, 28 février 1994, p. 32.
2. Aujourd'hui, alors que le terme « glisse » est apparu depuis de nombreuses années dans le monde du sport, l'ambiguïté et l'incompréhension demeurent la règle lorsqu'il s'agit de le définir. Daniel Pautrat, le journaliste de la chaîne câblée Eurosport, qui diffuse l'émission « Eurofun », expliquait au mois de mai 1993 : « La glisse est un terme tellement gal-

ple modalité opératoire permettant de se déplacer en glissant sur un substrat particulier : la glace, la neige, l'air, l'eau, ou bien encore l'herbe ou le sable.

Selon une acception différente, « avoir la glisse » reviendrait également à optimiser une technique particulière dans un but d'efficacité. Ainsi, lors des Jeux Olympiques d'Albertville, tous les observateurs estimèrent que la jeune patineuse française Laetitia Hubert « avait la glisse » lors de son programme original lorsqu'elle enthousiasma le public par son rythme, sa maîtrise et sa fraîcheur. Par contre, « elle ne l'avait plus » lorsqu'elle manqua complètement son programme libre et se retrouva à la douzième place du classement final.

La glisse ne serait donc qu'une capacité technique et/ou psychologique permettant de se déplacer en exploitant une compétence sportive spécifique, ou bien encore de se transcender dans les moments importants.

Rien n'est plus inexact.

En réalité, lorsque l'on parle aujourd'hui de « sports de glisse », il s'agit de tout autre chose. D'une manière très docte (absolument pas *fun* !), nous allons considérer que la « glisse » est une forme inédite de *contre-culture* sportive apparue en Europe et aux États-Unis dans la seconde moitié du XXᵉ siècle[3].

Ceux qui estiment que le patinage artistique est un sport de glisse limitent leur analyse à la technique de cette discipline qui permet, effectivement, de glisser sur la glace. Pour comprendre que le patineur n'est pas un « glisseur[4] », il est nécessaire de procéder à un saut qualitatif. Il faut dépasser la technique pour accéder aux valeurs et aux symboles. Il faut décrypter les rites, les mythes et les tabous que véhiculent certaines pratiques et comportements sportifs contemporains. Dès lors que l'on aura procédé à ce saut qualitatif il sera possible de comprendre pourquoi le windsurfing, le surf, le parapente, la course à pied de longue distance en « autosuffisance » ou le snowboard sont des sports de glisse, alors que le pati-

---

vaudé que chacun s'en fait sa propre définition. Pour certains, cela ne peut concerner que la neige et l'eau. Pour d'autres, c'est aussi le parapente, le mountain-bike, le skate-board, le cerf-volant et même certains sports mécaniques ! » *Wind Magazine* n° 154, mai 1993, p. 44.
3. J'ai déjà développé cette perspective dans le cadre d'une communication intitulée « Les fédérations sportives au risque de la culture californienne », faite lors du colloque de géopolitique du sport organisé par l'université de Franche-Comté au mois de mars 1990.
4. Au sens d'un adepte de la « glisse ».

nage, le canoë-kayak de slalom, le parachutisme, l'athlétisme ou le vol à voile[5] n'en sont pas.

La « poudre », la « blanche » et la poudreuse

Pour mettre en évidence cette réalité sportive contre-culturelle que constitue la glisse, nous prendrons l'exemple du ski alpin.

Depuis le début des années 80, cette pratique sportive historique a vu apparaître deux activités concurrentes : le monoski et le surf des neiges[6]. À l'évidence, ces trois techniques permettent de glisser sur la neige. Pourtant, seuls le surf (ou le « snow » selon l'expression actuelle) et le monoski doivent être considérés comme des pratiques de glisse. La raison de cette différenciation - qu'il est obligatoire d'opérer pour comprendre l'évolution du sport contemporain - est la suivante : si ces trois activités se distinguent par les techniques qu'elles mettent en œuvre, elles se caractérisent surtout, de manière beaucoup plus profonde encore, quant aux comportements, attitudes, motivations, vocabulaire et aspirations de leurs adeptes respectifs. C'est cette seconde distinction qu'il nous faudra considérer pour discerner les raisons qui font que le ski alpin n'est pas une pratique de glisse, contrairement au monoski et au surf des neiges[7].

Même si le monoski est aujourd'hui supplanté par le surf, il est nécessaire de le considérer comme étant à l'origine d'une sorte

---

5. Ces deux listes ne sont bien entendu pas exhaustives.

6. Le magazine *Fall-Line* estime : « Aujourd'hui, ''skieur'' est devenu un terme trop restrictif devant la poussée des surfers et l'arrivée du télémark. Il serait urgent de trouver un autre mot pour désigner l'ensemble de ces pratiquants. Devant l'absence de qualificatif et avant de trouver mieux, nous avons pensé à ''glisseur''. » *Fall-Line* n° 1, février 1993, p. 7.

7. Branche « extrémiste » du surf, le « free ride » de la dernière génération est significatif de l'évolution très rapide des comportements « alpins » depuis plusieurs saisons. La revue *Snow Surf* explique : « Je découvre une nouvelle forme de surf des neiges. Jamie [il s'agit de Jamie Lynn, ''free-rider'' américain particulièrement ''radical''] ne se contente pas d'enchaîner les grandes courbes, il utilise la montagne comme la rue devant chez lui. Il skate véritablement et joue avec les barres rocheuses et les couloirs comme [avec] les trottoirs et les courbes en béton de sa ville natale. La différence c'est qu'il va très vite et envoie ses ollies sur dix mètres de long [...]. Il encaisse et replaque les réceptions de big airs sans broncher et n'hésite pas trente secondes en haut d'un rocher de dix mètres. Il ne fait que quelques grabs ''de base'' comme le Tail Grab, l'Indy ou le Backside Air mais avec un style et une amplitude démesurée, souvent en Late ou dans une rotation front-side, le top du new school style [...]. Jamie c'est le futur du snow. » *Snow Surf* n° 5, mars 1993, p. 26.

de « savoir-faire sportif alternatif » car il fut le premier à contester
la suprématie du ski alpin sur les pistes (ou, plutôt, hors piste).
Il représente donc les fondements contre-culturels du « snow » ou
du « free ride » actuels. Dans cette perspective, il est très significatif de noter que lorsque les revues *fun* cherchèrent, au cours des
années 80, à expliquer l'intérêt du monoski elles firent référence
au plaisir, aux sensations, au jeu avec la neige, à la création esthétique. Par contre, elles ne mentionnèrent que très rarement la
technique de cette activité. Ce point distingue d'emblée le monoski
du ski alpin, pour lequel l'apprentissage laborieux est un passage
obligé vers ce qui apparaît comme la principale source de plaisir :
la maîtrise technique. En monoski, cette notion ne paraît pas vraiment avoir de raison d'être[8]. Disons-le clairement : le discours
technique ne se justifie pas aux yeux de certains car « monoskier »
est un comportement tellement « simple » qu'il serait pour ainsi
dire « naturel ». Un peu comme si le « mono » était inscrit dans
le programme génétique des « monomaniaques ». Bref, nous serions
devant un comportement « inné » ou « instinctif ».

En effet, certains spécialistes considèrent sans aucune ambiguïté
que « skier en mono » est aussi normal que marcher, se tenir debout
ou... fumer un « joint ». « Pourquoi faire compliqué quand on peut
faire simple ? Voilà le secret. Le monoski dans la poudreuse, c'est
facile. FACILE. C'est fait pour ça ! Le corps fait corps avec la
machine, la machine avec la neige. Fermer les yeux. La poudre parle
[sic]. Pieds et joints [sic] liés dans un seul but : glisser. Ô, pays
des merveilles[9]. » Le surf se situe bien dans une perspective identique, comme le souligne *Surf Session*, qui estime que « le snowboard a un atout fondamental : c'est le sport le plus facile à pratiquer sur la neige[10]. »

Dans ces conditions, on ne s'étonnera pas que l'apparition du
monoski en France (aux Grands-Montets, en 1977) soit décrite en
termes nettement plus culturels que techniques : la « valeur » de
cette évolution du ski étant plus à rechercher sur le plan de son
« esprit », voire de son « éthique », qu'à un niveau platement
méthodologique. « La religion du ski est dualiste depuis des siè-

---

8. Même si, bien évidemment, la compétence technique est essentielle en monoski comme
en ski alpin.
9. *Montagne Magazine* n° 101, février 1988.
10. *Surf Session* hors-série n° 18, décembre 1992, p. 6.

cles. Les premiers monothéistes apparaissent il y a dix ans. [...]
Depuis, le ski ne sait plus sur quel pied danser. [...] Deux pieds,
deux skis ou un seul pied, mais un grand. [...] 1977 : année char-
nière, retour aux choses simples. Punk à Londres, monoski à Chamonix. Le rock est réduit à l'essentiel, cris, rythme et rage. Le ski
devient glisse. Le plaisir d'abord, la technique, on verra après. On
emprisonne les pieds pour mieux libérer le reste ! Dans les deux
cas, mono et musique ne sont que l'expression privilégiée d'une
philosophie de l'existence. Une quête d'absolu[11]. »

« *The counter-culture* »

Cette « quête d'absolu » que représente la glisse ne doit pas être
envisagée comme un répertoire de techniques simplement novatrices, mais comme une configuration nouvelle de valeurs, de
comportements et de motivations qui perturbe fortement le modèle
sportif traditionnel. La glisse représente bel et bien une forme ostentatoire de contre-culture sportive qui déstabilise tous les fondements
sur lesquels furent bâties les structures organisationnelles de type
fédéral[12].

11. Chacun semble aujourd'hui considérer que la distinction entre skieurs et snowboarders
est définitive. Aux États-Unis, par exemple, le magazine de snowboard *Transworld Snowboarding* publia récemment un éditorial intitulé « Us and them » dans lequel il établissait
une différence nettement culturelle entre skieurs et surfers, ces derniers étant pris pour des
« hors-la-loi et des vandales ». Il est clair que les uns et les autres n'ont pas les mêmes
valeurs. « Bad boys » et rebelles, les surfers estiment : « Même si nous achetons les mêmes
forfaits, utilisons les mêmes remontées et dormons dans les mêmes hôtels... nous ne sommes pas et ne seront jamais des skieurs ! » *Fall-Line* n° 1, mars 1993, p. 16.
12. De ce point de vue la crise est latente entre la Fédération française de ski (FFS) et certaines organisations associatives comme l'AFS qui tentent d'imposer le snowboard. « Certains
ont reproché à [la revue] *Snow* ses attaques tendancieuses contre Garreta, président du snowboard à la FFS. C'est vrai, aucun de nous ne lui a jamais parlé ni ne l'a rencontré. [...]
Comme tous les membres du comité décisionnaire de la FFS, il est un inconnu. Et c'est
ce comité occulte qui l'a autoaccrédité. Le centralisme politique à la française est aussi dans
le sport. L'hydre FFS n'a pas daigné reconnaître l'AFS qui lui est externe. » *Snow Surf* n° 5,
p. 56. En réalité, la Fédération reproche deux choses à l'AFS : d'une part, de verser par
trop dans le domaine économique en cherchant à imposer une pratique sportive de nature
nettement professionnelle. De ce point de vue, elle joue son rôle. D'autre part, sa critique
porte sur le fait que l'AFS promeut le « free style » tendance « hard » et ne censure pas « la
mouvance urbaine du snowboard ». Sur ce plan, elle rencontre un problème de nature stratégique qu'elle devra gérer au plus près s'il advenait que le snow gagne en importance.
Or, la solution de ce problème serait à rechercher sur le plan culturel car il s'agit clairement d'un problème d'identité fédérale.

Lorsque l'on s'intéresse à la glisse, on ne manque pas d'être surpris par le fait qu'une bonne partie des références symboliques qui la distinguent des sports olympiques peut être circonscrite sur les plans géographique et politique. Sur le plan géographique, la Californie est souvent citée comme le berceau des sports de glisse. Si cela n'est pas exact pour la très grande majorité des pratiques de glisse qui furent inventées ailleurs que dans cet État américain, il reste que sur le plan politique et culturel la référence californienne est parfaitement justifiée.

L'« esprit de la glisse » est bien né sur les plages californiennes (et hawaiiennes) à la fin des années 50. Il fut élaboré par les adeptes du surf qui, s'ils étaient des sportifs, étaient surtout des marginaux et des rebelles sociaux. Ce qu'il faut bien comprendre ici, pour mieux discerner ensuite les raisons qui expliquent les comportements surprenants des glisseurs contemporains, c'est que les attitudes des surfers californiens à partir de la fin des années 50 ne relevaient absolument pas d'une forme quelconque de génération spontanée. Elles s'inscrivaient, bien au contraire, dans la filiation d'une certaine tradition américaine contestataire et libertaire qui trouva en Californie une niche culturelle appropriée à son développement. En effet, même si ce n'est plus tout à fait le cas aujourd'hui, cet État fut longtemps considéré comme une entité culturelle différente des autres États américains. Un monde en marge de la société américaine et que marqua longtemps une orientation politique de gauche et une absence remarquable de traditions puritaines.

En Californie, à la fin des années 50 et au début de la décennie suivante, le surf est plus qu'une simple pratique sportive. Cette activité a engendré un véritable mode de vie. Celui-ci ressortit essentiellement à des conduites alternatives issues d'un profond rejet de la société de consommation américaine. Le *surf way of life* s'oppose à l'*American way of life*. Les surfers californiens apparaissent ainsi comme des dissidents qui consacrent leur existence au surf dans une société américaine en pleine expansion économique et qui découvre la consommation de masse et le conformisme né des comportements standardisés[13]. La séduction d'une vie quelque peu no-

---

13. Le snowboard (ou le « snow ») suit en 1995 un développement strictement identique. Les snowboarders revendiquent un « snow way of life » comme le souligne la revue *Snow Surf*, évoquant la vie dans la petite ville de Glacier, dans l'État de Washington aux États-

made sur la plage et la fascination de la métaphore alternative que représentait la « quête de la vague » allaient bientôt devenir un phénomène dépassant le simple engouement de quelques « décalés ». Comme le constatait Edgar Morin dans son *Journal de Californie*, au cours des années 60, « ils vont surfer par centaines de milliers, ils vont jouer avec la mer, et cela devient ce qu'il y a de plus important dans l'existence[14] ».

Il reste qu'avant ce déferlement sur les plages californiennes et hawaiiennes, les précurseurs des années 50 jetèrent bel et bien les bases d'une société sportive *alternative*. Considérés comme des « vagabonds de la déferlante », revendiquant une certaine forme de marginalité sociale, ils furent probablement les premiers dans l'histoire du sport moderne à utiliser celui-ci dans une perspective de marginalisation et non pas d'intégration sociale. « À cette époque ils n'étaient pas nombreux sur le North Shore. La plupart venaient de Californie du Nord [...] ; tous ces surfers vivaient de rien si ce n'est des vagues. [...] Ils formaient une sacrée bande, passant leur temps sur la plage[15]. »

Les comportements de ces précurseurs sont intéressants à analyser car ils inaugurent un véritable schisme dans le système de valeurs élaboré par le mouvement sportif tout au long du XXᵉ siècle. Alors que depuis une bonne centaine d'années le sport a toujours été considéré comme un moyen efficace d'intégration sociale, pour la première fois une activité physique va apparaître comme une pratique de rupture et comme un symbole de l'exclusion volontaire de la société. Ce faisant, les surfers vont établir un nouveau code de conduite « sportif » qui rejettera règles et organisation traditionnelles pour construire une sorte de « socle doctrinal » initiateur de la glisse d'aujourd'hui.

Pour bien mesurer la portée de ce phénomène d'innovation sportive, il faut le replacer dans un contexte beaucoup plus large d'innovations sociales. En réalité, ce code de conduite alternatif n'est guère que la partie sportive d'un système plus vaste de contestation qui,

---

Unis : « Dans les années 60 et 70, la beauté et l'isolement du coin fut l'aubaine des écolos et des hippies. L'arrivée actuelle des snowboarders n'est que la dernière des nombreuses migrations. [...] Dans les années 70, la génération *[sic]* a débarqué à Glacier. Avec les snowboarders, c'est comme si cela arrivait de nouveau. C'est un flux de vie nouveau. » *Snow Surf*, janvier 1995, p. 62 *sq.*

14. E. Morin, *Journal de Californie*, Paris, Seuil, 1970, p. 191.

15. « Olds days ; l'épopée du North Shore », *Surf Session*, septembre-octobre 1987.

dans d'autres domaines comme la musique, la peinture, la poésie, la littérature, le cinéma, va donner naissance à ce que les Américains appelèrent au cours des années 60 *the counter-culture*[16].

Cette « contre-culture » s'inscrivit en réaction à l'Amérique de l'opulence qu'a bien décrite J.K. Galbraith. Un pays où la consommation est érigée en mode de vie, où le « gadget » est devenu objet de culte et au sein duquel l'individu n'apparaît plus que comme l'« homme de l'organisation », selon la formule de W.H. Whyte. C'est-à-dire un « col blanc », sans ambition, dépourvu de la moindre velléité d'audace, sans aucune volonté d'aventure, quand ce n'est pas de volonté tout court, et n'aspirant qu'à la sécurité matérielle, physique et morale. Dans cet esprit, le balisage sécurisant de la règle sociale, la « droite ligne de conduite », l'« angle droit » apparaissent aux yeux des groupes alternatifs comme des métaphores géométriques appropriées pour décrire le mode de vie du *square*. C'est-à-dire de celui qui est « carré », l'Américain moyen, conformiste et matérialiste. Devenu « seul dans la foule », selon l'expression de D. Riesman, l'individu américain subit la solitude plus qu'il ne la recherche comme le faisaient, au contraire, ses ancêtres pionniers qui furent individualistes avant d'être aventuriers. C'est l'époque de la conformité sociale et de l'effacement de l'individu en tant que celui-ci est un être doué de sensibilité et pourvu d'un « potentiel humain » qu'il conviendrait pourtant d'exploiter sous peine de dégénérescence. Cette période apparaît aujourd'hui comme une matrice culturelle parfaitement appropriée à l'émergence des multiples mouvements de contestation des années 60.

Les origines naturalistes

Le détour obligatoire par la contre-culture américaine relève d'une hypothèse : il est essentiel de ne pas considérer la glisse comme un simple phénomène sportif en rupture avec la seule tradition sportive. Comme une culture sportive alternative qui ne serait

---

16. « Counter-culture as a term appeared rather late in the decade. It largely replaced the term youth culture, which finally proved too limited. Counter-culture [...] meant all things to all men and embraced everything new from clothing to politics. » W.L. O'Neill, *Coming Apart*, New York, Times Books, 1971, p. 233.

guère qu'autoréférentielle, autrement dit comme un système contestataire des seules valeurs issues du mouvement sportif institutionnel. Le détour par la contre-culture est nécessaire car à ne s'en tenir qu'aux références sportives on occulterait une dimension plus large, de nature sociale et surtout culturelle, qui apparaît comme le niveau d'analyse approprié à partir duquel la transformation du sport contemporain pourra être décryptée et peut-être comprise.

Réagissant au conformisme social, c'est sur la côte Ouest, dans le quartier de Venice West, à San Francisco, que des jeunes « barbares » (selon l'expression de certains media américains), des *misfits* (des ratés, des inadaptés sociaux), des *JD (juvenile delinquents)*, vont donner naissance au mouvement beatnik. Pour eux, la société doit être divisée en deux types d'individus : le *square* obéissant aux règles de l'organisation sociale et le beat qui rejette ces règles communautaires pour en promouvoir d'autres, bien différentes car liées à l'expression privilégiée de la personne privée et de l'individu « sensible ». Ce dernier valorise l'émotion, la sensation personnelle et le « potentiel humain » propre à chacun face à la société qui le détruit. L'homme primitif et le monde vierge, naturel, sauvage, sont nettement valorisés face au monde industriel et à la pollution multiforme qu'il engendre. Dans cet esprit, l'acte individuel, l'impression personnelle, la sensation privée deviennent de véritables objets de dévotion que promeuvent romanciers et poètes : « Rien n'est meilleur que la sueur de mon corps », affirmait ainsi le poète beat W. Whitman.

Le mode de vie « décalé » des surfers californiens des années 50 ne peut être compris que par référence au mouvement beat et à ce que les Américains appelèrent la Beat Generation. Ce mouvement contestataire s'inscrivit dans la grande tradition libertaire américaine dont l'origine doit être recherchée avant tout dans un attachement profond à certaines valeurs naturalistes. La forêt, le coureur des bois, le trappeur individualiste, le culte de la simplicité et de la durabilité des biens (vêtements, matériel, outils), le pionnier, les animaux sauvages peuplant les grandes étendues de l'Ouest américain, représentent les principaux fondements symboliques de ce mouvement. C'est là une filiation intellectuelle qui remonte au XIXe siècle et aux prises de position du poète naturaliste américain D.H. Thoreau, véritable prophète beat qui en 1849 en appelait déjà à la « désobéissance civile ». C'est-à-dire à l'exclusion volontaire de la société réglementée, organisée, et planifiée. Ce détachement devait être considéré par Thoreau comme la seule possibilité de retrouver les bases naturelles de la condition humaine et, partant, du potentiel de l'Homme.

Même si, à l'évidence, ce type de références n'est pas explicitement revendiqué par les adeptes des sports de glisse, il reste que l'« homme des bois » cher à Thoreau est un personnage suffisamment familier pour poindre sous différentes formes dans les revues *fun* et dans les stratégies marketing des fabricants d'équipements sportifs au cours des années 80.

Un exemple parmi d'autres : en 1988, de manière quelque peu surprenante, la revue de sports de plein air *AlpiRando* consacra un article au graveur suisse Robert Hainard[17]. L'explication de cet intérêt pour la gravure peut être décodée de la façon suivante : spécialisée dans la représentation extrêmement précise de la vie animale, la personnalité de Hainard apparaît très proche de celle de Thoreau, qui se plaisait lui aussi à détailler par le menu le bestiaire animalier. À la lecture de la présentation qu'en fait la revue, plus qu'un artiste, Hainard apparaît comme une sorte d'aventurier contestataire et individualiste. La vie de cet « homme sauvage », de ce « poète, prophète, mystique », selon *AlpiRando*, s'est déroulée « essentiellement en deux lieux : la nature, mais la plus impénétrable, marais, forêts, taillis ou ravins, et seul, la nuit, d'où il a ramené 35 000 croquis [...] pour l'autre lieu, l'atelier de gravure et de sculpture. Est-il coureur des bois ou artiste ? Sans doute les deux à la fois ». À l'image de Thoreau, Hainard, qui de manière très significative a publié un livre intitulé *Le Miracle d'être*[18], dans lequel il oppose la nature et la société industrielle, ressent comme « une mutilation, un préjudice personnel » l'aménagement et l'utilisation du milieu naturel à des fins bassement économiques.

Ce dernier point apparaît comme un thème récurrent, nettement présent dans le monde de la glisse comme en témoigne cette prise de position véhémente de la revue de montagne *Vertical* qui, au mois de juillet 1991, s'élevait contre les « aménageurs » des voies d'escalade : « Nous avions l'habitude de nous contenter de l'équi-

---

17. *AlpiRando* n° 114, octobre 1988.
18. Réédité en 1986 aux éditions Sang de la Terre.

pement en place. [...] Maintenant avec [...] les ''aménageurs'' qui
rêvent d'installer un guichet au pied des falaises [...], le champ de
liberté se réduit comme peau de chagrin autour d'une activité naguère
ludique et conviviale. [...] De quel droit ces gens tentent-ils de
s'approprier [ces] lieux ? À force d'argent, ils ont déjà transformé
en ''sport'', avec son cortège de rivalités et de contestations, une activité de plein air vers laquelle nous allions justement parce qu'elle
n'était pas encore mercantilisée. Pour sacrifier au profit, faut-il avi-
lir les lieux naturels et les gérer comme des stades de foot ? Ont-ils
réfléchi que, si nous n'entrons pas dans les stades, il doit sans doute
y avoir une raison qui pourrait bien s'appeler liberté[19] ! »

Un marketing « sportif-alternatif »

On comprendra aisément qu'une telle perspective soit délicate
à gérer par les fabricants d'équipements sportifs qui se positionnent sur le marché des sports de glisse. En effet, il est patent aux
yeux de beaucoup que les entreprises qui produisent des objets techniques sportifs (matériels, équipements, vêtements) exploitent la
nature, même si cette exploitation se fait d'une manière indirecte.
Il est donc clair que la préservation du milieu naturel est un paramètre qu'il leur est difficile de prendre en compte. En effet, comme
l'affirme sans ambiguïté le fabriquant de vêtements de sport Patagonia : « Tout ce que nous faisons pollue, la production de chaque vêtement a un impact négatif sur l'environnement[20]. »

La remarquable stratégie de communication de cette firme *évidemment* californienne[21] est très significative d'une volonté de
positionnement « alternatif » et, surtout, « naturaliste » à l'image
de Thoreau[22]. Des rapprochements étonnants peuvent ainsi être

19. *Vertical*, juillet 1991, p. 7.
20. Catalogue Patagonia, printemps 1991, p. 2.
21. Dans son catalogue, Patagonia annonce clairement l'origine californienne de la société
Great Pacific Iron Works qui distribue ses vêtements et le campus Patagonia est situé à
Ventura, entre Santa Barbara et Los Angeles.
22. Patagonia n'est pas la seule marque de vêtements de sport à utiliser le registre écologique. Selon le magazine *Sport Première*, en 1994 la firme américaine Dyersburg « compte
sur sa gamme de produits recyclés pour s'implanter en Europe ». Visant le « 100 % recyclé », Dyersburg travaille avec la société Wellmann, dont le métier consiste à recycler les
bouteilles de PET pour les transformer en fils qui servent ensuite à produire des « polai-
res » particulièrement confortables. *Sport Première Magazine* n° 131, décembre 1993, p. 31.

effectués entre le PDG de Patagonia, Yvon Chouinard, et le poète naturaliste américain du XIXe siècle.

Pour étayer cette affirmation, nous allons comparer la façon dont la revue *Globe* présenta Thoreau en 1987 et un texte d'Yvon Chouinard paru dans l'*American Alpine Journal* en 1966.

Globe explique : « Thoreau, l'homme des bois, plus sage que Bouddha, nous enseigne l'austère volupté, la solitude, l'indolence et la douce paranoïa. Dans son journal, il note implacablement moins ce qu'il pense que ce qu'il voit : la toilette matinale d'un écureuil, la forme d'un nuage, le plumage d'un merle, les nuances d'un fétu ou les sautes de sentiments reflétées par le visage d'un Indien. Pour Thoreau, il y a au moins mille façons de regarder fondre la neige, et cela comble une vie. Zen et nature[23]. »

On retrouve très bien cette volonté contemplative, cette acuité sensorielle pleinement satisfaisante et cette intensité face à la nature chez Chouinard. Il explique ainsi cette forme de volupté qu'il éprouve lorsqu'il est en montagne : « Capables de percevoir avec le maximum de sensibilité, nous pouvions apprécier tout ce qui nous entourait. Sur le granit, chaque cristal élémentaire ressortait en puissant relief. Les différentes formes des nuages n'arrêtaient pas d'attirer notre attention. Pour la première fois nous remarquions, partout sur le rocher, de minuscules insectes, si petits qu'on les distinguait à peine. Au relais, j'en fixai un pendant un quart d'heure, le regardant bouger, admirant sa couleur rouge éclatante. Est-il possible de s'ennuyer avec tant de merveilles à voir et à sentir ! Ce bonheur de toutes choses alentour s'accordant si bien avec notre bonheur propre, cette hypersensibilité de notre perception faisait naître en nous un sentiment de satisfaction que nous n'avions pas éprouvé depuis des années[24]. »

On comprend donc pourquoi Patagonia, Inc. est membre de l'Outdoor Industry Conservation Alliance, une association de protection de l'environnement[25]. Ce qui, aux yeux de beaucoup, ne manque pas de créer ce que nous pourrions appeler une certaine

---

23. *Globe* n° 15, mars 1987.
24. *Vertical* n° 15, février 1988, p. 12.
25. Cette volonté et cette démarche écologique sont en passe de se généraliser dans le monde des fabricants de matériels et d'équipements sportifs. La firme Nike, par exemple, a annoncé récemment que, dorénavant, la semelle extérieure de ses chaussures sera recyclée. *Libération*, 17 août 1993, p. 9.

« amphibologie marketing ». Ou, si l'on préfère, une ambiguïté à propos de la communication de la firme californienne. Ainsi, à la fin de l'année 1992, Yvon Chouinard fut présenté par *Libération* comme le « zen-zazou de la fringue vraie[26] ». Patron d'une marque de vêtements vertueux et durables, selon le journal, réalisant 100 millions de dollars de chiffre d'affaires mais en reversant 1 % à la cause écologique, Yvon Chouinard serait « un pessimiste, alpiniste, surfer-moralisateur[27] » qui semble considérer qu'être à la mode c'est déjà être démodé. Il a donc créé un nouveau concept de marketing : l'antimode... qui est rapidement devenu à la mode dans le monde du *fun*.

Le credo antimode de Patagonia est, à la fois, simple dans sa formulation et particulièrement complexe à articuler dans le cadre d'une stratégie de communication cohérente. Il s'agit de proposer à un *consommateur-écolo-sportif* des vêtements dont le simple fait de les fabriquer pollue... La solution consiste donc à lui suggérer d'acheter moins (!) de vêtements et, pour cela, de fabriquer des « fringues » qui durent. Yvon Chouinard précise : « Personnellement, un seul short me suffit. Si le truc est bien conçu, et s'il est fabriqué pour durer[28]. » La firme californienne pousse très loin cette logique écolo-marketing puisque son catalogue est imprimé sur papier recyclé[29]. Patagonia explique : « Bien que nous y perdions un peu en qualité de l'image et en clarté, nous pensons que nos clients attacheront plus d'importance aux arbres que nous sauvons et à l'énergie que nous économisons plutôt qu'à des photos parfaites[30]. » Reste que les vêtements de sport sont fabriqués à partir de matériaux synthétiques dont l'impact sur l'environnement n'est pas négligeable si l'on considère que les fibres utilisées sont

---

26. *Libération*, 28 novembre 1992, p. 28.
27. *Ibid.* Nous remarquerons qu'au cours de la saison 1994, Patagonia a fait connaître par voie de presse « sa position anti-GATT ». Selon le magazine *Sport Première* du mois de décembre 1994, la marque Patagonia, très à cheval sur les questions d'environnement, a acheté des pages de publicité dans les grands quotidiens américains, dont le *New York Times*, pour dénoncer les accords du GATT « qui placent le commerce au-dessus de valeurs comme la protection de l'environnement, la santé et la démocratie ». *Sport Première* n° 141, décembre 1994, p. 19.
28. *Libération*, 28 novembre 1992, p. 28.
29. Ce remarquable catalogue peut être obtenu auprès de Patagonia Europe. La revue de skate-board *Anyway* expliquait en décembre 1992 (n° 20, p. 43) que le fait de produire le catalogue sur papier recyclé avait permis de sauver 3 409 arbres, d'économiser 822 451 kW et 5 614 000 litres d'eau.
30. Catalogue Patagonia, p. 3.

toutes des dérivés du pétrole. Image désastreuse qu'il convient de corriger au plus vite en justifiant l'utilisation des fibres artificielles... sur le plan écologique.

Pour étonnante qu'elle soit, l'argumentation de Patagonia ne peut se comprendre que par référence à une logique contreculturelle, même si la cohérence de l'argumentation prête à sourire. Ainsi, la firme s'interroge-t-elle : ne devrait-on pas utiliser des fibres naturelles comme le coton ou la laine, par exemple ? La réponse est sans ambiguïté : certainement pas, car ce serait « pire » encore. Le coton pose des problèmes : « On utilise plus de pesticides et de fertilisants pour le coton que pour toute autre culture. La récolte mécanique du coton nécessite des défoliants puissants et nocifs. On emploie souvent le formaldéhyde pour le filage, et des apprêts chimiques sont ensuite appliquées[31]. » Quant à la laine, il s'avère que le mouton est un « brouteur » parmi « les plus destructeurs du monde animal[32] ». Pourquoi, dans ces conditions, ne devrait-on pas utiliser des méthodes organiques de production de coton et de laine ? Là encore, il semble que cela soit impossible sous peine de mettre en cause... la survie de l'humanité : « À long terme il n'est pas sûr que les terres seront suffisantes pour produire assez de coton, de laine et de nourriture pour soutenir la demande de 5 ou 10 milliards d'êtres humains[33]. »

On le voit, le dilemme est cruel. Patagonia pense l'avoir résolu en ayant entrepris un « bilan de l'environnement très complet, afin d'examiner tous les matériaux et toutes les méthodes utilisés dans notre chaîne de fabrication des produits. C'est ainsi qu'à notre échelle nous apprenons ce qui porte plus ou moins atteinte à l'environnement, et que nous continuerons à rechercher des procédés qui diminuent notre impact[34] ». La chose est donc acquise : ce fabricant de vêtements de sport est une « compagnie écologique ». Il se positionne fermement sur un marché qui apparaît très enclin à valoriser des comportements qui se veulent simples, naturels, décrispés, très éloignés des attitudes et modalités de consommation du *square* ou du *yuppie*. La société Patagonia l'affirme d'ailleurs sans ambiguïté dans une profession de foi que Thoreau n'aurait pas

---

31. *Ibid.*
32. *Ibid.*
33. *Ibid.*
34. *Ibid.*

reniée : il s'agit de « vivre satisfait avec peu de moyens, rechercher l'élégance plutôt que le luxe, et le raffinement plutôt que la mode, être digne et non pas respectable, être fortuné et non pas riche, écouter les oiseaux et les étoiles, les enfants et les sages avec sincérité, en résumé laisser le spirituel caché en nous transparaître dans nos comportements quotidiens[35] ».

L'Ouest américain

Dans cette perspective naturaliste, on ne s'étonnera pas que l'« homme des bois » ou le trappeur, en tant qu'ils symbolisent à la fois la liberté et la nature, soient éminemment présents dans le monde allégorique de la glisse. En 1989, la revue *Les Nouveaux Aventuriers* fit écho à une épreuve très particulière : la Course des trappeurs organisée au Canada (par des Français) pour tenter de revivre la vie de Davy Crockett. « Les concurrents sont obligés de vivre comme de vrais trappeurs. [...] Autant de gestes à réapprendre pour vivre à l'écart du monde[36]. » Cela est très révélateur de certaines aspirations que d'aucuns qualifieront d'écologiques mais qui, en réalité, sont une référence directe, bien que non explicite, au mouvement beat. Le trappeur représenta, en effet, un symbole pour la Beat Generation qui s'est reconnue pleinement dans le personnage de Bas-de-cuir, le trappeur légendaire des romans de Fenimore Cooper.

Si la vie sauvage et aventureuse[37] engendrée par les traditions de la « trappe » semble aujourd'hui recherchée par certains adeptes de la glisse, ce sont également les modes de déplacement en vigueur dans l'Ouest américain du XIXe siècle qui devaient bientôt être exploités à des fins de marketing dans le domaine du *fun*. Détournement de sens, certes, mais non sans signification puisque, là encore, la référence est particulièrement précise, qui exploite la légende de l'Amérique originelle. C'est-à-dire l'Amérique antérieure à la société industrielle que valorisait le mouvement beat.

---

35. *Ibid.*
36. *Les Nouveaux Aventuriers* n° 14, septembre 1989. Des épreuves comme le Camel Trophy, le Raid Gauloise ou encore Harrycana, cette course en motoneige qui se déroule dans le Grand Nord canadien, reprennent largement ces thèmes du trappeur et de l'homme des bois.
37. On se souviendra avec intérêt du succès rencontré par le film *Délivrance*.

En 1987, sous le titre (significatif !) « L'épopée sauvage », la revue de course à pied *Grandes Courses* fit état de la manifestation américaine du Levi's Ride and Tie. L'originalité de cette épreuve résidait dans le fait qu'elle reproduisait le mode de déplacement utilisé lors de la conquête de l'Ouest. *Grandes Courses* explique : « En grimpant à deux sur un même cheval on l'épuise rapidement. [...] Le Ride and Tie permet de progresser sur de longues distances sans trop de dégâts. [...] Un homme monte l'animal *(ride)* tandis que l'autre marche ou court à ses côtés. Comme la vitesse du cavalier est supérieure, il prend de l'avance [...] attache son cheval à un arbre *(tie)* et se met à courir à son tour. Son compagnon arrive bientôt, s'empare de la monture, reprend la piste pour le dépasser plus loin [...] et ainsi de suite [...]. Cette technique, utilisée au XVIIe siècle par les coursiers du Pony Express, permet de parcourir de longues distances à une moyenne de sept minutes au mile. [...] Quelques siècles plus tard, le directeur publicitaire des jeans Levi's découvre ce pan oublié de la conquête de l'Ouest et invente un sport[38]. » Sous le nom de *ride and run*, ce type de déplacement est aujourd'hui devenu un classique des épreuves qui conjuguent sport et aventure.

En 1992, la conquête de l'Ouest prend le pâle visage du super-marathon du Colorado : une épreuve « dans la meilleure tradition western », selon la revue de course à pied *Jogging international*[39]. En réalité, une véritable aventure de 160 kilomètres qui prend la piste « des pionniers chercheurs d'or et des peuples disparus[40] » pour revivre la « légende » de l'Ouest et « retrouver une parcelle d'enfance [...] dans des paysages ravinés par la sueur et le sel de la terre[41] ».

La Beat Generation

Pour comprendre la glisse et le *fun* d'aujourd'hui, il semble donc nécessaire de discerner leur filiation étroite avec la Beat Generation américaine des années 50.

---

38. *Grandes Courses* n° 1, mai 1987.
39. Décembre 1992, p. 80.
40. *Ibid.*
41. *Ibid.*, p. 85.

En préambule, il faut noter que ce mouvement contestataire, qui fut surtout un mouvement littéraire, a revêtu une très grande importance dans la floraison et la multiplication des phénomènes alternatifs (artistiques, intellectuels et sociaux) qui virent le jour au cours des années 60 au sein de la société occidentale. La mise en évidence d'une extraction d'origine beat qui serait propre à des comportements « sportifs » contemporains revient donc à envisager clairement que la glisse et le *fun* réactualisent, un quart de siècle plus tard, les valeurs et l'activité contestataire qui marquèrent les événements de mai 1968.

Pour situer le mouvement beat, on peut remarquer qu'il puise ses références dans le surréalisme. Son influence sur le monde intellectuel américain fut importante, identique à bien des égards à celle qu'exercèrent en France et en Italie le dadaïsme et le futurisme dans le domaine esthétique, pour prendre des exemples comparables. Des auteurs comme Aldous Huxley[42], W. Burrough et H. Miller l'influencèrent profondément. Le premier, notamment, devait y introduire une forme d'orientalisme avec le zen et le bouddhisme, ainsi que l'usage « métaphysique » et « psychédélique » des hallucinogènes. Si l'on veut circonscrire précisément le modèle d'attitude beat, on peut sans trop d'erreurs considérer que l'archétype de ce type de comportement est celui que montrent les héros du film *Easy Rider*.

Les leaders du mouvement (des poètes et des romanciers californiens vivant à San Francisco) étaient en rébellion contre le conformisme de leurs contemporains qu'ils appelèrent la *Silent Generation*[43]. Reste que cette rébellion fut non violente. S'ils condamnent l'immobilisme de leurs contemporains ce n'est pas pour autant que les beats instaurent un mouvement politique. Estimant qu'ils ne peuvent rien changer aux orientations de la société civile, ils se désengagent simplement de son organisation en devenant, certes, des *outlaws* mais des hors-la-loi pacifiques, quelque peu religieux et respectueux de l'Homme. S'ils réagissent contre la société américaine, ils n'agissent pas contre elle. Bien au contraire, l'Amérique est leur pays et ils le respectent. C'est uniquement l'attitude

---

42. Pour comprendre ici l'intérêt d'Aldous Huxley, voir *infra* la partie du livre intitulée « Retour vers le futur », p. 263.

43. La « génération silencieuse », celle qui ne s'exprime pas, qui ne se manifeste pas, bref, qui ne vit pas.

conformiste des Américains confits dans leurs habitudes de consommateurs qu'ils condamnent. Dans leur esprit, l'Amérique est un grand pays et une grande nation. Il s'agit seulement d'en redécouvrir les vertus. Ce qu'ils s'emploient à faire en prenant la « Route » et en valorisant les origines profondes de l'identité américaine : l'individualisme à travers les personnalités symboliques du trappeur, du pionnier, de l'aventurier, mais aussi la musique « originelle » (notamment le jazz cool), la nature et le drapeau américain qu'ils arborent.

L'attitude beat se repère dans un certain nombre de comportements de rupture qui viennent se positionner en regard des éléments fondateurs de l'*American way of life*. C'est un auteur américain, le romancier Jack Kerouac, qui, dans son roman *On the road*[44], s'est attaché à tracer les lignes directrices de ce mode de vie particulier dans un texte qui devint rapidement une référence pour la Beat Generation et, plus tard, pour les mouvements beatnik et hippie. Les thèmes développés par Kerouac définissent l'attitude beat en s'articulant autour de plusieurs principes essentiels :

- le travail ne saurait relever d'un emploi régulier qui enfermerait l'individu dans des contraintes financières et temporelles inacceptables ;

- la famille est éclatée en de multiples cellules constituées au gré des rencontres et au fil du temps ;

- la sexualité : « Le sexe était la seule et unique chose qui fût sainte et importante dans l'existence[45]. » ;

- une certaine forme de religiosité est partie prenante de la démarche beat qui affirme l'existence de Dieu ou, en tout cas, d'une composante surnaturelle de la vie : Jésus, Bouddha, le culte du Soleil. Mais aussi (surtout !) d'une forme de reconnaissance extatique et mystique pour tout ce qui présente un caractère instinctif, émotionnel, relevant de la sensation profonde, intime, viscérale en quelque sorte ;

- la célébration du monde primitif, naturel, vierge de toute civilisation, de toute pollution ;

---

44. J. Kerouac, *On the road* (1957), Harmondsworth, Middlesex, England, Penguin Books, 1972. Trad. française : *Sur la route*, Paris, Gallimard, 1960. Dans le texte qui suit nous utiliserons la traduction Gallimard de 1972.
45. J. Kerouac, *op. cit.*, p. 16.

- l'humour et le jeu car la démarche beat se veut ludique ;
- la route, le voyage, le *trip*, le *run*, formules métaphoriques qui représentent les seules possibilités de fuite du système social organisé et réglementé. Recherche initiatique en même temps que quête mystique, la Route est le seul processus totalement pur de construction d'une vie méritant d'être vécue ;
- la vitalité, la force, la joie de vivre, l'« extrême », l'émotion brute, « primordiale », l'excitation de la Vie... « Les gens qui m'inté-ressent [sont] des déments, ceux qui ont la démence de vivre [...], qui veulent jouir de tout en un seul instant, ceux qui [...] brû-lent, qui brûlent[46]. » ;
- une socialité bien spécifique fondée sur la notion de bande, de « gang » ou de tribu, dont la cohérence interne ne repose que sur le refus de la règle, de la loi commune, pour mieux rejeter les limites imposées par l'organisation sociale. Une structure rela-tionnelle qui relève d'une sorte d'« individualisme collectif », un regroupement fluide, labile et non structuré d'individus sans atta-ches réelles.

Les héros de Kerouac n'ont qu'un but : transcender leur vie en sortant des contraintes réglementaires. Le ton et le « souffle » épique du roman sont bien faits pour le montrer, qui donnent une vision fantastique de l'Amérique en proposant de revivre et, sur-tout, de réécrire la « longue route » de la conquête de l'Ouest. L'« Ouest » étant considéré comme un monde magique *(a magic land)* bien propre à permettre la pure et simple expression de la conscience individuelle et du potentiel personnel hors de toute balise sociale.

Kerouac est un révolté : à la fois un rebelle social et un écri-vain rebelle. Pour mieux marquer la distance qui le sépare de la norme littéraire, il invente une nouvelle forme d'écriture : la prose spontanée *(spontaneous prose)*, qui cherche à exprimer le *précons-cient* du narrateur. Le *conscient* est ainsi annihilé pour permettre l'expression de la pensée par simple association d'idées. Proche de l'écriture automatique des surréalistes, la théorie de la prose spon-tanée propose l'émergence de la réalité pure ressentie ou perçue mais non éprouvée à l'aune d'un quelconque jugement esthétique, linguistique ou idéologique qui lui serait extérieur. L'objet du dis-

---

46. *Ibid.*, p. 21.

cours est posé avant l'intervention de la conscience, celle-ci ne pouvant qu'être « polluée » par l'éducation donnée par la société. Nous sommes très proches, on le voit, des peintres spontanéistes issus, en particulier, du mouvement de la figuration libre dont les productions, comme nous l'avons vu, submergent la décoration *fun*. Pour les *beatmen*, l'improvisation est donc la règle. La réalité perçue et sa mise en mots sont concomitantes. Cette simultanéité permet l'émergence d'une écriture intuitive de laquelle sont exclues contraintes et normes littéraires pour créer de toutes pièces un style propre à la Beat Generation.

« *Just do it* »

Si j'ai tenté d'esquisser l'étude du contenu et du style de ce roman américain emblématique, c'est uniquement pour montrer qu'ils ont tous deux participé, dans les années 80, à l'élaboration d'une nouvelle forme... de culture sportive. Un système de valeurs sportives original qui fut décrit par un Français, Yves Bessas, lequel lui donna le nom de « glisse[47] ». Cette appellation fut reprise par l'ensemble des media, qui cherchèrent sans grand succès, il faut bien en convenir, à définir précisément le contenu de ce terme.

Outre Yves Bessas, sur lequel nous allons bien entendu revenir, c'est encore une fois la revue *Wind Magazine* qui, dès 1981, proposa une définition intéressante car relativement élaborée et « travaillée » de la glisse[48]. Intéressante, cette définition l'est à un double titre. D'une part, elle met bien en évidence le caractère anormal (au sens de hors normes) d'un comportement « sportif » dont il faut bien admettre la nature très inhabituelle. D'autre part, le « journaliste-narrateur » utilise pour ce faire un style très particulier fait de phrases courtes, souvent sans verbe, ponctuées à la diable au gré de l'humeur, sans réel souci d'un quelconque code linguistique... Une forme d'écriture très originale dans le monde du sport et que l'on ne peut manquer de rapprocher de la prose spontanée de Kerouac.

GLISSE. Terrains de jeux, pistes tracées, planche à voile entre les

---

47. Y. Bessas, *La Glisse*, Paris, Fayard, 1982.
48. *Wind Magazine* « Spécial glisse », hors-série n° 4.

bouées. Coup de sifflet. Interdit d'en sortir. Veillez à respecter les chenaux de dégagement. Attention aux enfants, aux bateaux, aux chiens, à vous-même. À plus de trois cents mètres vous n'y êtes plus. Coup de sifflet. C'est pourtant balisé, banalisé, écrit. Règlement. Paysage d'angles ; obstacles obligatoires. L'espace se quadrille. Il faut fuir. Hors jeu, nous voulons être hors piste. Hors-la-loi, nous ignorons les règles. Aller tout droit, tourner quand bon nous semble, nous arrêter de fatigue. Glisser sur la neige, la mer, le sable, l'air. [...] Glisser quand on nous force à marcher. [...] Les paysages sont nés pour qu'on les glisse. [...] Délivrance, dernier pas sous l'aile. Le sol se dérobe. Mon regard ne fouille plus à tâtons l'infini. [...] La vitesse perd souvent la raison. La mienne s'est envolée. [...] Trajectoire irréelle, tracée au millimètre sur un ciel sans carreaux. La limite devient unique, impalpable, secrète. Elle tourbillonne, incessante, à longueur de corps en cercles invisibles. [...] Action. Plein cadre. Giclées blanches. Aveugles. Où sommes-nous ? Où sont mes bras, le bas de la vague, de la pente, les rivages du torrent, l'épaule d'écume, moi ? Insensé ! [...] Descentes, bosses, creux, tubes. Alvéoles humides, étouffantes. S'y glisser, pour pouvoir en sortir. Aller vite pour les fuir. Plaisir de l'absurde. À chacun ses passions[49].

À la lecture de ce texte, on comprend la difficulté de définir, voire simplement de cerner, la notion de glisse. De fait, elle n'est guère définissable qu'à l'aune individuelle car elle est sensations dénuées de références : hors limite, hors balisage (« hors banalisage » !?), hors règle et hors quadrillage. La glisse est l'intuition du temps et de l'espace, une sorte d'aventure de l'instinct ; le champ de mise en jeu des capacités personnelles d'adaptation dans un vide né de l'absence des points de repère ordinaires et, surtout, communs. En ce sens elle est « extrême » car elle représente une forme de déstabilisation inédite des répertoires et des équilibres terriens - donc sociaux - habituels. Il reste que « glisser » c'est surtout réinventer les systèmes de perception et d'appréciation des attitudes et comportements « sportifs » traditionnels. La glisse est la désorganisation à l'échelle de l'individu des sytèmes rationnels et géométriques de la pensée sportive. Passage du geste mesuré au mouvement vécu, remise en cause individuelle des axiomes sportifs, la glisse c'est l'aventure motrice et perceptive mais à l'échelle

---

49. Ce texte est, pour partie, une compilation des légendes qui accompagnent les photos de ce numéro spécial, qui est essentiellement iconographique.

de la sensation privée ; une volonté de déstabiliser le centre de l'équilibre humain qui se niche dans l'oreille interne, bref un « vertige de l'intime[50] ».

Nous allons donc nous heurter à une difficulté majeure : donner un sens général et une signification généralisable à « quelque chose » qui relève de l'autoréférence. Une difficulté bien mise en évidence par Kerouac lorsqu'il cherche à faire expliquer par le personnage principal de son roman la signification de ce qu'il nomme le « it ». Cette expression[51], qu'il a construite de toute pièce, est extrêmement proche de la notion de glisse. Elle veut signifier une émotion, mais une émotion mâtinée de « libre émerveillement », de « libre arbitre », de « libre figuration », de « libre interprétation ». Bref, une « sensation nouvelle » profondément personnelle, libérée de toute contrainte et que nous appellerions aujourd'hui l'« éclate » ou le « pied ». Autrement dit, il s'agit là de la perception voluptueuse, toujours quelque peu vertigineuse et hallucinatoire, d'une réalité particulière vécue intimement et qu'il s'agirait de mettre en formes, sinon en mots. Kerouac tente d'expliquer le *it* de la façon suivante : « Eh bien, mon pote, cet alto-saxo de la nuit dernière avait le *it*, dès que ça a mordu, il l'a tenu bon[52]. Je voulais savoir ce qu'était le *it*. "Allons bon - Dean[53] rigola -, voilà que tu m'interroges maintenant sur des choses impondé-ra-bles, hum. Voilà un gars[54] et tout le monde autour, hein ? C'est à lui de mettre en forme ce qui est dans la tête de chacun. Il attaque le premier chorus puis il déroule ses idées, bonnes gens, bien sûr, bien sûr, mais tâchez de saisir, et alors il se hausse jusqu'à son destin et c'est à ce niveau qu'il doit souffler. Tout à coup, quelque part au milieu du chorus, il ferre le *it* ; tout le monde sursaute et comprend ; on écoute : il le repique et s'en empare. Le temps s'arrête. Il remplit le vide de l'espace avec la substance de nos vies, avec des confessions jaillies de son ventre tendu. [...] Il faut qu'il souffle à travers les clés, allant et revenant, explorant

---

50. Cette expression est de G. Vigarello, « Les vertiges de l'intime », in *Esprit*, « Le corps... entre illusion et savoir », février 1982, p. 68-78.
51. Que l'on traduirait banalement par « la chose ».
52. En surf, on dirait : « Dès qu'il a pris la vague, il l'a tenue bon ; il l'a surfée jusqu'à mourir ! » En parapente, cela donnerait : « Il y avait du "gaz" ; dès qu'il a piqué l'ascendante, il ne l'a plus lâchée, il est monté au ciel. »
53. Dean est le héros du roman.
54. Le joueur de saxo-alto.

de toute son âme avec tant d'infinie sensibilité la mélodie du moment que chacun sait que ce n'est pas la mélodie qui compte mais le *it* en question…'' Dean ne pouvait pas continuer ; il suait en faisant ce discours[55]. »

L'opération est donc délicate, qui consiste à définir le *it*. Il s'agit de se situer sur un registre explicatif inhabituel ; un registre quelque peu irrationnel car totalement sensitif : « Il n'y avait rien de clair dans ce qu'il disait mais ce qu'il cherchait à exprimer était d'une façon ou d'une autre pur et limpide[56]. »

Étonnamment, en 1992 le *it* de Kerouac s'inscrit pleinement dans l'actualité sportive. Il prend la forme détournée d'une publicité. *Just do it*[57], proclame ainsi la firme Nike[58] dans une formule qui devient très surprenante lorsque l'on en recherche l'origine. La référence n'est certes pas directe. Elle est pourtant réelle. À l'évidence, cette publicité emprunte les voies de la contre-culture américaine. L'expression *Do it* est à elle seule une véritable allégorie de la libre expression des sentiments et des sensations individuels. En langage alternatif elle signifie « fais ce que tu veux, quand tu veux, où tu veux ». Reste qu'elle est surtout connue pour être le titre d'un ouvrage de Jerry Rubin[59], le leader américain du mouvement hippie qui, à travers son livre *Do it*, et, depuis, métaphoriquement à travers cette expression, en appelait *simplement* à faire la révolution[60].

En 1993, dans le monde de la glisse, il s'agit clairement de faire *sa propre* révolution, comme l'explique Nike par la bouche de l'athlète ukrainien Serguei Boubka[61] : « Nous avons trop souvent peur. Peur de ne pas être capables. Peur du jugement des autres. Nous laissons nos peurs entraver nos espoirs, et nous disons

---

55. J. Kerouac, *op. cit.*, p. 292.

56. *Ibid.*, p. 172.

57. C'est-à-dire « tu n'as qu'à le faire » ou « ose-le » au sens de « pourquoi pas toi aussi ? » ou encore « hausse-toi jusqu'à ton destin ».

58. Nike est le leader mondial de la chaussure de sport en 1994.

59. J. Rubin, *Do it*, trad. française, Paris, Seuil, 1971.

60. *Le Nouvel Observateur* estime : « *Do it* fut le titre d'un best-seller de Jerry Rubin, pape des hippies américains. *Do it*, c'était : ''Fais ce qu'il te plaît *illico*, la révolution, l'amour, le vol, sans attendre le grand soir.'' En 1989, Nike récupère ce mot de désordre, *Just do it*, pour faire pièce à Adidas, son ennemi héréditaire. Nike contre Adidas, c'est comme Pepsi contre Coca, la querelle du moderne et de l'ancien. » *Le Nouvel Observateur*, 21 mars 1991, p. 140.

61. À de multiples reprises recordman du monde du saut à la perche.

non, quand nous voulons dire oui. Nous restons silencieux quand nous voulons crier, et hurlons avec les autres quand nous devons nous taire. Pourquoi ? Après tout on ne fait qu'un tour et il n'y a pas de temps pour la peur. Alors arrête. Fais comme moi. Tente quelque chose que tu n'as jamais osé. Cours sur les chemins de la liberté. Sois cross-training corps et âme. Inscris-toi à un triathlon. Escalade les Grandes Jorasses. Saute toujours plus haut, toujours plus loin. Fais-toi l'Ukraine en mountain bike. Dresse-toi contre les injustices. Exige une augmentation. Balance ta télé. Dépose un brevet. Appelle-la. Tu n'as rien à perdre, et tout, tout, tout, tout à gagner[62]. »

Il est clair que Nike se montre très habile dans sa communication. Cette firme américaine posséderait même « une maîtrise extraordinaire de l'arme marketing », selon le magazine *Capital*[63]. Plus qu'une autre, cette marque a su comprendre ce nouveau code de relation sportive que l'on appelle aujourd'hui la glisse. Comment expliquer autrement cet autre slogan, *« There is no finish line »* (Il n'y a pas de ligne d'arrivée), destiné à positionner et à identifier du matériel... de sport. Dès lors, on ne s'étonnera guère que l'« hymne » de Nike soit le titre des Beatles *Revolution*.

Au cours de l'été 1994, Nike atteignit un sommet dans la provocation en matière de publicité sportive. Entièrement orchestrée autour de la personnalité d'Éric Cantona, la campagne de publicité de la firme américaine rapporta des propos du joueur tellement scandaleux que le Broadcasting Advertising Clearance Center (organisme britannique de contrôle de la publicité télévisée) jugea nécessaire de les interdire d'antenne. Dans le spot, Cantona - figure patibulaire, pas rasé, « glauque » en un mot - affirme : « J'ai été sanctionné pour avoir frappé un gardien de but, pour avoir craché sur un supporter, pour avoir jeté mon maillot sur un arbitre, pour avoir traité mon entraîneur de sac à m... [ce dernier mot était coupé par un coup de sifflet] puis j'ai traité de bande d'idiots le jury qui m'a sanctionné. Je pensais que j'aurais du mal à trouver un sponsor. » Immédiatement après cette diatribe provocante, le logo de Nike apparaissait sur l'écran. Jugé inadmissible par l'ITC britannique (l'équivalent du CSA français) cette campagne de publi-

---

62. Publicité pour la firme Nike parue dans de nombreux magazines. Par exemple, *L'Événement du jeudi* du 29 octobre 1992, p. 96.
63. « Nike, le triomphe du marketing », in *Capital* n° 10, juillet 1992, p. 22-25.

cité télévisée ne fut diffusée qu'une seule fois en Angleterre par la chaîne Channel Four. Elle fut relayée par une campagne d'affichage qui fit dire à *L'Équipe Magazine* : « Au rayon provoc Nike n'y va pas avec le dos de la cuillère. Sur des affiches que l'on peut voir dans toute l'Angleterre, Canto cultive un peu plus son mythe : ''1966 fut une grande année pour l'Angleterre. C'est l'année où je suis né.'' (*L'Équipe*, 10 septembre 1994, p. 42).

Encore une fois on ne peut qu'être surpris de constater que la démarche de communication d'un fabricant d'articles de sport emprunte ses thèmes à la contestation sociale. En réalité l'explication est simple. Elle repose sur une volonté de positionnement alternatif parfaitement explicite. Ce faisant, il s'agissait, en effet, de placer Nike sur un registre identitaire de nature quelque peu « contre-culturelle » très différent de celui d'un rival particulièrement dangereux, Adidas.

L'erreur de positionnement d'Adidas au cours des années « fun »

En 1991, la firme Adidas fut présentée comme le défenseur des valeurs sportives « authentiques » par l'agence Young & Rubicam, son conseil en communication. C'est-à-dire, si l'on traduit bien, des valeurs traditionnelles, historiques, donc réglementaires et issues du monde sportif organisé et compétitif. Adidas s'affirma ainsi comme le « porte-parole de ceux qui ont du sport une vision plus authentique ». Face à cette campagne, une stratégie marketing efficace commandait un positionnement clairement distinct. Conseillé par l'agence Wieden & Kennedy, Nike exploita donc *naturellement* le registre alternatif[64]. Partant, la firme entreprit de réactualiser partiellement une notion beat tombée en désuétude[65] mais qui

---

64. Notamment en laissant des artistes de dix nationalités différentes imaginer et produire (en réalité « déraisonner », au sens de raisonner à l'envers, si l'on fait référence aux « trois bandes » strictes et géométriques de son concurrent) dix fresques nettement délirantes autour du nombre 180, nombre et nom se voulant symbolique d'un nouveau modèle de chaussure.
65. Notons que Nike ne fut pas la première entreprise à exploiter le thème du *it*. En 1988, la firme Coca-Cola s'en était déjà emparé pour présenter une campagne publicitaire reposant sur la mise en images d'un certain nombre de sports de glisse et qui affirmait : « *Coca-Cola is it.* »

fut exploitée en son temps par l'un des principaux leaders de la contestation américaine pour promouvoir la révolution et, surtout, façonnée par Kerouac pour expliquer l'extase et le vertige. C'est-à-dire, en réalité, deux types de comportements que l'organisation sociale, en général, et l'organisation sportive, en particulier, ne tolèrent que très marginalement tant ils sont pourvoyeurs de désordre.

Nous observerons, une fois de plus, qu'il s'agit là d'une stratégie parfaitement inusitée dans un monde sportif empreint de traditions et de respect de l'ordre établi. Par contre, elle correspond bien à la volonté de marginalisation qui imprime ouvertement les comportements *fun* et que devait bientôt reprendre le principal concurrent de Nike, la firme Reebok qui en appela à « casser les règles » en lançant sa fameuse injonction : *Break the rules*. Au-delà, il convient de noter que le slogan *Just do it*, s'il peut signifier strictement la même chose (la « révolution » personnelle), est parfaitement adapté à l'image de Nike. On se souvient, en effet, que cette entreprise s'était déjà distinguée en 1984 avec une campagne d'affichage remarquablement réalisée. L'affiche choisie par Nike pour marquer son identité montrait l'arrivée du marathon d'Atlanta (en 1978) sous un angle des plus singuliers, que certains jugèrent nettement provoquant. Dans un brouillard humide, bien fait pour dégager un climat sulfureux, on distinguait des hommes abattus, étendus à même le macadam, hagards, souffrants, suppliciés. Atmosphère surréaliste[66] très éloignée des standards édulcorés habituels qui rendent compte des lignes d'arrivée sportives et qui n'expriment guère que l'« essentiel » du sport prôné par Adidas : la victoire.

Aujourd'hui, il est de plus en plus certain que l'« essentiel » n'est plus là. Comme l'expliqua le magazine *L'Expansion* en 1993, si Adidas est à vendre il semble bien que les repreneurs « auront à gérer un problème de positionnement[67] ». À l'évidence, ce sera là une entreprise délicate[68] pour une firme qui a construit l'en-

---

66. Due à une remarquable photographie de C. Rogers.
67. *L'Expansion*, 17 décembre 1992-6 janvier 1993, p. 18.
68. Une entreprise délicate mais qui est en passe de réussir en 1995. À la suite d'un *revirement stratégique*, le budget de publicité d'Adidas a quintuplé en 1994 (350 millions de francs). Résultat : les ventes d'Adidas en France ont augmenté de 5 % en 1994, à 1,35 milliard de francs. Dans le même temps, le chiffre d'affaire français de Nike a chuté de 35 %, à 1 milliard de francs et celui de Reebok de 15 %, à 800 millions. *Le Nouvel Économiste*, 13 janvier 1995, p. 5.

semble de son identité (ou de son image) sur le respect de la règle et de l'éthique olympiques. Cela d'autant plus que la perception de la marque se brouille nettement depuis qu'elle n'hésite pas à promouvoir le streetball (le basket de rue ou encore les *playgrounds*) en affirmant qu'il ne faut *plus* d'arbitre, *plus* d'entraîneur... Expliquant la génération quasi spontanée des *playgrounds* en France, le magazine *Mondial Basket* rejoint en effet parfaitement la philosophie du *Do it* de Rubin lorsqu'il souligne : « Ce phénomène a vraiment apporté un état d'esprit nouveau au basket : ''Joue où tu veux, quand tu veux, et avec qui tu veux''. [...] 1993 sera sans doute l'année de tous les bonheurs[69]. »

De la Route à la glisse

Dans son livre, Yves Bessas, le créateur de la notion de glisse[70], s'interroge : « Aujourd'hui, plus de 15 millions de Français pratiquent des sports de glisse. [...] Comment interpréter l'explosion de ce phénomène[71] ? » La question est pertinente. À la condition, toutefois, de la poser, non en termes d'investissement corporel dans des techniques de loisirs sportifs qui seraient simplement novatrices[72], mais en termes de culture inédite dans le monde du sport. Ce que fait Bessas lorsqu'il estime : « Le succès foudroyant des sports de glisse masque encore un secret : celui d'un nouvel art de vivre[73]. »

La définition de la glisse que donne le créateur du concept lui-même montre, encore une fois, la difficulté de le définir précisément. Pour ce faire, Bessas a recours à une formulation quasi

---

69. *Mondial Basket*, décembre 1992, p. 41. On ne peut s'empêcher de noter également que l'on retrouve là le principe fondateur de l'abbaye de Thélème cher à Rabelais (dans le 1er livre de Gargantua). Dans ce couvent iconoclaste, la règle fondatrice « *Fay ce que vouldras* » prend le contre-pied de l'ascétisme monastique habituel.

70. Y. Bessas est également l'organisateur des fameuses « Nuits de la glisse » qui chaque année, à travers la France, proposent des spectacles cinématographiques hauts en couleur et en musique qui se transforment souvent en véritable *happenings* autour des thèmes du vertige, du rock, de la « défonce », du risque, en surf, planche, parapente, skate, etc.

71. Y. Bessas, *op. cit.*, p. 7.

72. C'est-à-dire reposant sur des techniques ou technologies sportives ayant vu le jour au cours des vingt dernières années.

73. Y. Bessas, *op. cit.*, p. 7.

métaphysique parfaitement incongrue dans le monde du sport. Une formulation qui montre que nous sommes bien dans un autre registre que celui de l'habituelle définition du sport relative aux rapports au corps, à l'adversaire, aux règles, aux objets techniques ou à l'environnement. Pour Bessas, « la glisse est la clef de l'énergie. Elle est la danse avec les quatre éléments. En captant les forces marines, éoliennes, telluriques et solaires, nous nous métamorphosons dans un état de transe qui est celui de la communion avec le grand Tout. Toute glisse est un passage du fini à l'infini, du physique au métaphysique. Sur nos planches de surf, nos skis, nos planches à voile, nos ailes volantes, nous ne sommes pas loin de cette tentation d'absolu qui habitait Icare se rapprochant du soleil[74]. »

La glisse serait donc un « passage » du réel à l'irréel, une sorte d'envol de la plate réalité vers le rêve, une recherche plus ou moins *mystique* du plaisir, de l'extase et du « voyage » ; autrement dit, du vertige et de l'émotion hallucinatoire. Une quête qui reposerait sur des fondements oniriques et métaphoriques proches de ceux sur lesquels Kerouac conçoit la Route lorsqu'il affirme : « Quelque part sur le chemin je savais qu'il y aurait des filles, des visions, tout, quoi ; quelque part sur le chemin on me tendrait la perle rare[75]. » Mais, surtout, la glisse serait une volonté de mouvement vécu et perçu comme la fonction première de tout être humain. Un point de vue strictement identique à celui de Kerouac : « On était tous aux anges [...] on remplissait notre noble et unique fonction dans l'espace et dans le temps, j'entends le mouvement[76]. »

Si l'on admet cette hypothèse on ne sera guère surpris que le livre de Bessas et le roman de Kerouac soient proches sur un certain nombre de points. La glisse ne serait ainsi que le prolongement « moderne » de la Route. Dans cette perspective, la glisse devrait être comprise et interprétée par tous les acteurs du monde sportif comme une réalité soft de contestation sociale... ce qui lui donnerait une dimension proprement inattendue.

En réalité, la glisse ne serait qu'une sorte de tolérance ; une possibilité accordée par la société de vivre métaphoriquement le rejet de ses propres normes. Une réalité euphémique, relâchée, détendue, proposée aux marges de l'organisation sociale, là où le désor-

---

74. *Ibid.*, p. 8.
75. J. Kerouac, *op. cit.*, p. 25.
76. *Ibid.*, p. 189.

dre ne prête pas trop à conséquences. Un dispositif quasi imaginaire qui est aussi un marché, celui des sports de loisirs, lesquels
tolèrent fort provisoirement la vacance de la norme sociale[77].

Le « roman » de la glisse

« Le voyage initiatique », c'est ainsi que s'intitule la première
partie de l'ouvrage de Bessas. D'emblée le thème du voyage
s'impose chez l'auteur comme il s'impose chez Kerouac. Dans les
deux cas, la « Route » apparaît comme une formule métaphorique
voulant signifier la recherche forcenée d'une forme de pureté originelle qui ne peut être trouvée qu'en dehors des voies habituelles, traditionnelles, que trace la société. Chez les deux auteurs le
début de la Route commence de la même façon par une rencontre
avec des personnages hors du commun, figures emblématiques du
maître, qui orienteront définitivement la vie des personnages. Pour
Kerouac, c'est la rencontre avec Dean Moriarty, un homme réellement extraordinaire, qui déclenche chez le narrateur Sal Paradise
(qui n'est autre que Kerouac lui-même) la motivation du départ :
« Avec l'arrivée de Dean Moriarty commença un chapitre de ma
vie qu'on pourrait baptiser ma vie sur la route[78]. » Pour Bessas,
c'est une rencontre avec des surfers *venus du futur* qui motivera
sa décision de tout quitter pour suivre le chemin qu'ils ont tracé :
« On les appelle les Californiens [...] ; émerveillé je les observe tracer
leurs arabesques sauvages sur la mer déchaînée. [...] Quelque chose
se déchire en moi [...] cette rencontre vient de sceller mon destin
de surfer[79]. »

Dean Moriarty et les Californiens sont des individus anormaux.
Ils sortent des standards habituels tant sur le plan physique que psychologique. Ils se présentent comme des prototypes humains, « on les
dirait nés du prochain millénaire », affirme Bessas[80], une qualité
propre à engendrer une séduction totale pour un nouvel ordre, une
nouvelle façon de vivre, fût-elle marginale. Avec cette anormalité, c'est
une autre vision de la vie qui se profile, un processus de muta-

77. Le fameux « Si j'veux ! » du Club Med.
78. J. Kerouac, *op. cit.*, p. 15.
79. Y. Bessas, *op. cit.*, p. 13.
80. *Ibid.*, p. 13.

tion qui se dessine, dévalorisant nettement tous les repères antérieurs. Redéfinition des comportements, réinvention des modèles,
ébauche de nouvelles attitudes, séduction de certaines valeurs
conformes, semble-t-il, aux aspirations individuelles, c'est toute une
vie qui bascule vers de nouveaux paradigmes. Bessas n'hésite guère :
« Je sais déjà que je ferai partie de leur nombre[81]. » Quant à
Kerouac, alias Sal Paradise, son admiration pour Dean est totale :
« On le suivait comme des moutons[82]. »

Dans les deux livres, le récit se déroule de manière chronologi-
que, sans retour en arrière, comme s'il s'agissait d'oublier un mauvais souvenir : celui d'un code de comportements rejeté à tout
jamais. Ce qui étonne, c'est le caractère volontairement initiatique
de la démarche des deux auteurs. Partant, ils se veulent clairement
pédagogues. Ils cherchent à convaincre, à éduquer le lecteur à une
vie « autre », en marge des valeurs « bourgeoises ». Leur ambition
est l'effacement de l'ordre du *square*, du « col blanc », de la société
industrielle et la création, plus exactement l'invention, d'une sorte
de corrélat naturel entre l'homme et son environnement. Ce qui
surprend bien plus encore c'est que le lieu privilégié, le site favo-
rable à cette invention, cette terre vierge où tout serait encore possible, semble bien être, dans les deux cas, le Mexique.

- Kerouac : « Mexico au crépuscule ! On y était arrivés, dix-neuf
cents miles au total, depuis l'après-midi dans les jardins de Denver jusqu'à ces vastes et bibliques régions du monde et maintenant nous allions atteindre le bout de la route[83]. »

- Bessas : « Nous voulons rencontrer le Mexique. [...] À peine
arrivé je suis ensorcelé. Je me dis que je ne vais pas continuer plus
loin le voyage[84]. »

Reste que c'est moins le caractère idyllique du Mexique que la
nature mystique de cette terre qui bouleverse les personnages. Contemplation inspirée pour Kerouac : « Mon pote, mon pote [...], vois
le monde doré d'où Jésus est sorti, tu peux dire que tu le vois
de tes propres yeux[85]. » ; exaltation quasi religieuse pour Bessas :
« Comment vous dire la fin de cette célébration divine avec l'élé-

---

81. *Ibid.*
82. J. Kerouac, *op. cit.*, p. 163.
83. *Ibid.*, p. 423.
84. Y. Bessas, *op. cit.*, p. 34, 37.
85. J. Kerouac, *op. cit.*, p. 422.

ment[86] ? » Comme si la quête de la pureté originelle était irréductible à toute représentation simplement terrestre. Comme si, surtout, les deux auteurs ne pouvaient que constater l'impossible *aggiornamento* des valeurs primitives qu'ils cherchent à promouvoir. N'est-il pas étonnant, en effet, que tous deux fassent immédiatement suivre la description de cette nature sauvage par la narration apocalyptique de la redécouverte du monde urbain[87] ? Il s'agirait donc de marquer une distinction voulue définitive. La description des ravages de la société sur le potentiel humain est bien faite pour évoquer comme une forme de terreur : « Comme si une peste rongeait le cerveau, la pensée, la vie des gens[88]. » L'organisation sociale ne serait donc qu'un leurre : « Des Indiens [...] tendaient la main. Ils étaient descendus du plus haut des montagnes pour mendier quelque chose qu'ils croyaient obtenir de la civilisation et n'imaginaient pas la tristesse ni la pauvre et sinistre illustration de cet espoir[89]. »

On comprend mieux l'ardeur prosélytique des personnages des deux ouvrages. La Route et la glisse seraient ainsi nées d'un même constat : la prise de distance avec nombre de paramètres sociaux traditionnels est obligatoire et relève d'une indispensable réflexion sur la nature profonde de l'homme. Plus qu'une réaction idéologique, plus qu'une transformation des attitudes face à ce qu'il faut considérer comme le danger industriel, c'est une revendication nettement individualiste qui se fait jour ici. La nature privée des émotions est la caractéristique première des dispositifs mis en œuvre. Les sensations sont « travaillées » à l'aune de l'intimité la plus profonde. « Je cherche ainsi à mettre en éveil chaque cellule de mon organisme et les forces qu'elle recèle, afin d'en contrôler l'énergie, puis de la concentrer pour mieux projeter mon corps dans l'espace[90]. »

---

86. Y. Bessas, *op. cit.*, p. 38.
87. J. Kerouac, *op. cit.*, p. 423 et Y. Bessas, *op. cit.*, p. 40.
88. Y. Bessas, *op. cit.*, p. 40.
89. J. Kerouac, *op. cit.*, p. 422. Il faut noter qu'aujourd'hui le combat contre les ravages de la société industrielle est au cœur des préoccupations d'un nombre toujours plus grand de surfers. Dans un article intitulé « Salade toxique en Atlantique », Hugo Verlomme explique : « Vous êtes-vous déjà baladés du côté de Bilbao, dans cet enfer industriel digne du tiers monde ? Toutes ces usines toxiques [sont] implantées au bord de la mer. [...] Il faut bien le dire : même dans une mer polluée, il y aura toujours des vagues pour surfer... Bien sûr. Mais qui a envie de faire l'amour à un cadavre ? » *Surf Saga* n° 1, printemps 1993, p. 10.
90. Y. Bessas, *op. cit.*, p. 86.

Cette recherche est véritablement forcenée. Elle débouche sur une fascination : celle de la mise en jeu de réactions viscérales qu'il s'agirait de promouvoir par tous moyens appropriés. Même - surtout ! - si ces moyens sortent des normes reconnues et admises. La règle est simple. Il faut ni plus, ni moins, « remplir le vide de l'espace avec la substance de nos vies[91] ».

La nécessité première consiste à instaurer une distance avec l'espace-temps quotidien. D'où cette notion de « voyage », de *trip* ou de *run* qui permet le « passage » du réel vers un état inhabituel qu'il convient de débusquer aux marges de la société mais aussi aux extrêmes limites des possibilités physiques et psychologiques de l'homme. Bessas rencontre cette situation d'exaltation dans le « tube », c'est-à-dire dans cette sorte de canal permettant comme une traversée vers l'imaginaire et que la vague produit lorsqu'elle « referme ». « Je me trouve enfermé dans un tunnel d'eau transparente [...] la notion de temps disparaît. Comme dans un voyage astral mon corps fait un avec la volonté d'être projeté vers la lumière. Plus de peur, juste une sensation orgasmique d'une violence inouïe[92]. » Le *it* de Kerouac est la « sensation orgasmique » de Bessas. La recherche est identique. Elle relève de la même fuite devant un quotidien lugubre, un temps trop maîtrisé, un espace quadrillé. Ce moment est éphémère, privilégié, délicat à prévoir. Il relève de l'impression et d'une perception quelque peu « existentielle » de son corps en mouvement dans l'espace, comme cherche bien à l'expliquer l'un des personnages féminins du livre de Bessas : « Ce qui est bizarre aujourd'hui, c'est l'absence de parasites : aucun heurt, je me sentais bercée par la vague. [...] Un moment, à la troisième vague, j'ai eu un orgasme [...], un voile s'est déchiré en moi, comme une formidable ouverture vers l'univers. Tout me semblait possible, j'ai cru que je m'envolais[93]. » Moment précieux, hors du temps, impression fugitive, quasi surréaliste[94], dont les personnages des deux ouvrages cherchent à

---

91. J. Kerouac, *op. cit.*, p. 293.
92. Y. Bessas, *op. cit.*, p. 48-49.
93. *Ibid.*, p. 98-99.
94. Dans un superbe magazine intitulé *Surf Saga*, dont le premier numéro est paru au printemps 1993, Alexandre Hurel estime : « Surfer, glisser le long d'une vague, c'est un rêve... Mais un rêve réalisé. Le temps que dure la vague, le surfer évolue dans un ailleurs polychromique, presque irréel, parfois parfait. L'inimaginable est dans la vie. Le surf est un sport surréaliste. » (p. 3).

conserver l'empreinte pour la perpétuer à l'infini et atteindre ce que Kerouac, rejoignant la théorie existentialiste, appelle « la pure volupté d'être[95] ».

Il apparaît clairement, dans les deux cas, que le meilleur moyen de se sentir exister consiste à « se risquer[96] ».

Le risque (et la peur qu'il engendre) est vécu par Bessas en surfant les vagues « radicales » qui se fracassent sur de dangereux fonds de coraux : « Je sais qu'aujourd'hui le moindre moment d'inattention, le manque de contrôle du plus petit geste, seront lourdement sanctionnés[97]. » Curieusement, aucune raison particulière ne préside à cette prise de risque. Elle est gratuite, n'étant guère qu'un *challenge*, c'est-à-dire, à la fois, un défi, une provocation et une forme de contestation[98]. « J'avoue que le challenge est une drogue. [...] Nulle logique à cela : juste une décharge d'adrénaline produite par la peur[99]. » Pour Kerouac, le risque est sur la route. « [Dean] n'avait pas ralenti l'allure. [...] Il fonçait en avant et doublait les voitures par demi-douzaines. [...] Il prenait de plus gros risques que jamais [...] il se précipita dans une situation presque inextricable[100]... » Comme pour Bessas, la prise de risques, ici, est à la fois maximale et entièrement gratuite. Elle ne présente aucun contenu qui pourrait être qualifié de raisonnable à quelque niveau que ce fût. Elle ne fait montre d'aucune parcelle du bon sens commun qui trace les limites de l'exploit sportif : « On avait fait Denver à Chicago [...] en dix-sept heures [...]. Ce qui est une sorte de record loufoque[101]. »

95. J. Kerouac, *op. cit.*, p. 277.

96. Cette notion de risque « sauvage », loin de toute notion de confrontations organisées et réglementées par une quelconque institution, est au fondement de certains engouements sportifs contemporains, comme le souligne bien le magazine *Surf Session* : « Les pentes raides sont au snowboard ce que les gros swells (grosses vagues) du North Shore sont au surf. Mais ici plus encore qu'à Waimea (Hawaii), la chute n'est pas permise. Pas de chrono, pas de règles si ce n'est la plus essentielle, l'obligation de prise de conscience de la limite aiguë qui sépare le réalisme de l'inconscience. La frontière à ne pas franchir. Challenge non pas contre les autres mais contre soi-même, loin du brouhaha futile des compétitions. » *Surf Session* hors-série n° 18, décembre 1992, p. 26.

97. Y. Bessas, *op. cit.*, p. 121.

98. Du mot anglais *challenge* signifiant provocation, défi, contestation et du vieux français *chalenge* qui voulait dire contestation. Notons que de plus en plus les épreuves de planche à voile, de surf ou de skate utilisent une expression anglaise, pour s'intituler des *contests*.

99. Y. Bessas, *op. cit.*, p. 123.

100. J. Kerouac, *op. cit.*, p. 330-334.

101. *Ibid.*, p. 336.

On le constate, des points de rapprochement possibles entre le contenu des deux livres sont parfaitement envisageables. D'autres thèmes communs apparaissent manifestement : le rejet du travail considéré en tant que valeur sociale structurante, par exemple. « Dean fit la chose la plus ridicule de sa carrière [...] il prit un boulot[102]. » Quant aux surfers du livre de Bessas : « Ils se contentent de petits boulots simples [...] ou de métiers occasionnels. [...] Certains de ces petits jobs sont dérisoires[103]. » De la même façon, le couple et la famille ne relèvent pas de la moindre stabilité. La fidélité est conditionnée par la Route et par la glisse. Les personnages de Bessas comme ceux de Kerouac n'hésitent pas un instant lorsqu'un choix doit être fait. La volonté est évidente de « tout lâcher » selon la formule surréaliste d'André Breton, qui lançait : « Lâchez tout. Lâchez votre femme, lâchez votre maîtresse. [...] Semez vos enfants au coin d'un bois. Lâchez la proie pour l'ombre. Lâchez au besoin une vie aisée, ce qu'on vous donne pour une situation d'avenir. Partez sur les routes. » C'est exactement ce que fait Bessas dans son livre, suivant ainsi à la lettre, et à l'image de Kerouac, les préceptes du *Manifeste du surréalisme*.

Jusqu'à la religion qui, de manière inattendue, est clairement présente dans les deux cas. Dieu existe pour les « routards[104] » comme pour les « glisseurs ». Ces derniers n'hésitent pas à s'impliquer dans un cérémonial religieux à l'issue d'une journée de surf particulièrement réussie : « Cette journée a été fantastique, je voudrais dédier ce verre de lait à Vishnou pour la remercier de nous avoir fait un tel don[105]. »

Il reste que les deux livres divergent nettement sur un point : l'optimisme de Bessas s'oppose au pessimisme de Kerouac. Celui-ci affirme dans la dernière phrase de son roman : « Personne, personne ne sait ce qui va arriver à qui que ce soit, n'étaient les mornes misères de l'âge. » À l'inverse, l'auteur de *La Glisse* semble bien avoir trouvé le chemin du bien-être et de la jeunesse quasi éternelle avec cette dernière. Autrement dit, pour Bessas, les chemins de la félicité corporelle passent par la pratique du surf (sur la neige

---

102. *Ibid.*, p. 246.
103. Y. Bessas, *op. cit.*, p. 22.
104. J. Kerouac, *op. cit.*, p. 171 : « Je sais et tu sais que Dieu existe. »
105. Y. Bessas, *op. cit.*, p. 89.

et dans les vagues), du jeûne, du yoga, de la diététique et de l'alimentation végétarienne, autant de paramètres de ce « nouvel art de vivre » que représente la glisse. La Route a donc une fin, alors que la glisse participe d'un espoir qui cheminerait à l'infini vers une forme de « béatitude » (de *beat*-attitude !) corporelle et psychique. La différence est donc de taille, qui voit la Route se perdre dans « la nuit occidentale à la suite de ces mauvais garçons au cœur pur, enfants de la nuit bop, tricheurs d'Amérique et aussi d'ailleurs, hurlant leur peine et que Personne n'écoute là-haut[106] ». Alors que la glisse, selon Yves Bessas, participe pleinement de la culture occidentale des années 80 et permet à tout individu, « dans ce siècle voué à l'hédonisme, de rentrer dans la ronde universelle que sont en train de former hommes et femmes de tous pays dans leur passion commune pour le sport-plaisir[107] ».

Une proposition sportive alternative déconcertante

L'exploitation du thème de la Route ne va pas de soi dans le monde du sport contemporain. Il est clair, notamment, que la Beat Generation n'est pas une référence immédiate et permanente et Kerouac n'est pas un auteur charismatique et que l'on rencontre régulièrement dans les magazines *fun*. Un lecteur attentif, pourtant, ne manquera pas de noter certaines allusions très précises. Ainsi, par exemple, en octobre 1994 un nouveau magazine de « planche à neige » fut édité sous le titre *Snowbeat*. Loin de la simple technique surf, l'ambition de cette nouvelle revue consiste à permettre au lecteur d'accéder non pas à la culture du snowboard mais à la snow*beat* culture[108]. Par ailleurs, dans son numéro 105 (juin 1988, p. 63), *Montagne Magazine* illustra un reportage relatant une expédition dans le Hoggar par une phrase de Kerouac extraite de son roman *The Darma Bums*. Une phrase qui apparaît totalement surréaliste hors du contexte explicatif précédent : « Ô dents grinçantes de la terre, où tout cela nous conduira-t-il, sinon

---

106. M. Mohrt, préface de *Sur la route*, *op. cit.*
107. Y. Bessas, *op. cit.*, p. 154.
108. *Snowbeat* n° 1, octobre 1994, éditorial, p. 3.

à quelque douce éternité dorée qui nous révélera combien nous nous
sommes trompés et que cette révélation elle-même n'est rien. » De
même, dans son numéro 1 (novembre 1987, p. 14), la revue *VTT
Magazine* a cherché à mettre en évidence l'origine alternative de
ce que l'on appelait alors le mountain bike en faisant clairement
référence à Kerouac : « Est-ce vraiment un hasard si le mountain
bike apparaît sur la côte Ouest au milieu des années 70 ? Quand
San Francisco s'éveille, après les manifs étudiantes, les contestations,
les poings noirs levés dans le ciel de Mexico. L'Amérique de ces
années-là a soif de liberté. Elle crève dans les villes, elle veut fuir
vers un ailleurs. Reprendre la Route, celle de Kerouac. » La presse
généraliste, pour sa part, a bien perçu le lien qui existe entre la
glisse et la Route. *L'Express*, notamment, qui dans sa livraison du
22 juillet 1993 présenta « ces surfers bohémiens héritiers de Jack
Kerouac » (p. 13).

Certes, il s'agirait plutôt d'une suggestion, d'une proposition
quelque peu « impressionniste », non d'un retour en force de l'utopie de Mai 68 dans le monde du sport. La proposition sportive alternative se construit par touches, çà et là, au gré des magazines de
glisse. Reste qu'elle s'impose à l'analyse car elle donne une clé permettant de décoder certaines thèses particulièrement équivoques
mises en évidence par les « journalistes sportifs-alternatifs » des
années 90.

Au mois de juillet 1991, par exemple, sous la plume de Gibus
de Soultrait, le « magazine français du surf » - *Surf Session* - consacra un *feed-back* aux années 70 présentées en première de couverture sous le titre « On the road ». Autrement dit, en exploitant
strictement le titre du roman de Kerouac. Il ne fait pas de doute
que la nostalgie de la contre-culture et de Mai 68 domine ce numéro
qui reprend tous les thèmes contestataires de l'époque[109] : « Les
seventies, c'était un contexte général d'utopie, celle de changer la
vie [...] et le surf, comme la musique, baignait dans cette vie marginale. Le rêve du surfer était à bien des égards celui du parfait
routard de cette époque : partir. [...] Et, loin d'être isolée, une

---

109. En page 16 et 18, par exemple, l'iconographie est bien faite pour donner le ton, qui
présente, entre autres choses, le numéro 42 d'*Actuel* (mai 1974) qui titrait sur « L'auto-
route des freaks », une photo de R. Griffin, l'illustrateur des pochettes de disques du Grateful Dead, *Do it*, le livre de Jerry Rubin, le magazine *Volunteers*, etc.

telle démarche s'entendait collectivement, comme si toute une génération s'était passé le mot pour qu'elle se retrouvât sur la Route [...].
Plus que tout autre sport, le surf vécut cette période, cette utopie
de plein fouet. Il en fut même l'un des moteurs dans la Californie d'alors[110]. »

La volonté est donc manifeste : il s'agit de montrer sans ambiguïté l'origine alternative d'une discipline sportive qui rencontre
un succès qui va grandissant au début des années 90. Reste que
l'opération est délicate. Un tel positionnement se révèle en effet
difficile à adopter sur un marché de la presse sportive qui est loin
d'avoir atteint son équilibre. D'où ce recours à l'histoire, aux origines, autrement dit à cette forme de légitimité qui s'ancre dans
un discours fondateur. L'appel aux mythes créateurs de la contre-
culture sportive passe bien évidemment, à l'image du discours de
Kerouac, par « la remise en cause des fondements culturels de la
civilisation productiviste[111] ».

Plus surprenant encore : la recherche de la « réalité historique »
de la pratique du surf revêt une connotation à la fois spirituelle
et individuelle très similaire en dernière analyse à la quête du *it*.
Comme le relève *Surf Session*, pour les héros fondateurs de la
« culture surf » la question : « Qu'est-ce que le surf ? » ne possède
guère de réponse sauf à se référer à des notions divines : « Le surf
c'est une manière d'être humble devant Dieu. Plus vous êtes proche du curl, plus vous sentez l'amour en vous... De la même
manière, plus vous êtes proche du Seigneur, plus vous avez une
véritable expérience de l'amour... Et qu'est-ce que la pureté ? La
pureté c'est Jésus-Christ[112]. » D'aucuns considèrent que le windsurfing relèverait d'une démarche similaire. Les membres du Jesus Team
(une équipe de windsurfers qui ont apposé une croix géante sur
leur voile), par exemple, estiment que leur mission consiste à « trans-
mettre aux windsurfers les commandements divins. [...] Les windsurfers doivent chercher le bonheur dans la chrétienté[113]. » Ils
expliquent : « Nous windsurfons pour la gloire de Dieu. [...] Le
windsurf nous procure une joie profonde et, en pratiquant ce sport

---

110. *Surf Session* n° 49, juillet 1991, p. 7.
111. *Ibid.*, p. 46.
112. Selon John Severson, *ibid*.
113. *Wind Magazine* n° 157, août 1993, p. 74.

merveilleux, nous voulons afficher nos croyances. Les faire partager à ceux qui le désirent. Nous voulons, en quelque sorte, apporter l'Église sur la plage[114]. » Selon *Wind Magazine*, ces « holy surfers » (les surfers pieux) ont transformé le credo de Mai 68 : pour eux, c'est... « sous la plage, l'Église[115] ».

114. *Ibid.*
115. *Ibid.*

« Fun-run », marathon et carnaval

Aujourd'hui, plus de 2 millions de Français pratiquent la course à pied. En 1995, plus de 4 400 courses sur route seront organisées. Une commune française sur dix organise des épreuves de ce type. Ces événements relèvent plus de la fête carnavalesque que de la compétition. Or, la Fédération française d'athlétisme en est, dans la grande majorité des cas, tenue à l'écart. Ainsi, les autorités sportives ne sont même plus contestées ; elles sont ignorées par les adeptes du fun.

Cette approche par la contre-culture et les comportements alternatifs des transformations à l'œuvre dans le sport contemporain a fait l'objet d'analyses pertinentes depuis plusieurs années en France. Outre le livre d'Antoine Maurice déjà cité, je pense notamment aux travaux de Nancy Midol[1], à ceux de Gisèle Lacroix[2], au livre d'H. Verlomme et A. Hurel[3] et, plus récemment, à l'ouvrage collectif *Surf Atlantique, les territoires de l'éphémère*, dirigé par Jean-Pierre Augustin[4]. D'autre part, dans un numéro spécial de la revue *Esprit*, Christian Pociello, qui, nous l'avons vu, fut probablement le premier à traiter ce thème, devait le reprendre en partie dans un article mettant en évidence « un nouvel esprit d'aventure, de l'écologie douce à l'écologie dure[5] ». Dans certaines de ses analyses, Jacques Defrance est également rela-

1. N. Midol, « Motricité et culture *fun* », in *Actes du colloque Sport et changement social*, Bordeaux, Maison des sciences de l'homme d'Aquitaine, 1987.
2. G. Lacroix, « Le look *fun* et ses enjeux », in *Actes du colloque Géopolitique du sport*, université de Franche-Comté, 1991.
3. H. Verlomme, A. Hurel, *Fous de glisse*, Paris, Albin Michel, 1990.
4. Bordeaux, Maison des sciences de l'homme d'Aquitaine, 1994.
5. C. Pociello, « Le nouvel âge du sport », in *Esprit*, avril 1987, p. 95.

tivement proche de cette perspective[6]. De son côté, Georges Vigarello a, depuis quelques années déjà, montré l'influence de l'« école
californienne » sur l'éducation corporelle dans la seconde moitié du
XXᵉ siècle et, au-delà, sur les comportements « sportifs » contemporains[7].

On le constate, en France notamment, cette approche est largement investie par les chercheurs qui analysent l'évolution des pratiques et comportements sportifs en décodant la symbolique issue
des sports de glisse[8]. Reste qu'un élément nouveau, très significatif, se fait jour depuis quatre ou cinq ans : certains media *fun*
procèdent eux-mêmes à une véritable introspection dont l'objet n'est
autre que la mise en évidence d'une filiation nettement revendiquée entre la contre-culture et une majorité de comportements
« sportifs » d'aujourd'hui.

La génération 68

Tout se passe comme si, à l'évidence, la chose était acquise.
La revalorisation culturelle des comportements alternatifs d'hier serait
en cours dans un domaine qui - là est la nouveauté - les avait super-
bement ignorés il y a un quart de siècle.

Pour qui lit attentivement les magazines *fun*, il est incontestable que les signes se multiplent, qui illustrent ce propos. Nous
serions entrés dans une nouvelle périodicité sportive faite de « sports
anticrise » et qui plébisciterait des « nouveaux sports pour de nouveaux sportifs » que la Fédération française des industries du sport
et des loisirs (FIFAS) qualifie de sports « économes-écolos[9] ». Après
le règne des gagneurs, le sport entrerait ainsi dans un thème plus
« impressionniste », plus *cool*, une logique de la performance
« floue », toute en nuances et au sein de laquelle la recherche de

---

6. Voir, en particulier, J. Defrance, « Comment interpréter l'évolution des pratiques sportives », *ibid.*, p. 139.
7. G. Vigarello, *Le Corps redressé*, Paris, Delarge, 1981.
8. Il semble que la France est actuellement l'un des très rares pays à avoir investi ce champ
de recherches et à produire ce type d'analyses. Peut-être faut-il voir là une conséquence
de l'étonnante attirance des Français pour les sports de glisse. Dans ce domaine, le marché
français est, en effet, l'un des plus importants du monde et nos compatriotes cumulent
les victoires dans de très nombreuses disciplines issues du *fun*.
9. *L'Équipe Magazine* n° 607, 18 septembre 1993, p. 75.

sensations ou d'impressions plus ou moins vertigineuses primerait celle de la victoire, de la mesure, de la hiérarchie et de la règle. L'« éclate » deviendrait la principale préoccupation. De surcroît, dans la même foulée, l'« esprit sportif » ne se reconnaîtrait plus dans les abus du surentraînement, dans la détection de plus en plus précoce des talents et dans les scandales du dopage. L'argent, le professionnel, l'imprésario, le spectacle ayant définitivement asservi le message coubertinien, l'essentiel, dès lors, ne serait plus cette simple participation à une confrontation interindividuelle que promeut la société sportive depuis un siècle.

C'est très précisément là, à l'improbable articulation du plaisir recherché et des servitudes suggérées sinon imposées par l'institution sportive, qu'il convient de débusquer la cohérence de cette grande transformation que vit le sport aujourd'hui. C'est dans cette double évolution qu'il faut replacer ce « nouvel âge du sport » analysé par la revue *Esprit*. Au slogan « changer la vie » des années 70 se substituerait la formule « changer le sport », empreinte d'une nostalgie que personne ne semble réellement mesurer.

Dès lors, il est clair que dans les choix des stratégies de développement des fédérations sportives, des progrès restent à faire. En effet, peu de responsables réalisent l'importance du fait que cette génération éminemment sportive que forment les quadragénaires d'aujourd'hui cumule une double particularité : elle a « fait » Mai 68 et fut la première génération de l'histoire à bénéficier d'un enseignement réellement sportif - et compétitif - obligatoire tout au long de sa scolarité. Le développement exceptionnel des fédérations sportives entre 1960 et 1980 est entièrement dû à cette « génération 68 ». Ce n'est pas le moindre des paradoxes que de voir aujourd'hui les structures qu'elle a contribué à développer mises à mal par ses ex-propres idées.

Un sentiment domine : ce qui est disqualifié ici, ce sont moins les contraintes liées à la production de la performance que l'absence d'effets appréciables de la dépense d'énergie de celui qui n'est pas performant. C'est-à-dire de tous ceux qui ne sont pas vainqueurs. Le gagneur est un individu singulier. Le poids de la frustration des vaincus est à la mesure de leur nombre. Qu'ils cherchent à pallier cette frustration en inventant un *autre* rapport sportif, et c'est l'ensemble de l'édifice qui se trouvera fragilisé.

La mise à distance du quotidien

C'est bien ce qui semble se dessiner aujourd'hui dans un domaine en pleine expansion : les courses sur route. Il apparaît nettement que pour le coureur à pied le rôle du corps a changé. Il produisait du chiffre ; il devient pourvoyeur de rêve. Il produisait du symbole ; il fabrique de l'imaginaire. À l'évidence, l'observation du contenu de certaines revues montre comme un glissement des motivations des coureurs depuis une bonne quinzaine d'années.

Soit la revue *Grandes Courses* qui se voulait, en 1987, « le magazine de l'aventure et de la course à pied ». Dès le premier numéro, l'éditorial de cette revue fait état d'une approche originale de l'activité. « Le corps est une fabrique [de] rêves éveillés. Une formidable machine que le coureur à pied perfectionne, contrôle, entretient et développe[10]. » Contrairement aux fondements habituels du rapport sportif, ce « développement » et ce « perfectionnement » n'ont pas pour objet la domination d'un adversaire sur la base d'une mise en jeu de la « machine » corporelle. Ils ont d'autres objectifs : « Pas à pas, le coureur a amassé un capital d'endurance et de maîtrise que personne ne peut lui prendre ; [...] sa course devient à la fois finalité et instrument de découverte. De soi et des autres dans de nouveaux paysages[11]. » C'est un potentiel individuel qu'il s'agit de mesurer, non pas selon un barème extérieur (les tablettes de records et de classements), mais selon une échelle personnelle de douleurs, d'angoisse et de stress. La référence ici n'est pas l'« autre ». C'est l'autoréférence qui donne la mesure de la course. L'objectif est la connaissance de soi et de l'écosystème. La revue *Jogging international* l'affirme : « Celui qui court fréquemment donne chaque jour [...] un sens différent aux choses ; il s'offre des sensations particulières. [...] Il vit et lit le temps et l'espace d'une façon sans pareille ; [...] la course à pied, quelles que soient sa forme et son intensité, est un formidable outil de connaissance de soi, presque un moyen idéal d'introspection[12]. » Il s'agirait en d'autres termes de se « retrouver » sur la route, sur la piste africaine, dans le désert ou en montagne, voire de recouvrer le sens de sa vie et des raisons de l'aimer en utilisant pleinement

10. *Grandes Courses* n° 1, mai 1987, p. 4.
11. *Ibid.*
12. *Jogging international* n° 113, juillet-août 1993, p. 3.

ses potentialités. « Plus que par l'endurance physique [les coureurs] sont unis par un mode de pensée. La certitude de n'utiliser, au cours d'une vie normale, qu'une infime parcelle de toutes [leurs] facultés physiques[13]. » La course à pied ne serait pas autre chose qu'une « refondation » personnelle sur des bases physiques, physiologiques et psychologiques existant potentiellement mais ensevelies sous les scories de la vie quotidienne.

On ne peut manquer de noter la présence lancinante de la route dans les exploits relatés par le magazine *Grandes Courses*. Un peu comme si les coureurs cherchaient surtout à mettre à distance les habitudes acquises et les règles communes. Cette référence constante se perçoit dans la présence quasi permanente d'un sac sur leur dos[14]. Ce sac, c'est un symbole : celui de la liberté. Grâce à lui le coureur est autonome, plus exactement « autosuffisant ». Ces seuls « biens » terrestres - ces seuls « liens » terrestres ? - seraient sur son dos. C'est le cas, par exemple, de ces hommes qui participent à une course de 200 kilomètres en autosuffisance alimentaire à travers le Sahara marocain. Le terme de « course » étant à prendre ici avec beaucoup de précaution car le déraisonnable et l'irrationnel l'emportent sur le caractère sérieux et officiel des épreuves sportives classiques. Ainsi, ce coureur qui participe « avec un masque de carnaval et une perruque fluo » et qui s'est fait une spécialité de la course à reculons[15].

La symbolique du sac est également présente dans le cas de Djamel Bahli, qui a entrepris de boucler le tour du monde en courant. Pour lui, courir est un mode de déplacement : l'unique moyen de prendre la route. « Je cours pour voyager. Je cours à la recherche d'autres cultures, d'autres gens, d'autres mondes. Je cours car c'est mon seul moyen de transport[16]. » On ne s'étonnera guère que ce coureur envisage de passer par Katmandou car, même s'il s'en défend, la référence hippie est partie prenante de sa démarche : « Il trimbale son look de hippie sportif *[sic]*, de voyageur cassecou et d'ambassadeur pique-assiette aux quatre coins du monde, un Bob Dylan entre les oreilles[17]. »

---

13. *Ibid.*
14. Les couvertures des trois premiers numéros du magazine montrent un coureur équipé de cette manière.
15. *Grandes Courses* n° 1, p. 33.
16. *Grandes Courses* n° 2, p. 21.
17. *Ibid.*

Pour certains, l'aventure de la « course » est une vraie rupture avec un quotidien qui devient pesant à force d'être normal. Il s'agit, dès lors, de « tout lâcher », comme ce Français qui a décidé de parcourir la distance qui sépare Paris de Pékin : « Un soir, il vous prend aux tripes. Envie de tout quitter. Une nuit, il torture l'esprit. Désir d'autre chose. Un matin, il explose le cœur. Besoin d'un air nouveau. Il, l'appel du large, rêve d'ailleurs et d'autrement. [...] Quelques-uns y répondent. Ils quittent les balises de la raison. [...] Ils prennent la route[18]. »

De manière surprenante, ces comportements semblent faire florès au nom du droit imprescriptible de chacun d'accéder à la douleur sportive. L'époque est révolue, qui ne permettait qu'aux seuls « forçats de la route » d'atteindre cette dimension. De ce fait, les sujets relatés dans le magazine s'articulent majoritairement autour du thème de l'épreuve physique et de la « souffrance pour tous ». Faut-il ajouter que rien n'est négligé pour atteindre cet objectif : les distances parcourues sont toujours anormalement longues, les régions traversées particulièrement inhospitalières et, de ce fait, habitées par des êtres en situation de difficile « survivance ». Ce qui ne manque pas de poser un cas de conscience à certains : « La souffrance choisie des coureurs ne fait-elle pas injure à celle subie par ces gens[19] ? » Enfin, l'« autosuffisance » quasi obligatoire est gage de liberté mais non de légèreté.

On ne peut que s'étonner de la motivation qui anime ces coureurs. Prenez le marathon de l'Himalaya. Il faut une motivation à toute épreuve pour parcourir 170 kilomètres en cinq jours à près de 5 000 mètres d'altitude. De fait, « d'innombrables problèmes se posent aux coureurs. [...] Les étapes débutent vers 5 heures du matin dans la pénombre. [...] La fatigue est totale, [...] les nuits glaciales succèdent aux très chaudes journées. [...] L'altitude gonfle d'œdèmes les visages des concurrents qui se tuent à puiser dans un air raréfié l'oxygène nécessaire à leurs efforts[20] ».

Cette situation proprement anormale possède un corollaire inédit dans le domaine du sport. Pour les moins bons la relation aux leaders relève d'une mise à distance minimale, contrairement aux compétitions classiques. Comme le souligne cette participante qui

---

18. *Grandes Courses* n° 5, janvier 1988, p. 21.
19. *Ibid.*, p. 46.
20. *Grandes Courses* n° 3, septembre 1987, p. 79.

figure au bas du classemement du troisième supermarathon du Colorado couru en 1992 (160 kilomètres parcourus en cinq jours dans
des « contrées montagneuses et désertiques », selon la revue *Jogging international*) : « Le mérite de la course [...] c'est de nous
montrer que nos champions ne sont pas inaccessibles, qu'on peut
leur parler, qu'ils sont des gens comme nous[21]. » L'*intégration* des
moins performants - et non pas leur *exclusion* au bénéfice des meilleurs - est à la base de l'organisation de cette course qui est présentée comme une « véritable aventure humaine ». Il s'agit de faire
cohabiter « champions et coureurs au palmarès plus modeste, mais
aussi de rassembler des coureurs dans un décors hors du commun ;
[...] sur la ligne d'arrivée Paule et André [un couple de 54 et 56 ans
« classé » dernier] ont été aussi acclamés que le premier[22] ». Dès
lors, il est clair que l'inégalité devant le résultat ne mène pas à
des problèmes de préséance. Bien au contraire, les « seconds rôles »
sont nettement valorisés : « Tandis qu'insolents d'aisance les vainqueurs s'approchent, dans un autre lieu, dans un autre temps, les
plus faibles (ou les plus courageux) taillent au couteau dans leurs
réserves. Ils se transforment en somnambules pour oublier leur corps.
Ils naviguent entre l'inconscient et le cauchemar. Au réveil, ils fête-
ront la victoire sur leur propre faiblesse[23]. »

C'est le culte de l'exploit, mais un exploit à la portée de tous.
Dans une épreuve de très longue distance comme le supermarathon du Colorado « chacun vient avec son propre défi : gagner pour
certains, terminer pour d'autres, ou s'intégrer à un groupe pour
M.B., qui doit vivre depuis toujours avec un bras handicapé :
''J'aime me défier. Plus les épreuves sont dures, plus elles m'atti-
rent. Tant pis si je me ramasse une claque. Au bout du compte,
face à moi-même, je suis vainqueur. Dans une épreuve comme celle-
ci, ce que je cherche c'est avant tout m'intégrer aux autres, me
sentir comme eux, même si parfois c'est un peu plus dur pour
moi[24].'' » On le constate, il ne s'agit absolument pas d'un haut
fait sportif, c'est-à-dire d'une performance dont la référence s'inscrit dans une hétéronomie radicale. Il s'agit d'une prouesse fortement connotée d'individualisme et bien marquée par le caractère

---

21. *Jogging international* n° 106, décembre 1992, p. 84.
22. *Ibid.*
23. *Grandes Courses* n° 1, p. 35.
24. *Ibid.*

ordinaire, banal, du profil physique et psychologique des participants. Témoin celui-ci : « Seul dans le désert minéral qui le renvoie à lui-même, [...] il se revoit : un maigre jeune homme de
vingt-huit balais qui n'a jamais rien osé faire, même pas aller en
vacances ailleurs que chez ses vieux. Et puis voilà qu'il est là, un
aventurier du désert[25]. »

Comme le souligne bien *Jogging international*, courir dans le
désert revient à arrêter le temps et non pas à s'y mesurer. En 1993,
la motivation des coureurs du huitième Marathon des sables
(230 kilomètres dans le Sud marocain en six étapes et en autosuffisance alimentaire) est bien différente de celle qui anime les compétiteurs traditionnels. Ici, loin de toute chronométrie, la piste de sable
est « un lieu de nulle part où le temps perd agréablement de la
vitesse, mais où des hommes et des femmes viennent courir pour
y enfouir des souvenirs et y écrire leur propre histoire. L'instant d'un
marathon, ces coureurs plongent dans l'infini, ils vident leur trop-
plein de monde, ils se regardent puis se découvrent. Autrement[26] ».

Des épreuves sportives
d'un autre type

On l'aura compris, ces courses ne sont en rien une forme de
relégitimation des propriétés conventionnelles que l'on reconnaît aux
classements sportifs. Ce n'est pas le mérite issu de l'ordre sportif
qui est ici revendiqué ; ces coureurs ne sont d'ailleurs que très rarement licenciés dans le cadre des fédérations sportives. Pas davan-
tage la volonté de briller, de se montrer sous son meilleur jour ;
ce serait plutôt l'inverse qui se produit lorsque la douleur déforme
les corps. La valorisation contemporaine du gagneur ne trouve donc
aucune légitimité dans des épreuves qui transforment totalement
les modalités d'appréciation des prestations individuelles. Là est
l'innovation. Celles-ci ne sont plus référencées et classées sur la base
de l'évaluation du geste sportif, mesure classique de ce type
d'épreuve. L'aune ne correspond plus à l'appréciation d'un temps
devenu chiffres platement artificiels à force d'être désincarnés et net-

---

25. *Ibid.*, p. 33.
26. *Jogging international* n° 113, juillet-août 1993, p. 118-122.

toyés des scories de leur production. Elle devient progressivement la mesure du temps de la douleur. Il va de soi qu'il n'existe pas de table de cotation de la souffrance sportive, sauf, peut-être, à considérer sa durée. Dans ces conditions, si un classement devait malgré tout être établi, les hiérarchies sportives traditionnelles seraient renversées : *les derniers seraient les premiers.*

À l'évidence, un tel point de vue bouleverse le système des valeurs sportives historiques. Notamment l'attachement inconditionnel à la victoire sur autrui qui ne serait plus la marque de l'excellence dans certaines situations de course d'aujourd'hui. La question se pose donc de savoir si les épreuves de longue distance ne relèvent pas d'un nouveau système de références au sein duquel le résultat de la course n'aurait qu'une importance très relative. Pour certains la réponse ne fait aucun doute : la course en elle-même n'est plus un medium sportif. La signification de ce qu'elle produit est « ailleurs » et serait à rechercher dans la philosophie bouddhiste, qui affirmerait : « Use tes chaussures pendant des milliers de kilomètres pour découvrir que courir ou marcher est sans importance[27]. »

À l'évidence, également, ce point de vue est controversé. Certains estiment que courir revêt plus que jamais une importance *sui generis* : le classement officiel issu de la performance. Il reste que cette opinion est à assortir d'un certain nombre d'observations qui en modèrent le caractère immédiatement recevable.

Les années 80 ont vu le développement d'un étonnant phénomène : la multiplication des courses sur route. Si ce phénomène est étonnant c'est d'abord parce qu'il touche un nombre considérable d'individus : plus de 2 millions de Français courent, selon une enquête INSEE/*Jogging international* réalisée au cours de l'année 1990. C'est ensuite parce que plus de 3 500 courses sur route furent organisées en France en 1994[28]. Le phénomène étant essentiellement issu d'initiatives locales, cela revient à considérer que près d'une commune française sur dix s'est muée en organisateur de marathon, semi-marathon, ou course de plus ou moins longue distance.

---

27. *Grandes Courses* n° 2, p. 41.
28. En 1992, c'est la Bretagne qui a organisé le plus grand nombre de courses sur route, avec un total de 323 manifestations. Ce qui représente une moyenne annuelle de six courses hebdomadaires. À lui seul, le département du Morbihan a organisé 112 courses hors des stades lors de la saison 1992.

Le point peut-être le plus remarquable de ce qu'il faut bien considérer comme une véritable génération spontanée d'organisations sportives, c'est la manière dont sont annoncées ces courses. Aucun calendrier officiel ni programme fédéral exhaustif ne vient planifier la saison des coureurs. Par contre, des encarts publicitaires annonçant les courses apparaissent, çà et là, au hasard des magazines spécialisés. Une absence de coordination qui s'accompagne d'un manque de normalisation des épreuves ; chacun déterminant ses propres distances de course, catégories d'âge, récompenses, prix d'inscription. Chacun déterminant également, et cela est plus surprenant, ses propres règles de course. Ainsi, cet organisateur qui précise que les coureurs devront accomplir la distance « dans le respect des indications des services de police[29] ». La police en lieu et place de l'arbitre sur un « terrain » de sport, c'est là une situation pour le moins inattendue, qui laisse envisager que nous ne sommes pas dans un cadre sportif classique ; l'institution sportive étant habituellement plus jalouse de ses prérogatives en matière de détermination et d'application du « droit sportif ».

Ce qui surprend, également, c'est l'ouverture de ces courses à tous sans aucune distinction, contrairement aux traditionnelles catégories sportives. En 1987, par exemple, la course dite des « Quinze kilomètres de Montpellier » fut ouverte « aux juniors, seniors et vétérans, hommes et femmes, licenciés ou non licenciés, aux militaires et aux handicapés physiques[30] ». On ne saurait être plus exhaustif. Une telle ouverture pose de nombreux problèmes, notamment en termes de responsabilité civile. Certains organisateurs s'arrogent donc le droit d'interdire la participation des coureurs qui n'apparaîtraient pas « aptes » à leurs yeux. Ainsi, lors de cette course parisienne : « L'organisateur décline toute responsabilité en cas d'accident provoqué par une déficience physique ou psychique. Les concurrents en mauvaise condition apparente [sic] pourront être éliminés de l'épreuve par les organisateurs et responsables de la sécurité[31]. »

Force est d'admettre que ces *épreuves* ne sont pas de véritables compétitions sportives au sens traditionnel du terme. Elles relèvent d'une autre logique : une logique de fête quelque peu carnavalesque. À ce titre, le marathon du Médoc, organisé en Gironde, est

---

29. *Jogging international* n° 58, juillet 1988, p. 50.
30. *Jogging international* n° 46, juin 1987, p. 38.
31. *Jogging international* n° 58, juillet 1988, p. 50.

bien le « plus long du monde *[sic]* », selon la revue *VO²
Magazine*[32]. Une expression particulièrement ambiguë, qui cache
une réalité sportive étonnante : pour la revue *Jogging international*, ce marathon, qui est le deuxième marathon de France... est
un carnaval[33]. Il s'agit bien d'une fête dénuée de toute velléité de
classement et qui, comme telle, a vu le nombre de participants passer de 500 à plus de 6 000 entre les mois de septembre 1985 (date
de la première édition) et septembre 1994. Or, au cours de la manifestation du 18 septembre 1993, sur 6 200 participants, la moitié
étaient déguisés. « On croit rêver quand on voit arriver un groupe
de petits poussins, [...] puis une danseuse de french-cancan, une
autruche. Nous serions-nous trompés de jour et de manifestation ?
Il doit s'agir d'un carnaval. Pourtant non, nous sommes bien au
marathon du Médoc... Et tous ces déguisements sont ceux des concurrents rigolards de ce marathon qui n'incite pas vraiment à la
morosité[34]. » Comme le souligne parfaitement le grand maître de
la commanderie du Bontemps du Médoc et des Graves, coorgani-
sateur du marathon, loin d'être des concurrents les participants
seraient plutôt des « connivents[35] ».

Il faut bien comprendre que le qualificatif de « carnavalesque »
n'est en rien péjoratif. Il caractérise, au contraire, un remarquable
glissement des motivations « sportives » vers une absence recherchée
de toute normalisation. Un glissement qui est perçu et orchestré
par certaines collectivités territoriales[36] particulièrement sensibles
aux désirs des coureurs. « Venez vous éclatez une nouvelle fois en
province avec nous », proposaient ainsi, en 1988, les organisateurs
du 5ᵉ semi-marathon de Clain. D'ailleurs, loin des « championnats »
et autres « critériums » issus de la tradition sportive, certaines épreuves s'intitulent elles-mêmes des « corridas[37] ». De fait, nombreuses

---

32. *VO² Magazine* n° 29, octobre 1991, p. 66.
33. *Jogging international* n° 115, octobre 1993, p. 46-50. Le magazine explique en page
de couverture : « Médoc 1993, marathon-carnaval. Grimés, masqués, déguisés... 6 200 coureurs ont participé au plus extravagant marathon du monde. »
34. *VO² Magazine* n° 29, octobre 1991, p. 66.
35. Dans le programme du 9ᵉ marathon des châteaux du Médoc et des Graves, 18 septembre 1993, p. 3, le président du comité d'organisation explique : « [C'est la] fête dans tous
les sens : la vision, [...] l'olfaction, [...] la gustation, [...] l'audition, [...] le toucher... À
vos sens ! prêts ! partez ! »
36. Voire par des acteurs économiques très éloignés du monde du sport. Les magasins Auchan,
par exemple, qui proposaient le 1ᵉʳ mai 1993 la 10ᵉ Hyperfoulée Auchan à Boissénart.
37. Ou des « farandoles », comme à Nanterre le 6 juin 1993.

furent les municipalités qui, au cours des années *fun*, utilisèrent ce terme. À Houilles et à Saint-Maur, dans la banlieue parisienne, mais également à Bagneux qui proposa une « corrida des vendanges » le 18 septembre 1988, à La Baule avec la « corrida de la Côte d'Amour », à Nantes, à Vannes, à Anzain ou bien encore à Heillecourt...

Les organisateurs de la corrida de Houilles ne s'en cachent pas : ce qu'ils proposent est une fête. « Il s'agit d'un véritable spectacle [...] réparti entre des activités artistiques (orchestres, danseurs, défilés) et les coureurs[38]. »

Ce terme de « corrida », pour le moins inhabituel dans le monde du sport, est emprunté à une course brésilienne, la « corrida de São Paulo », qui est un grand rassemblement festif des habitants de la ville invités à parcourir les rues durant la nuit de la Saint-Sylvestre. C'est aujourd'hui une épreuve internationale, mais qui a conservé un réel caractère carnavalesque.

Non-sens sportif, vide réglementaire, désordre, éradication brutale des traditions, recherche d'émotions qui ne seraient pas liées à la stricte performance, il ne fait aucun doute que ces courses sont différentes, qui permettent de courir « derrière [ses] rêves d'enfant[39] ». Personne ne s'y trompe. « L'autre course », c'est ainsi que le Paris-Versailles est présenté par les organisateurs eux-mêmes. « Autre », cette épreuve l'est assurément « parce que l'on peut marcher ou courir, parce qu'elle est à la fois internationale et familiale [*sic*], parce qu'il s'agit d'une épreuve de masse [...] assurant [...] plaisir immédiat de courir à son rythme [...], parce que chaque participant reçoit une médaille et un diplôme personnalisé[40] ». Mais, surtout, ces courses sont « autres », c'est-à-dire à distinguer des compétitions sportives habituelles, si l'on considère que nombreux sont les organisateurs qui attribuent les prix non pas en fonction des résultats mais par tirage au sort, comme lors du marathon de la vallée de l'Eure, par exemple. Il est d'ailleurs significatif que les responsables de cette épreuve offrent une médaille à chacun des participants, à l'image de la majorité des épreuves sur route. Coutume unique dans un monde sportif où l'attribution de *la* médaille est rituellement liée à la qualité de la performance.

---

38. *Jogging international* n° 42, février 1987, p. 8.
39. *Jogging international* n° 106, décembre 1992, p. 80.
40. *Jogging international* n° 42, février 1987, p. 42.

Ces randonnées carnavalesques rencontrent un succès considérable qui s'est inscrit dans une tendance inflationniste tout au long
des années 80[41]. Le phénomène est mondial. Ainsi pouvait-on
observer, en 1988, les 50 000 concurrents (dont nombreux sont ceux
qui se déguisent) de la Stranmilano en Italie, les 45 000 demandes
de participation (dont 2 500 Français) pour le marathon de New York
(27 420 « classés » en 1992), les 20 000 concurrents du marathon de
Londres, les 10 000 coureurs du marathon de Casablanca, etc. Concernant la Stranmilano, le quotidien *L'Équipe* remarque : « C'est le
folklore le plus complet. On s'y déguise, tout le monde a un dossard, les chiens, les chats, la poussette avec son bébé de six mois,
et les acteurs trichent à qui mieux mieux. Durant des kilomètres les
"coureurs" sortent des portes cochères pour entrer dans la course.
Heureusement, une heure plus tard, la centaine de "pros" se dis-
pute la vraie course... celle dont, en fait, personne ne parle *[sic]*[42]. »

Aux marges de l'ordre sportif, mais susceptibles, malgré tout,
de l'intégrer, il semble normal que les organisations sportives institutionnelles guignent ces masses marathoniennes. Il reste que ces
compétitions posent un problème de définition. Quelle que soit
l'approche utilisée pour déterminer ce qui devient rapidement un
problème d'éthique, les réponses apportées depuis quelques années
sont très loin d'épuiser le sujet. D'autant plus que, parlant d'éthique, la polémique n'est jamais très loin.

Un rejet logique

Il n'existe aucune possibilité de reconnaissance sportive là où

---

41. La situation est identique dans le domaine du cyclisme avec la multiplication de ces
courses-randonnées qui ont pris le nom de « cyclosportives » (et non pas « de cyclotourisme »).
C'est ainsi que des « cyclosportives » comme la Marmotte, la Jacques-Anquetil, la Marcel-
Bidot, la Pierre-Jodet, la Bernard-Hinault, pour n'en citer que quelques-unes, rassemblent
chaque année des milliers de « cyclos » dans des courses qui n'en sont pas vraiment. Commentant l'épreuve qui porte son nom et qui a rassemblé 4 503 participants en 1991, Bernard Hinault explique : « Aujourd'hui, c'est la fête. [...] D'ailleurs les participants ne s'y
trompent pas. Ils viennent toujours plus nombreux et j'en suis très heureux. D'un point
de vue sportif, l'évolution est semblable à ce que l'on voit dans les marathons. Un certain
nombre de coureurs sont là pour la course proprement dite et les autres pour le plaisir de
dire : ''J'ai fait la Bernard-Hinault et je n'ai pas abandonné.'' C'est bien tout le sens des
épreuves de masse. » *Le Cycle* n° 180, juillet-août 1991, p. 73.
42. *L'Équipe*, 16 octobre 1988, p. 10.

la règle égalitaire n'est pas respectée. Ce point est rédhibitoire. Or, le non-respect de cette règle est souvent inscrit dans l'organisation même de ces courses lorsque celles-ci mettent en œuvre deux départs : celui des « as » et celui des « masses » ; alors même que le classement sera unique à l'arrivée. Il ne s'agit donc plus d'une course au sens strict du terme. Au mieux pourrions-nous considérer qu'il existerait deux courses : une *vraie*, celle des coureurs, et une *fausse*, celle des « acteurs » qui se contentent de *participer* en produisant le spectacle. Exemplaire, dès lors, apparaît la situation de la Fun Run, organisée par la ville d'Auckland, en Nouvelle-Zélande, que d'aucuns considèrent comme le plus grand rassemblement mondial de course sur route. Il est édifiant que cette épreuve ne soit pas une compétition sportive aux yeux du journal *L'Équipe*. Commentant ce rassemblement de coureurs, le quotidien sportif estime : « En fait de course qui regroupe 80 000 participants, elle n'existe que pour 100 ou 150 concurrents. Les autres se baladent et entrent dans la fête à deux, voire un kilomètre de l'arrivée, et la plupart sans dossard. [...] En fait, c'est une immense manifestation [...] mais sans caractère compétitif[43]. » Cette appréciation serait également valable pour la Sydney Bondi Beach (35 000 concurrents[44]), pour le marathon de Barcelone (50 000 concurrents), pour la course de Lilac Blomsday dans l'État de Washington (31 000 concurrents) ou encore pour la Bay to Breaker de San Francisco (36 000 concurrents)... La liste n'est bien entendu pas exhaustive.

Il convient de remarquer le caractère exceptionnel de ces chiffres. Jamais dans l'histoire du sport de tels regroupements ne furent réalisés. Le point le plus remarquable reste toutefois que, pour ce qui concerne la France, ces masses ne relèvent pas des structures sportives officielles. La majorité des organisations proposées sont « sauvages », quasi spontanées, éphémères, et n'utilisent guère le savoir-faire et la logistique de la Fédération française d'athlétisme (FFA). Les commanditaires sont divers : grands magasins, quotidiens, collectivités locales et territoriales, entreprises. Souvent étrangers au monde du sport, ils réussissent remarquablement là où la FFA éprouve des difficultés qui ne manquent pas de surprendre. En

---

43. *Ibid.*
44. Les chiffres entre parenthèses correspondent à ceux de l'année 1988.

1988, par exemple, alors que le nombre de courses sur route de plus de 20 kilomètres se multipliait en France, la Fédération française d'athlétisme dut se résoudre à annuler le Championnat de France des 20 kilomètres, « faute de combattants », selon la revue *Jogging international*[45]. Une précision s'impose : il s'agissait du Championnat des 20 kilomètres « sur piste ». Autrement dit, une course qui se déroulait dans un cadre artificiel strictement réglementé, loin des plaisirs que procure cette « course libre » qui permet si bien de « prendre » la route.

La FFA rencontre là un problème purement stratégique. Faute d'analyser l'évolution de son environnement, la Fédération française d'athlétisme a été totalement absente de l'étonnant développement de la course sur route depuis une bonne quinzaine d'années. Pouvait-il en être autrement ? Il va de soi qu'à cette question la réponse est négative. La Fédération française d'athlétisme ne pouvait intégrer les « sauvages » ou les « non-fédérés », selon la formule utilisée par certains media, sans une transformation radicale de son organisation, voire de son « identité », en fait sans une véritable « révolution culturelle ».

Face à une telle remise en question, l'erreur à ne pas commettre serait d'imposer une « normalisation » brutale[46]. Une tentation que certaines autorités sportives ont pourtant envisagée, dès 1989, en demandant au ministère de la Jeunesse et des Sports d'intervenir pour sanctionner pénalement d'une « contravention de cinquième classe » les organisateurs de courses « sauvages » qui ne solliciteraient pas l'agrément de la FFA[47].

Un problème stratégique

En l'état actuel de ses structures, de sa culture et de ses objec-

---

45. N° 58, p. 34.
46. Selon l'expression parfaitement appropriée du magazine de course à pied *VO² Magazine* n° 16, juillet 1990, p. 51.
47. Il était fait référence à l'article 18 de la loi du 16 juillet 1984, qui stipule : « Toute personne physique ou morale de droit privé [...] qui organise une manifestation sportive ouverte aux licenciés des fédérations sportives [...] doit demander l'agrément de la fédération intéressée [...]. Tout licencié qui participe à une manifestation qui n'a pas reçu l'agrément de la fédération dont il est membre s'expose aux sanctions disciplinaires prévues par le règlement intérieur de cette fédération. »

tifs, il faut bien admettre que la difficulté rencontrée par la Fédération française d'athlétisme n'est pas loin d'être insurmontable sans
une démarche stratégique fortement innovante.

Représentant la tradition « athlétique », c'est-à-dire, certes,
l'excellence, mais une forme d'excellence méritocratique et référencée
reposant sur le classement des individus dans le cadre réglementé
d'un site artificiel - un artefact - qui ne laisse aucune place au
hasard, au jeu, à l'aventure, la FFA se trouve débordée par l'explosion du nombre de coureurs qui se veulent « hors piste ». Désormais de nombreux athlètes refusent la course « en couloir ». Les
besoins sont ailleurs. Simultanément, c'est l'inégalité qui est prô-
née. De fait, plus la règle égalitaire est imposée, plus la sélection
est rigoureuse et plus le déficit relationnel est important, donc la
fête improbable. Aujourd'hui la hantise du coureur est moins le
chronomètre que le clivage en catégories d'âge, de sexe, de force,
comme si l'indivision garantissait le partage des émotions. Car c'est
bien de cela qu'il s'agit. La course devient familiale, amicale, on
court avec son bébé, son chien, on accepte dans un même élan
le champion et le handicapé. De plus en plus de lignes d'arrivée
se franchissent main dans la main. L'excellence est celle de la relation, de la connivence, de la sensation partagée, elle ne relève plus
de la domination d'un adversaire. La « gagne » est nettement disqualifiée au bénéfice des sentiments réciproques. Tout sauf l'agressivité, la tendance est à la convivialité, le « bon plan » est celui
du *fun*.

La Fédération française d'athlétisme ne peut plus ignorer le phénomène sportif que représentent les « courses libres » même si elle
a longtemps combattu ces coureurs « sauvages ». Elle apparaît d'ailleurs de plus en plus dans certaines organisations. Il est aussi de
tradition qu'elle propose chaque année un Championnat de France
de marathon. Il se trouve, et le paradoxe n'est pas mince, que là
où certains comités des fêtes municipaux se montraient capables
d'organiser correctement une course sur route, la FFA a connu de
graves difficultés pour mettre sur pied l'épreuve nationale en 1986
et 1987. Ainsi, lors du Championnat de France, à Lyon, en 1986,
l'organisation « avait fait pas mal de vagues[48] ». De même, à la
fin de l'année 1987, commentant le Championnat de France de

---

48. *Jogging international* n° 51, p. 18.

marathon organisé à Marseille, la revue *Jogging international* devait estimer : « La Fédération doit se professionnaliser. L'organisation des Championnats de France de marathon ne s'improvise pas. À l'image des grandes courses sur route, il faut préparer cette compétition plusieurs mois à l'avance. [...] Les Championnats de France de marathon de Marseille ne furent pas un modèle d'organisation. » Combinant mauvaise logistique et absence de réponse appropriée aux besoins des coureurs, on ne s'étonnera guère qu'en 1987 cette épreuve fédérale fut la seule épreuve française de ce type « à voir la masse des participants décroître d'année en année[49] ».

Soyons clair : il serait grave de résumer les difficultés de la FFA à des problèmes d'organisation. La réalité est moins prosaïque. C'est la volonté simplement classante, l'identité platement compétitive d'un championnat qui se présente à l'inverse des « corridas », qui est ici en question. Comment expliquer, en effet, qu'en 1987, le jour même où la fédération organisait le Championnat de France de marathon à Marseille, 1 476 coureurs français choisissaient de participer au marathon de New York. Comment expliquer, surtout, que la télévision française se soit contentée de proposer aux téléspectateurs l'épreuve américaine en lieu et place de l'épreuve nationale ? La réponse tient en une formule donnée par *Jogging international* : les organisateurs new-yorkais proposaient « plus qu'une course [...], une épopée ». Autrement dit, ils offraient une aventure humaine et urbaine là où la FFA ne pouvait présenter, tradition oblige, qu'une simple compétition sportive.

Loin de s'atténuer, le succès du marathon de New York augmente d'année en année. Lors de l'épreuve 1992, ce sont quelque 2 007 coureurs français qui prirent le départ sur le pont de Verrazano. Ils représentaient la plus importante participation étrangère. Nombreux furent ceux qui se déclarèrent surpris par une ambiance apparemment très éloignée du climat qui préside aux courses organisées par la FFA. De manière étonnante, il semblerait qu'à New York on ne voie pas se dérouler les 42,195 kilomètres... « La plupart des coureurs n'ont pas vu passer les trois, quatre ou cinq heures pendant lesquelles ils ont foulé le macadam [...]. Ici, on met souvent plus de temps qu'ailleurs à couvrir la distance, mais cela paraît moins long[50]. »

---

49. *Ibid.*, p. 82.
50. *Jogging international* n° 106, décembre 1992, p. 27.

Faut-il ajouter que ce type d'analyse est valable pour d'autres fédérations, qui voient certaines activités se développer à l'identique aux marges de leurs structures : la Fédération française de cyclisme avec le VTT ? La Fédération française de voile avec la planche à voile, la Fédération française de ski avec le snowboard, la Fédération française de montagne et d'escalade avec la grimpe, pour ne citer que les exemples les plus remarquables.

Par ailleurs, il sera très intéressant d'observer l'évolution de la Fédération française de basket-ball (FFBB) dans les prochaines années. En effet, cette fédération a une importante carte à jouer avec l'émergence récente de ce que la société Adidas appelle le streetball, c'est-à-dire le basket de rue... « sans arbitre » et « sans entraîneur ». Jusqu'à présent, malgré l'incroyable développement du basket spectacle, il ne semble pas que la FFBB ait été en mesure d'intégrer de nouveaux adeptes sur une base correspondant au potentiel de développement du « basket de rue[51] ». La revue *Maxi Basket* remarquait au mois de janvier 1992 : « Depuis trois ans, tout le monde achète du tee-shirt, de la chaussure, du ballon. Un raz-de-marée devant lequel toutes les marques se frottent les mains, quand ce n'est pas les yeux... Et pourtant le nombre de licenciés ne varie que très peu. Phénomène de mode sans aucune implication sur le plan sportif[52] ? » Jusqu'en 1993, il était possible de répondre oui à cette question car l'on pouvait alors considérer qu'aucun des gamins porteurs de la fameuse chaussure Battle Ground de la marque Reebok[53] n'aurait jugé bon de se déplacer pour assister à un match de l'équipe de France de basket... alors même que la venue de Michael Jordan en France « a provoqué l'émeute en 1990. Bercy a fait le plein pour Pippen et Barkley. L'a refait pour les Lakers au McDo. De l'hystérie, à chaque fois [...] et pourtant France-Italie (vice-champion d'Europe contre quatrième) a fait un four à Coubertin un mois

---

51. Il semble que la difficulté principale de la FFBB soit de nature structurelle : la Fédération manque de clubs pour accueillir les nouveaux adhérents potentiels. Il faut remarquer que depuis une dizaine d'années le ratio nombre de clubs/nombre de licenciés est de plus en plus défavorable. Pour 5 046 clubs et 348 036 licenciés en 1985, la FFBB ne recensait que 4 625 clubs pour 474 729 licenciés en 1994 (source FFBB).
52. *Maxi Basket* n° 103, janvier 1992, p. 16. Il faut minimiser ce jugement car, en 1994, les choses évoluent plus favorablement. En 1986, le nombre de licenciés de la FFBB était de 350 072. En 1991, il s'élevait à 355 076, en 1992 à 385 952, en 1994 à 474 729.
53. 100 000 paires vendues en 1991, au prix de 800 francs.

plus tard[54] ». En 1995, les choses pourraient bien changer car la FFBB a élaboré une stratégie de diversification particulièrement novatrice dans le monde du sport fédéral. Consciente qu'elle se trouvait devant un phénomène totalement inédit (et, avouons-le, totalement inespéré) la Fédération de basket a réagi en concevant une structure nouvelle, France Basket Organisation, dont la mission s'inscrit dans une véritable stratégie marketing. Une initiative qu'il convient de suivre avec beaucoup d'intérêt car il pourrait bien s'agir d'une démarche dans laquelle nombre de fédérations sportives françaises auront bientôt l'obligation de s'engager.

Un nouveau laboratoire d'idées

L'escalade, plus exactement la « grimpe », est un cas exemplaire des difficultés d'intégration des pratiques de glisse dans le cadre des structures sportives conventionnelles. Ceux qui au sein de la Fédération française de montagne et d'escalade cherchent à transformer la « grimpe » en sport de compétition le font à juste titre car cette stratégie semble correspondre à leur « métier », ou, dit autrement, à leur « savoir-faire ». Il est donc normal qu'ils travaillent à la « sportivisation » de cette activité de pleine nature. Après tout, un « marché » de la compétition d'escalade considérée en tant que spectacle sportif existe probablement. Ce que devrait pouvoir confirmer une analyse marketing appropriée.

Une difficulté surgit pourtant immédiatement, car depuis l'année 1953 l'escalade ne s'inscrit plus dans la formule olympique qui veut que l'on aille « toujours plus haut[55] ». Cette année-là, en effet, la cordée britannique qui atteint le sommet de l'Everest a véritablement « décapité » l'escalade et, en ouvrant l'ère de la « conquête de l'inutile », a imposé un nouveau concept fortement incompatible avec la compétition à caractère olympique : celui de grimper « toujours plus bas ».

---

54. *Maxi basket, op. cit.*, p. 14. Sur le plan de l'audience télévisuelle du basket, les choses se gâtent quelque peu. Au mois de mars 1994, *L'Équipe* rapportait que les chaînes publiques françaises songeaient à se désengager partiellement du basket car elles se montraient déçues des taux d'audience relativement faibles qu'elles obtenaient (entre 1,5 et 3 points). *L'Équipe*, 26 mars 1994, p. 10.
55. Le fameux « citius, altius, fortius » du baron Pierre de Coubertin.

Boutade ? Certainement pas ! À l'issue de cette tentative réussie pour la conquête du plus haut sommet du monde, certains estimèrent clairement que l'on allait « enfin » pouvoir « commencer à grimper[56] ». Cette remarque reflète une opinion qui prévaut dans les milieux de l'alpinisme : cette activité ne peut guère s'inscrire dans une relation sportive de nature compétitive[57]. Seule la gratuité de l'acte de grimper doit être considérée. Ce qui explique les réserves qui furent exprimées, au cours des années 80, lorsque l'on vit se multiplier les enchaînements. C'est-à-dire une forme de « compétition alpine » fortement médiatisée au cours de laquelle il s'agit d'enchaîner trois faces nord, par exemple. La revue *Vertical* explique : « Activité souffrant d'une certaine imprécision, l'alpinisme est peu ''lisible'' pour qui ne le pratique pas. La vieille question reste présente : ''Pourquoi escaladez-vous les montagnes ?'' Le mérite des enchaînements, et bien que le chronomètre n'ait pas encore fait son apparition dans l'Alpe, est de présenter une lecture facile. Compter le nombre de faces gravies, calculer le nombre de mètres escaladés, retenir les temps, établir une moyenne horaire, etc. [...] Le meilleur est celui qui réussit le plus grand nombre de faces dans le laps de temps le plus court[58]. »

En 1986, John Hunt, le chef de l'expédition britannique victorieuse de l'Everest, s'inquiétait des dérives récentes de ce qui n'était pas encore réellement un sport[59] : « J'espère que nous n'en arriverons pas à ce que l'escalade devienne un cirque où des gladiateurs s'exhiberaient devant un public et recevraient des prix. [...] J'avoue ressentir un certain malaise face à l'avenir[60]. » Au cours des années *fun*, la revue *Vertical* fut un ardent pourfendeur de cette dérive sportive. Le propos du magazine fut souvent intransigeant, sévère, sinon ironique : « L'alpinisme en général et les enchaînements en particulier sont une marchandise vendable. Pour des

---

56. Voir, en particulier, le numéro 9 du magazine *Vertical*, décembre 1986, p. 8.
57. Et la compétition pour la conquête du plus haut sommet du monde fut particulièrement âpre. Ce qui explique le soulagement et ce sentiment de pouvoir enfin « grimper en paix ».
58. « L'alpinisme enchaîné », in *Vertical* n° 15, février 1988, p. 50.
59. Une définition classique du sport le donne comme une activité motrice réglementée, interindividuelle, à caractère compétitif et de nature institutionnelle. Pierre Parlebas propose la définition suivante : « Le sport est l'ensemble fini et dénombrable des situations motrices codifiées sous forme de compétition et institutionalisées. » P. Parlebas, *Éléments de sociologie du sport*, Paris, PUF, 1986, p. 55.
60. *Vertical* n° 9, décembre 1986.

impératifs "bassement matériels", nous devenons "tous" des petits
porteurs investissant dans des valeurs médiatiques ayant charge de
"clowneries" ; [...] des sentinelles silencieuses veillent[61]. »

C'est là un sentiment qui semble nettement prévaloir dans les
milieux de la grimpe et qui rend particulièrement délicate la mise
en forme compétitive de cette pratique. Il ne saurait être question,
par exemple, de calquer l'organisation des épreuves sur celle des
matchs de football, comme semble le penser *Vertical*, qui commen-
tait ainsi la première compétition « indoor » organisée en France,
en 1986, à Vaux-en-Velin : « On perçoit seulement le bruit des cor-
nes de brume amenées par quelques spectateurs excités et qui donne
à l'ambiance une tonalité très Coupe d'Europe de football. [...]
Les avis sont partagés sur l'opportunité d'une telle similitude[62]. »
La revue *AlpiRando* partage cette opinion. Relatant le Grand Prix
Ecco de Bercy, en janvier 1988, elle estime : « Voir un grimpeur
grimper est toujours passionnant. Mais pourquoi faut-il que ce soit
dans un flot d'insignifiance ? On a assisté à l'écrémage systémati-
que de ce qui fait la spécificité de l'escalade, au profit d'une copie
maladroite d'autres manifestations. L'enrobage sonore et les rituels
sportifs singeaient les côtés les plus médiocres de la modernité[63]. »

Les acteurs économiques qui souhaitent aujourd'hui s'engager
sur le marché du sport devraient étudier attentivement l'évolution
de l'escalade. En effet, cette activité apparaît comme un véritable
« laboratoire d'idées » qui montre bien les transformations en cours
dans le domaine des loisirs à caractère sportif.

La « grimpe » est significative d'un double phénomène. D'une
part, les falaises et les murs d'escalade sont massivement investis
par des individus qui, pour un grand nombre d'entre eux, découvrent un sport en même temps qu'ils créent de toutes pièces un
marché. D'autre part, une élite se dégage de la masse des grimpeurs et tente de vivre (de) sa passion en cherchant à s'instaurer
en tant que référence. C'est-à-dire (sponsors obligent !) en proposant un modèle de comportement qui corresponde si possible aux
aspirations du marché. Ce processus est un décalque parfait du développement du windsurfing à la fin des années 70. À une différence près, toutefois : le concept de « glisse » opère fortement

---

61. « L'alpinisme enchaîné », *art. cit.*, p. 53.
62. *Vertical* n° 16, p. 17.
63. *AlpiRando* n° 108, mars 1988, p. 7.

aujourd'hui. En véhiculant une contre-culture sportive, la glisse complique singulièrement la perception du système de valeurs sportif. La référence est-elle le champion, le héros ou Peter Pan[64] ? La bonne option Clint Eastwood ou Mickey Rourke[65] ? Faut-il adopter la personnalité sportive ou la personnalité alternative ? Les relations très ambiguës que développent avec la compétition les grimpeurs qui « font » l'opinion de l'escalade permettent d'envisager que leur choix ne soit pas encore définitif. Doit-on ajouter qu'ils ont raison de ne pas se hâter ?

Au début des années 90, la « vérité » sportive est brouillée. En tant que pratique en voie de « sportivisation », l'escalade ne peut donc que se heurter à ce problème majeur consistant à *se* définir par rapport à une référence sportive elle-même en cours de mutation. Le problème soulevé ici est d'autant plus intéressant que la « grimpe » s'inscrit clairement - dès son origine, comme nous allons le voir - dans une forme de contre-culture. Autrement dit, nous sommes devant la situation (très) paradoxale suivante : issue de la contre-culture, la grimpe cherche à intégrer une culture sportive traditionnelle qui, elle-même, glisserait par pans entiers vers certaines références contre-culturelles.

Il existe aujourd'hui deux modèles dans le monde de la grimpe. Un modèle quelque peu alternatif, d'une part, dont les chefs de file sont Patrick Berhault et Patrick Edlinger (« L'escalade faite homme. Celui par qui tout est arrivé. Un look. Un esprit. La vie au bout des doigts[66] »). Un modèle sportif, d'autre part, que symbolise un groupe d'une cinquantaine de grimpeurs constituant l'élite actuelle soutenue par une fédération sportive et les fabricants de matériels et d'équipements. De l'opposition entre ces deux « éthiques » est née une polémique ouverte qui instaure cette activité en tant que modèle explicatif de l'évolution du sport contemporain.

Ainsi, la revue *Montagne Magazine*, en 1987, qui, rejetant la compétition, allègue d'une omniprésence de la performance qui atteint « l'état de ras-le-bol [...]. Basta les degrés et vive la grimpe ! Vive l'escalade où l'on ne compte pas [...]. Vive l'escalade dont le souci réside dans la joie de grimper, quel que soit son niveau [...]. Cette escalade [...] n'a que faire de la compétition et de

64. Voir *supra*, « Les délires de la communication *fun* ».
65. Voir *supra*, *idem*.
66. *Montagne Magazine* n° 100, décembre 1987, p. 169.

l'entraînement[67] ». Pour certains, comme la revue *Vertical*, le phénomène compétitif n'apparaît pas logique. Il relève d'un effet pervers : la « grimpe » échapperait aux grimpeurs. « Les grimpeurs se
trouvent confrontés à l'évolution de l'escalade sportive dont ils ne
maîtrisent plus la logique, bien qu'ils en soient les acteurs indispensables. [La compétition] est prise en charge par la Fédération
française de montagne et d'escalade, dont l'une des ambitions est
de faire de l'escalade un sport olympique[68]. » Reste que nombreux
sont les nostalgiques qui semblent plus ou moins formellement distinguer l'escalade mesurable... de la grimpe simplement esthétique,
éthique et poétique. Un point de vue empreint d'une certaine
mélancolie, que résuma parfaitement *Vertical* dans sa livraison du
mois d'avril 1992 : « L'escalade bouge. Vite, à l'image de ce qui
se passe dans le monde en ce moment. Avant, on vendait du rêve :
rêve de liberté, d'harmonie, de maîtrise de la peur, mythe du héros
triomphant de la mort. Aujourd'hui, avec l'entraînement et la compétition, c'est le chiffre qui fait recette : classement, cotations, poids,
taille, nombre de calories par jour... Grimper est entré dans le
monde des grandeurs mesurables[69]. »

Un nouveau type de champions

Au cours des années *fun*, le rejet des compétitions d'escalade
est apparu de manière particulièrement révélatrice dans le « top
30 des grimpeurs 1988 », qui fut proposé par le magazine *Vertical*. Destiné à élire « le meilleur grimpeur du monde », ce « top
30 » ne fut pas loin d'être considéré comme un véritable « blas-
phème » dans un monde où le classement ne relève pas d'une fran-
che adhésion. Ce qui témoigne déjà d'une volonté manifeste de
se distinguer des habituelles hiérarchies en usage dans les autres
disciplines sportives. La revue elle-même était d'ailleurs parfaitement consciente du « sacrilège » commis : « Ah, on va en entendre des Ha et des Ho ! Quoi ? Un classement au sein maternel
de la pureté éthérée des cimes altières ? Mais vous nous cassez

---

67. *Montagne Magazine* n° 97, p. 5.
68. *Vertical* n° 14, p. 65.
69. *Vertical* n° 45, avril 1992, p. 27.

l'éthique[70]. » Il se trouve que les résultats de cette élection furent proprement surprenants et confortèrent les « antisportifs » dans leurs convictions. En effet, les deux grimpeurs classés aux deux premières places n'étaient pas des adeptes de la compétition.

Patrick Edlinger fut élu « meilleur grimpeur du monde ». Or, en février 1988 il ne participe plus aux compétitions d'escalade depuis trois ans. Quant au second, Patrick Berhault, il exclut purement et simplement la compétition de sa vie de grimpeur[71].

En 1988, élire Berhault et Edlinger aux deux premières places de ce « top 30 » est un indice important de la signification qu'il convient de donner à la « grimpe ». En réalité ce mot n'est pas loin de s'apparenter à la notion de « glisse ». Les deux termes relèvent, en effet, d'une connotation identique : celle de la marginalité sportive mais également, dans un certain sens, de la marginalité sociale.

Patrick Berhault et Patrick Edlinger ont réellement « inventé » l'escalade moderne au cours des années 70. Pour ce faire, ils vécurent de façon quelque peu « parallèle » tant au plan social que dans le domaine sportif. Se contentant de « quelques subsides familiaux » pour vivre, dormant dans les trains et s'entraînant dans les halls de gare, « piquant du Nutella » et « roulant en moto sans permis », réussissant des voies très difficiles en plein hiver « avec une simple barre de chocolat comme vivre » et un équipement dérisoire[72], ces deux grimpeurs vivaient pour la grimpe comme d'autres vécurent pour la route. Totalement marginaux à cette époque - « Ils n'ont pas de diplômes scolaires, pas de carrière à inventer, pas de fric à faire. Ils ont l'envie absolue de grimper[73] » - ils annonçaient une véritable révolution de l'escalade.

Si Edlinger, qui a réalisé la carrière que l'on connaît, éprouva quelques difficultés pour préserver son mode de vie, et donc son « mode de grimpe[74] », Berhault, lui, a parfaitement tenu son

---

70. *Vertical* n° 15, p. 27.
71. Au mois de septembre 1987, la revue *AlpiRando* avait déjà publié une enquête (réalisée à l'occasion de la sortie de son numéro 100) qui mettait en évidence le fait qu'un lecteur sur deux (exactement 49 %) « rejette la compétition d'escalade, ou trouve que nous lui accordons trop de place ». *AlpiRando* n° 102, septembre 1987, p. 20.
72. *Montagne Magazine* n° 100, p. 204.
73. *Ibid.*
74. Encore qu'il faille lui reconnaître une réelle constance dans le choix des options et stra-

engagement initial. Ne déclarait-il pas au mois d'avril 1988 qu'il ne se tenait pas « systématiquement au courant des réalisations des uns et des autres et qu'il n'est pas à l'affût des performances. Les cotations[75] pour lui ne veulent pas dire grand-chose ; tout juste un chiffre, une donnée abstraite. [...] Quant à la compétition, elle ressemble trop à la société actuelle de dictature du rendement, de l'intérêt, de l'efficacité et de la vitesse pour l'intéresser[76] ». C'est là une ligne de conduite qu'il maintient toujours aujourd'hui.

Ces propos sont très éloignés de ceux que tiennent habituelle-ment les meilleurs grimpeurs français. Or, Berhault fait partie de cette élite. Il est même probablement l'un des rares grimpeurs à avoir réalisé une voie cotée 9, c'est-à-dire le maximum actuel (en 1994) en matière de difficulté[77]. Il pourrait donc parfaitement briller en compétition et, accessoirement, améliorer sensiblement ses revenus. C'est par choix qu'il refuse cette opportunité. Ce refus de s'engager dans le « toujours plus » inhérent au mode de vie des compétiteurs est une donnée de base de son existence. Par contre, et cela est nouveau dans le domaine du sport, il développe un point de vue intéressant car réellement *fun* sur un engagement restreint : il serait « champion à mi-temps » en quelque sorte. « Sur une moti-vation forte, je peux me consacrer au haut niveau de temps en temps, mais je ne peux pas le vivre en permanence parce que ça rend indisponible physiquement et moralement[78]. »

De son côté, à plus de trente ans, c'est-à-dire à un âge où nom-breux sont ceux qui « raccrochent », Edlinger ne disait pas autre chose lorsqu'il affirmait, au début de l'année 1992 : « Il n'est pas impossible que je reprenne un dossard pour aller me mesurer dans une compétition. À trente et un ans, j'ai le sentiment de progres-ser parce que l'escalade est toute ma vie[79]. » Un critère - étonnant dans le monde du sport ! - se dégage de cette approche très parti-culière de la compétition : l'objectif avoué est la préservation du « potentiel de grimpe ». À la fois potentiel humain, potentiel physi-que et potentiel psychologique, il s'agit de le maintenir pour durer.

---

tégies - nettement originales par rapport à celles que choisissent ses « pairs » - qui lui per-met de piloter harmonieusement sa carrière de grimpeur médiatique.

75. Chaque voie d'escalade reçoit une cotation en fonction de la difficulté qu'elle représente.

76. *Montagne Magazine* n° 103, avril 1988, p. 88-89.

77. Il a enchaîné « Quoi de 9 » sans lui attribuer de cotation au début de l'année 1991.

78. *Vertical* n° 36, juillet 1991, p. 31.

79. *Vertical* n° 42-43, p. 52.

Ériger la grimpe en mode de vie, suivre son « karma de grimpeur » en distillant ses sensations et en préservant ses émotions apparaissent ainsi comme des préoccupations nouvelles dans le monde de la compétition. Dans cet esprit, le *challenge* que s'est fixé Patrick Edlinger est simple : « Je veux vivre le plus vieux possible à mon maximum[80]. »

Ce type de « carrière » sportive qui combine *alternativement* une vie normale et un destin de champion est une nouvelle donne dans le monde du sport de haut niveau. Les champions qui refusent de s'engager « à fond » et à temps plein pour se protéger et préserver leur passion apparaissent comme des « prototypes » sportifs qui inventent une nouvelle forme de rapport à la performance. Tom Curren, par exemple, fut champion du monde professionnel de surf en 1985 et 1986. Cela ne l'a pas empêché d'interrompre provisoirement sa carrière pour vivre autre chose et autrement. « Si j'ai interrompu les compétitions pendant un an, ce n'est pas contre la compétition, mais simplement [...] parce que je voulais connaître la vie en dehors du tour pro[81]. »

Ce qui se dessine derrière cette aspiration c'est une nouvelle forme de personnalité sportive très éloignée des standards habituels qui marquèrent jusqu'ici la vie du sportif de haut niveau. Manifestation d'individualisme, revendication qualitative, *come-back* du potentiel humain et pas simplement optimisation du potentiel sportif, réaction idéologique aux abus et aux détournements de la « signification du sport », c'est à une adaptation du champion face à l'évolution - considérée comme néfaste - d'une pratique de haut niveau que nous assistons aujourd'hui.

La transformation est étonnante. Les années 80 ont vu émerger un type « mutant » de champion sportif, plutôt rebelle et mauvais garçon qu'athlète pur et dur, et qui, à l'image de Curren[82],

---

80. *Ibid.*, p. 56.
81. C'est-à-dire du circuit professionnel. *Nouvelles Sensations* n° 13, juillet 1989, p. 10.
82. Curren n'est pas le seul champion de surf à avoir « craqué ». Son grand rival Mark Occhilupo a lui aussi « déserté » le circuit pro pour y revenir de temps en temps. L'ex-professionnel de surf Derek Hynd explique : « L'attitude de Curren et Occhilupo est très importante pour le surf moderne. Au même moment, ces deux champions ont décidé de tourner le dos au professionnalisme et de passer du côté de ceux que l'on appelle ''les souls surfers'', de retrouver l'essence de leur sport, de retourner aux racines. Ils ne font plus les compétitions de la même manière qu'avant. Curren en fait peu, Occy les fait en dilettante mais leurs sponsors jouent le jeu. Parce que cette option de liberté et l'image de ''mauvais garçon'' pur

Edlinger ou Berhault, promeut une personnalité sportive nettement alternative qui rend caducs tous les repères antérieurs. Les « dommages » pourraient être rapidement irréversibles dès lors que l'on constate que les media sont particulièrement friands de ces champions d'un autre type.

Témoin, Florence Arthaud : la « petite fiancée de l'Atlantique » est bien loin de correspondre à l'image d'Épinal de la championne traditionnelle. Dans ce cas précis, elle en remontrerait même aux caricatures maritimes qui parodient les bordées de matelots. En effet, au-delà du cliché, qu'y a-t-il de commun entre Tabarly et Arthaud ? J'entends entre l'officier de marine à la carrière somme toute fort conventionnelle (administrativement parlant !) et la jeune femme en rupture de ban, cette « aventurière défoncée, picoleuse et bringueuse[83] » ? Florence Arthaud ne ressemble en rien à la personnalité traditionnelle du champion ; encore moins à celle de la championne. S'il faut comparer ce qui est comparable, peut-on apprécier à l'identique les « frasques » de « Flo », « la gamine boulimique qui bourlingue comme elle clope[84] », cette « aventurière qui jouit de toutes ses dérives[85] » et certains comportements « déplacés » de Marielle Goitschel, pourtant considérée comme l'« enfant terrible » du sport féminin français dans les années 60, « qui ne rougit nullement de s'adonner au twist[86] » ?

À l'évidence, nous ne sommes pas sur le même registre de débordement de la norme sportive, mais devant une conception alternative de la vie de championne que semble partager Catherine Destivelle lorsqu'elle affirme, sans fard, ni fausse pudeur, dans

---

et extrémiste d'Occhilupo valent au moins autant que n'importe quelle victoire en compétition. » *Libération*, 21 août 1989, p. 25. La démarche personnelle de Mark Occhilupo est extrême. En ce sens, il est le plus « radical » des champions mutants. Certains estiment d'ailleurs qu'il a franchi la limite ultime au-delà de laquelle le désordre règne... « Le désordre total a ses limites. Le génie d'hier qui forçait le respect par son surf, sa gentillesse et ses excès a cassé l'équilibre de la nécessaire cohabitation de l'ordre et du désordre. L'idole des années 80 s'enfonce, s'enlise, se détruit, soutenu dans cette spirale par le milieu du surf et les media qui voient encore en lui l'incarnation de la liberté, de la créativité et de la puissance. Comment ne pas se reconnaître en ce surfer qui brave ainsi l'ordre et la moralité, et qui domine le monde de ses off-the-lip ? Apologie du désordre, les cols blancs, les rigoristes, les moralisateurs sont à l'agonie. » *Surf Saga* n° 1, printemps 1993, p. 53.
83. *Le Nouvel Observateur*, 22-28 novembre 1990, p. 130.
84. *Ibid.*
85. *Libération*, 19 novembre 1990, p. 32.
86. *Paris Match* n° 775, 15 février 1964, p. 39.

le magazine « Montagne » (sur FR3) qu'elle a... beaucoup vécu la nuit[87]. Au mois d'avril 1992, Catherine Destivelle expliqua très naturellement à *L'Équipe Magazine* qu'elle faillit compromettre sa carrière sportive en jouant au poker presque toutes les nuits durant trois ans. « Du coup je ne pouvais plus grimper : j'étais tout le temps crevée [...], je jouais la nuit, de 7 heures du soir à 7 heures du mat'[88]. » On imagine difficilement de tels propos dans la bouche d'une championne des années 60 comme Kiki Caron, par exemple, qui ne se déplaçait jamais sans la présence attentive de Suzanne Berlioux, son entraîneur mais aussi (surtout !) son chaperon.

Plus généralement, il y a quinze ans, quelle entreprise aurait accepté de parrainer Titouan Lamazou, un champion qui est surtout un peintre[89] qui « se réfère toujours à Gauguin[90] » et qui vécut, un temps, volontairement retiré du monde dans un village perdu du Haut-Atlas marocain[91] ? De même, personne n'aurait toléré la personnalité d'Éric Cantona, un footballeur talentueux, certes, mais également (surtout ?) un peintre s'inspirant de Van Gogh, passionné par la psychanalyse et fasciné par les rôles de fou[92]. Or, après des propos très durs[93] à l'endroit du sélectionneur national, Cantona était toujours membre de l'équipe de France en 1994. Il en fut même le capitaine... jusqu'au mois de janvier 1995.

De la même façon, Yannick Noah, tennisman ludique et fantasque s'il en est, ne se priva pas de critiquer vertement certains cadres de la Fédération française de tennis au cours de l'année 1990[94]. Il fut pourtant, à la fin de l'année 1991, le capitaine comblé de l'équipe de France de Coupe Davis. Encensé par la presse, loué par la Fédération, Yannick Noah n'en développe pas moins un point de vue sur la compétition sportive très éloigné de celui des instances fédérales. « On essaie de faire passer le message

---

87. FR3, magazine « Montagne » du dimanche 27 octobre 1991.
88. *L'Équipe Magazine*, 18 avril 1992, p. 31.
89. À la question « Es-tu navigateur ? », Lamazou affirme sans ambiguïté dans *Montagne Magazine* (mars 1990, p. 74) : « Spontanément, je dirais que je suis peintre. »
90. *Le Figaro Magazine*, 7 avril 1991, p. 62-65.
91. « [Avec ma compagne] on a appris le berbère [...], puis on est monté vivre là-haut. On est redescendu avec des croquis de peinture, des poèmes, des photos et surtout, avec Zoé, notre fille. » *Montagne Magazine*, mars 1990.
92. *Paris-Match*, 27 mai 1988, p. 98-99.
93. Voir *supra*, « De la Route à la glisse ».
94. Voir en particulier la revue *Tennis de France* n° 442, février 1990, p. 33-38.

comme quoi c'est hyperimportant le tennis. Que c'est grave. On parle de haine, de killer instinct, de revanche, de combat, de bagarre. [...] Et merde, je m'en fous si je perds ! Arrêtez de me dire que je suis le roi des cons parce que je perds. [...] Il y a des matchs que j'ai perdus pas par paresse, mais parce qu'il y avait des choses qui me paraissaient plus essentielles que de gagner[95]. »

Pour beaucoup, notamment pour certains hommes politiques, l'incroyable succès de la France en Coupe Davis, en 1991, fut considéré comme le signe du renouveau sportif français sur la scène internationale[96]. À l'issue de cette victoire, le « capitaine Noah » apparut alors comme la figure emblématique du « gagneur » et comme le fondateur d'une sorte d'école française de la « gagne » faite d'instinct et d'intuition, de savoir-faire et d'expérience, de flair et de « trucs[97] », l'ensemble relevant plus d'un « esprit français » que d'une quelconque rationalité. Or, pour Noah, et contrairement à l'opinion générale, l'intérêt de la Coupe Davis 1991 ne se situait absolument pas dans la victoire mais dans la dynamique de fonctionnement (qui mélangea de manière surprenante le jeu et le sérieux) « d'un petit groupe de connards qui ne sont pas plus forts que d'autres[98] ». Il devait affirmer : « Moi, je dirais que la Coupe Davis, c'était bien si, dans dix ans, je rencontre un Henri ou un Guy qui me dit : "Tu vois, à partir de ça, il s'est passé telle ou telle chose en moi, et maintenant tout va bien pour moi[99]." »

Étonnant Noah, qui explique qu'il a « flippé » après sa victoire à Roland-Garros. Ce n'est qu'en relativisant ce succès qu'il a compris... que celui-ci ne représentait rien ; d'où ce recul par rapport aux résultats sportifs. Un détachement qui apparaît bien peu en phase avec les objectifs fédéraux mais qui correspond assez bien, par contre, à l'esprit du *fun* : « Je fais du yoga tous les jours. [...] Avec la pratique du yoga, tu apprends à te sentir bien dans ton

---

95. *Tennis de France* n° 469, mai 1992, p. 25.
96. À la fin de l'année 1991 et au début de l'année 1992, nombreux furent, en effet, ceux qui amalgamèrent la Coupe Davis, la victoire française dans l'Admiral's Cup, l'organisation des jeux Olympiques d'hiver en France, les succès de l'équipe de France de football, les premiers succès de Marc Pajot dans l'America Cup, en estimant que la France était engagée dans un processus de reconquête de son image de pays sportif.
97. « J'ai fait mon petit truc et c'était bien », devait affirmer Yannick Noah dans *Tennis de France* n° 469, mai 1992.
98. *Ibid.*
99. *Ibid.*

corps. Tu ne fumes pas (ou peu), tu bouffes sain (je suis végéta-
rien), tu es bien, paisible, à l'écoute... Alors là, effectivement, le
tennis, tu vois bien que c'est un jeu[100]. »

Dès lors, une question se pose : est-ce que les fédérations sportives, les media spécialisés et les financiers du sport accepteraient
plus facilement, aujourd'hui, des comportements qui, hier encore,
étaient bannis ? Admettrait-on, en 1995, des attitudes autrefois clan-
destines mais qui seraient maintenant ouvertement mises en scène
dans la mesure où, semble-t-il, elles intégreraient une nouvelle forme
- particulièrement médiatique - de rapport à la performance et à
l'institution sportive ? Des attitudes contestataires qui, il y a peu,
étaient encore passibles d'un véritable désaveu quand ce n'était pas
d'un reniement. Qu'on se souvienne simplement du « limogeage
de Peter Pan[101] », alias Jean Cachassin, en 1966, pour un simple
différend avec certains membres de la commission de sélection de
la Fédération française de rugby, « les dictateurs de l'équipe de
France[102] ». À l'image de Berhault, Curren, Occhilupo, Arthaud,
Destivelle, Lamazou, Cantona, Noah, Edlinger, voire d'un Edgar
Grospiron, fantasque et fantastique champion olympique de bosses, ou d'un Graeme Obree, ce champion du monde de cyclisme
écossais incroyablement anticonformiste, l'émergence récente de personnalités qui se différencient nettement des standards qui marquèrent l'excellence sportive d'antan trace une voie inédite dans
le paysage sportif contemporain. Plus qu'un signe, c'est là un
symptôme manifeste de la grande transformation qui marque le
sport des années *fun* et, au-delà, qui marquera probablement bientôt
la communication sportive par champion « alternatif » interposé.

---

100. *Ibid.*
101. Selon la formule de *Paris Match* n° 887, avril 1966, p. 56-59.
102. *Ibid.*

2. *Les contradictions culturelles du sport contemporain*

Le sport d'utilité publique

Pour saisir l'ampleur du problème qui se pose aux organisations sportives dans leur désir légitime de se développer en intégrant les adeptes du « sport alternatif », il faut comprendre que le sport a depuis toujours été reconnu comme facteur d'éducation et d'intégration sociale. Au-delà, la majorité des fédérations étant nées dans la première moitié du XXᵉ siècle, elles se sont nourries des vertus de la culture industrielle naissante. Bien plus encore, nombreuses sont celles qui remplissent une mission de service public. Dans ces conditions, assimiler, comprendre et intégrer dans leurs structures les nouvelles valeurs sportives nécessitera une véritable révolution culturelle.

L'ensemble des éléments que j'ai cherché à mettre en évidence pour montrer la mutation de certains symboles et comportements sportifs fait état de la propension manifestée par des acteurs totalement nouveaux à tirer leurs modèles de la « contre-culture ». Ce mouvement de contestation issu pour partie de la Nouvelle Gauche américaine (New Left) commença à se manifester en tant que mouvement social significatif au cours des années 50[1]. Nous envisagerons donc que c'est au milieu du XXᵉ siècle qu'une sorte de matrice culturelle que j'appellerai d'« organisante » s'est constituée pour donner naissance à un « sport » de nature alternative. Une matrice culturelle que je qualifie d'« organisante » par rapport au stade de développement que nous pouvons considérer comme « organisé » atteint exactement à la même époque par les

---

1. Certains auteurs américains considèrent que le début des années 70 marque la fin de l'influence de la New Left. « Un des plus remarquables événements de l'an 1970 fut la disparition de la Nouvelle Gauche. En mai 1970, le Mouvement - comme on disait - avait atteint son apogée au cours de la vague d'agitation sur les campus qui suivit les fusillades de Kent State et l'invasion du Cambodge. À l'automne, le mouvement s'était proprement évanoui. » T. Wolfe, *In Our Time*, New York, Farrar, Strauss & Girroux, New York, 1970, trad. partielle : *Globe*, octobre 1988, p. 85.

fédérations[2] structurées par un demi-siècle d'expansion du phénomène sportif. Si l'on considère certaines analyses issues du champ
théorique des sciences des organisations, cette notion de phase
« organisée » correspond au stade ultime de la maturation d'une
organisation. C'est-à-dire à une phase de son histoire où, d'une
part, « tout a été dit » et, d'autre part, « tout à été fait » et où,
dans ces conditions, seule la gestion pure et simple des pratiques
organisées est la raison d'existence de l'organisation[3].

Pour saisir l'ampleur du problème que va poser dans les années
à venir la seule continuation de ces pratiques sportives contemporaines que nous qualifierons donc d'« organisées », il faut bien se
pénétrer du fait que la matrice, ou la niche culturelle organisante,
qui a suscité la création des fédérations sportives d'aujourd'hui, s'est
nourrie des valeurs, donc de la culture, de la société industrielle
et cela dès la fin du XIXᵉ siècle. On comprend donc qu'une difficulté se fait jour, au début de la décennie 1990, pour les institutions sportives qui souhaitent légitimement intégrer les nouvelles
valeurs « sportives » alternatives. Il s'agit là, clairement, d'un problème qui relèvera de la mise en œuvre d'une véritable révolution
culturelle. Est-il nécessaire d'ajouter que cette intégration, si elle
doit avoir lieu, ne se fera pas sans certaines complications institutionnelles et qu'en tout état de cause une réflexion de nature mana-
gériale sera obligatoire pour la mener à bien ?

La cléricature sportive[4]

Considérons classiquement que le discours portant sur la « culture » sportive repose sur un système de valeurs qui transcende les
conduites et attitudes des acteurs du mouvement sportif. Dans cette
perspective, la « culture physique » d'une société ou d'une époque
particulière sera donc un ensemble de valeurs servant de références

2. Notamment les organisations sportives françaises qui assurèrent une véritable mission de
service public au cours de la seconde moitié du XXᵉ siècle.
3. Voir à ce propos plus particulièrement P. Jarniou, *L'Entreprise comme système politique*, Paris, PUF, 1981.
4. Bernard Ramanantsoa est le premier à avoir utilisé ce terme de cléricature appliqué aux
organisations sportives dans la conclusion du livre qu'il a écrit avec Catherine Thiery-Baslé,
Organisations et Fédérations sportives. Sociologie et management, Paris, PUF, 1989,
p. 243-245.

aux actions et relations des individus qui mettent en jeu des comportements de ce type dans le cadre d'organisations *ad hoc*.

Dans son analyse du concept de cléricature[5], Philippe Nemo estime qu'un ensemble de valeurs de cette nature relève d'un savoir particulier considéré *a priori* comme vrai. Il s'agit d'une « conviction » qui possède une caractéristique paradoxale : elle n'est pas démontrée. Elle relève d'une vérité « autre » qui exprime le bien-fondé des comportements sans le prouver scientifiquement. L'axiome culturel est donc une croyance historique, mâtinée de sacré, qui remonte aux origines de la communauté de pensée et de relations qui s'est organisée à partir d'une suite *a priori* logique et cohérente de paroles mémorables et historiques.

Un exemple simple suffira à montrer la validité de cette perspective dans le domaine du sport. Nombreuses sont les personnes qui pratiquent le sport dans le secret espoir de gagner quelques années de vie. Pour ce qui concerne la course à pied, *Jogging international* explique : « On sait que courir ajoute de la vie à la vie. En courant, on gagne sur tous les tableaux, en durée de vie et en qualité de vie[6]. » L'activité sportive étant bonne pour la santé, s'y exercer permettrait de vivre plus longtemps[7]. Pour beaucoup de nos contemporains, faire du sport consiste donc à intégrer dans leurs comportements quotidiens des notions d'hygiène de vie reposant essentiellement sur la pratique d'une discipline sportive. Or, ces notions reposent sur un « savoir » qui n'est pas vraiment démontré[8].

Le caractère « traditionnel » du discours culturel s'inscrit donc

---

5. Certains aspects de la réflexion qui suit s'appuient sur les travaux de Philippe Nemo, « Le concept de cléricature », in *Cahier du CREA* n° 2, Paris, École polytechnique, 1983. Voir aussi A. Touraine, *Production de la société*, Paris, Seuil, 1973.

6. *Jogging international* n° 110, avril 1993, p. 3.

7. Faisant écho aux travaux du biologiste américain Roy Walford, *L'Équipe Magazine* assura qu'il était possible « [d']avoir vingt ans jusqu'à cent vingt ans. [...] En augmentant la fonction pulmonaire et cardiaque, le sport améliore leur oxygénation. La capacité pulmonaire d'un vétéran actif de soixante ans est aussi élevée que celle d'un jeune sédentaire de trente-cinq ans. Un entraînement modéré opère un rajeunissement de vingt à vingt-cinq ans ». *L'Équipe Magazine* n° 419, septembre 1989, p. 66.

8. Concernant les représentations sportives, voir en particulier P. Irlinger, « La France sportive : entre pratique et représentation », in *Encyclopaedia Universalis*, p. 380-385. Notons que des travaux canadiens récents montrent que, si le sport ne prolonge pas la durée de vie, il permet néanmoins un « confort » physique qui n'est pas négligeable. Voir à ce sujet les actes du colloque « Performance et santé » organisé par l'université de Nice au mois de mars 1991.

dans une « autre » vérité que la vérité scientifique. Reste que ce discours dit et dicte une croyance qui prend la forme de normes et de valeurs qui s'imposent à une société, une entreprise ou une association qui va progressivement se structurer sur cette base particulière. Ce sont ces normes qui constituent ce que j'appellerai la « matrice culturelle organisante ». L'organisation spécifique qui en découlera pourra dans certains cas être appelée une « cléricature ».

C'est bien de la tradition sportive historique qu'est née la relation sportive organisée (associative ou fédérale) que nous connaissons aujourd'hui. En ce sens, cette relation est de manière permanente référée au passé. Ce passé est constamment présenté sur un fond allégorique évoquant les « fabuleuses histoires » des disciplines sportives et des champions qui les ont écrites. La « grande famille » du sport se reconnaît donc en tant que telle à travers le partage des valeurs véhiculées par la saga des « dieux du stade » qui ont marqué les « légendes » de la piste, du ring ou de la route. C'est cette grande famille qui relève de la notion de cléricature. Elle valorise un principe doctrinal incontournable : l'utilité de la distinction des individus selon leurs mérites. Une distinction, pas seulement une différence, car la doctrine sportive établit une frontière entre le vainqueur et tous les vaincus. C'est bien parce que le vainqueur est unique que l'enjeu est si important et donc la lutte si âpre.

Pour mieux percevoir ce principe doctrinal ayant engendré la symbolique sportive à l'œuvre dans le sport contemporain, je prendrai un exemple que je considère comme particulièrement significatif.

Le 13 novembre 1978, en Guadeloupe, un événement sans précédent dans le monde de la course au large marqua l'arrivée de la Route du rhum. Après une traversée de l'Atlantique de 4 000 milles, le premier et le second voiliers n'étaient séparés que par 98 secondes sur la ligne d'arrivée : autant dire une goutte d'eau salée dans l'océan. Un écart tellement insignifiant que tous les commentateurs devaient associer les deux skippers dans la victoire. Le vainqueur lui-même partageant sans retenue la joie de l'arrivée avec celui qui n'apparaissait aux yeux de personne comme un vaincu. Quelques mois plus tard, pourtant, Michel Malinovsky, le second que personne n'avait jugé *réellement* vaincu, publia un livre sur la course qu'il intitula de manière très révélatrice *Seule la victoire est jolie*. Ce faisant, il signifiait « très sportivement » qu'il n'était pas digne de partager la victoire. En effet, celle-ci ne peut être partagée avec le vainqueur dès lors que l'on est vaincu.

Cette anecdote est révélatrice du caractère très particulier de la victoire, cet événement répétitif totalement univoque qui a structuré un siècle d'organisation du sport. Le second ne peut la partager car elle représente le mode de validation symbolique de la cléricature sportive. Seul celui qui incarne la plus pure expression *humaine* des normes sportives (la force, l'abnégation, le respect des règles, le goût de l'effort, la beauté, la réussite, etc.) peut accéder légitimement à l'« objet-victoire ». L'unique mode de reconnaissance possible de cette légitimité est le succès qui, en excluant les autres, permet seul l'attribution des signes distinctifs de la métacondition de champion. En effet, celui-ci accède à une condition transcendante - un statut supérieur qui lui permet d'être considéré comme un « dieu du stade » - car il représente le lien entre la culture sportive issue du passé et la structure cléricale que cette culture a engendrée. Il est celui qui assure symboliquement la liaison entre ces deux instances par la capacité qu'il acquiert de se saisir de la coupe... ou du Graal[9].

Sur ce point particulier, et même si l'étude reste à faire, il me semble que des liens très étroits existent entre le roman courtois qui présenta la quête du Graal et la « fabuleuse » histoire du sport moderne. De nombreux éléments semblent concorder. Par exemple, la figure symbolique que représente le champion me paraît très proche de la personnalité de Perceval. Comme le champion doit représenter la quintessence de l'esprit sportif, Perceval est l'incarnation de la perfection chevaleresque. Or, tous deux sont les seuls à avoir accès au Graal. De manière significative, la coupe sportive a une forme identique au calice - le Graal - qui a contenu le sang du Christ. De même, autour de la Table ronde, Perceval est le seul qui accède à la « chaise haute », position surélevée qui distingue le vainqueur de la quête de tous les autres. De la même façon, le seul qui accède à la plus haute marche du podium est le champion. Autre chose encore : c'est au cours d'un véritable cérémonial que Perceval aperçoit le Graal ; de manière identique c'est une

---

9. Ce dernier terme fut utilisé par *L'Équipe* lorsque Mike Powel améliora le record du monde du saut en longueur en devançant Carl Lewis. Commentant l'exploit *L'Équipe* affirma : « Il a devancé ce dernier dans la conquête du Graal. » *L'Équipe*, 31 août 1991, p. 1.

étonnante liturgie strictement orchestrée qui accompagne le remise des trophées sportifs. Bien plus, lors des jeux Olympiques, par exemple, ce sont toujours des jeunes filles qui apportent solennellement les récompenses sportives sur le lieu de la cérémonie. Or, c'est précisément une jeune fille qui offre le Graal à Perceval. Ajoutons, pour l'anecdote, que lors de la quête le Graal doit être recherché à Avalon (c'est-à-dire en Angleterre). C'est aussi en Angleterre que Pierre de Coubertin s'en fut chercher le support matériel de la symbolique olympique.

La coupe sportive est un symbole au sens grec du terme. Selon cette acception, un symbole est un objet cassé en deux et qui représente un signe de reconnaissance lorsque deux individus, porteurs chacun d'une partie de l'objet, peuvent les rassembler pour le reconstituer. Dans cette perspective, le champion est celui qui « gère » la cassure.

Seules les extrêmes qualités dont il a fait preuve au cours d'un exploit qui le transmute en « dieu » lui permettent d'accéder à la partie « culturelle » du symbole, c'est-à-dire à l'« esprit sportif » qu'il est le seul à incarner. C'est sans doute pour cette raison qu'après s'être abaissé du haut de son podium vers le simple mortel qui lui remet la coupe, la partie « matérielle » du symbole, il n'a de cesse de la brandir vers le ciel pour accomplir l'opération symbolique de la reconstitution [10]. Le champion est en quelque sorte un « condensateur symbolique ». Il possède une double personnalité, humaine et divine, qui autorise une circulation de sens permettant d'accéder au modèle culturel « organisant [11] ». Cet accès privilégié

---

10. Sur la symbolique à l'œuvre dans le monde du sport, on consultera avec intérêt les analyses de Bernard Jeu, en particulier *Le Sport, l'émotion, l'espace*, Paris, Vigot, 1977 ; *L'Analyse du sport*, Paris, PUF, 1988. Également, M. Bouet, *Signification du sport*, Paris, Éditions universitaires, 1968.

11. Dans la métaphore sportive classique ce modèle culturel transcendant émane toujours du cosmos. C'est donc naturellement que les « dieux » du stade gravitent au « firmament » du sport. Dans cet esprit, sous le titre « Dans les étoiles », Robert Parienté commenta ainsi la chute du record du monde de la longueur au mois d'août 1991 : « Il est toujours imprudent de juger trop vite : certains champions ont des ressources de magiciens. Ils peuvent ainsi traîner pendant des saisons au firmament de l'athlétisme comme la queue d'une comète, sans jamais pouvoir joindre les étoiles de première grandeur. Et puis, un soir, l'état de grâce les effleure de sa baguette magique et les transforme en une boule de feu qui enflamme la planète. Le combat que se sont livré Lewis et Powel relève de cette astronomie de l'athlétisme où l'on observe le choc des planètes et de leurs satellites. Powel tournait ainsi depuis des années autour de Lewis sans pouvoir atterrir au sommet du podium mondial. [...] Et puis, tout à coup, dans un prodigieux coup de pied à la lune, prolongeant sa mise en

se produit lors de la cérémonie solennelle de remise des trophées. C'est lors de ce moment quasi miraculeux[12] que les clercs les plus distingués officient pour permettre aux laïcs (ou aux spectateurs) de reconnaître le modèle en distinguant le champion. C'est donc à travers ce dernier que tous ceux qui adhèrent à la doctrine sportive sont à même de correspondre avec elle. Il est créateur de lien social puisque c'est par lui que la communauté sportive saisit la réalité de son identité. À ce titre, le champion doit être un modèle de conduite et un modèle de vie. Parangon de vérités, il ne peut avoir aucune faiblesse, montrer aucune perversion, prêter le flanc à aucune corruption, sous peine de disqualification puis de déchéance.

Cette volonté de distinguer entre vainqueur et vaincus est la seule raison qui a conduit cette cléricature sportive, à la doctrine originelle pourtant clairement humaniste, à accepter une devise qui est aussi un piège - le « citius, altius, fortius », cher à Pierre de Coubertin. Un piège, car le *feed-back* positif que cette devise induit n'est pas maîtrisable et conduit immanquablement à des effets pervers en termes d'exploitation du potentiel humain.

Selon P. Nemo, toute cléricature s'inscrit dans une dimension diachronique : elle naît, grandit, mûrit et décline. La première phase est celle de la génération des multiples concepts qui vont constituer la matrice culturelle « organisante » au sein de laquelle va se

---

orbite au mépris des règles de la gravitation, Powel, transfiguré, retomba au-delà de la mappemonde bleue dont la tige, fixée dans le sable, marquait la limite du mur invisible. [...] Ce fut une seconde d'infini. [...] Caréné comme un cosmonaute, [Powel] franchit la distance qui le séparait de Beamon en y ajoutant un grain de folie. Alors que les nuées du typhon qui frôlait les côtes du Japon s'accumulaient dans le ciel violacé, l'éclair et le tonnerre résonnèrent au même instant. » *L'Équipe*, 31 août 1991, p. 3.

12. Un moment quasi miraculeux et qui, comme tel, ne doit en aucun cas être dénaturé comme cela fut le cas sur le podium du 4 fois 100 mètres des Championnats du monde d'athlétisme de Tokyo en 1991. À cette occasion, en effet, le comportement pour le moins nonchalant de l'équipe de France choqua profondément les observateurs (même si au mois d'août 1993 l'hebdomadaire *Le Sport* jugea que « le pied de Marie-Rose sur le podium américain [avait] du caractère ». *Le Sport* n° 199, 4-10 août 1993, p. 41). Ce fut au point que la presse se déchaîna contre eux. En effet, fort désappointés de leur défaite, les relayeurs français se conduisirent sur le podium à l'encontre de toute tradition sportive : « Bruno Marie-Rose se tient le pied ostensiblement sur la marche des Américains. Max Morinière tourne nonchalamment le dos à Lewis. Trouabal et Sangouma, bras croisés sur la poitrine, ne cessent de discuter. [...] On aurait aimé que le relais français adoptât une attitude moins vindicative, moins hautaine, moins renfrognée. On aurait souhaité [...] qu'ils tendent simplement la main aux Américains sur le podium afin de leur témoigner [...] la considération qui est due aux grands exploits. » *L'Équipe*, 2 septembre 1991, p. 2-3.

construire l'organisation future. C'est la phase de l'innovation et de l'imagination. Concernant le monde du sport, il est bien évident que cette étape correspond très précisément à l'action de Coubertin et à la naissance du mouvement olympique. Une phase « ontogénétique » ou « organisatrice » va suivre, qui agrégera certains parmi les différents concepts et innovations de la période précédente et éliminera les modèles ne correspondant pas aux paroles originelles. Les modèles éliminés pourront, dans certains cas, créer des courants dissidents. Nous retrouvons là la phase de constitution des organisations sportives nationales et internationales dans les années 20, ainsi que la création du sport professionnel considéré comme un courant « hérétique » dès le début du XXe siècle. C'est la période progressive d'auto-organisation et de rationalisation des structures sportives, qui débouchera sur les fédérations contemporaines.

De cette ontogenèse va émerger un ensemble de notions que certains - que nous appellerons des « clercs » - annonceront comme la Vérité fondamentale. Ce fut le cas pour la rédaction définitive de la Charte et du Serment olympique ainsi que pour la mise en forme des règlements sportifs. De cette doctrine naîtra la rationalité ultime de la cléricature qui optimisera les relations entre les moyens et les fins dans le seul but de pérenniser le dogme. C'est le moment dit « de l'organisation » : tout a été dit et tout a été fait, reste la simple gestion des comportements « organisés ». Il s'agit là du stade atteint aujourd'hui par les organisations sportives françaises.

La dernière phase, enfin, est celle au cours de laquelle l'avenir de la cléricature est entièrement perçu à travers la mémoire des « clercs » qui se défient de plus en plus de l'innovation. L'organisation qui est dans ce cas n'est plus capable d'intégrer les apports de « l'histoire en train de se faire ». Sa culture est confite dans la dévotion vouée au passé et elle apparaît incapable de s'adapter aux aspirations nouvelles.

On aura compris que ce modèle d'analyse s'applique surtout aux religions, qui représentent l'exemple le plus achevé de la cléricature. D'aucuns pourront donc être surpris de ce parallèle. Le sport serait-il une religion ? Il semble bien que la réponse soit oui. Coubertin lui-même le pensait : « La première caractéristique essentielle de l'olympisme ancien aussi bien que de l'olympisme moderne, c'est d'être une religion[13]. » Cette prise de position fondatrice permet aujourd'hui aux membres du Comité international olympique (CIO) de considérer que leur activité participe de l'action d'une organisation au caractère religieux nettement marqué et dont ils seraient les clercs, comme l'affirme J. de Beaumont, l'un des représentants français au CIO : « Le président du CIO, M. Samaranch, est le pape du sport, je ne suis qu'un évêque[14]. » De multiples prises de position confortent ce point de vue. Pour E. Seidler, du quotidien *L'Équipe*, les journalistes sportifs sont les « évangélistes » du sport[15]. Bernard Pivot, pour sa part, distinguait en 1963 dans *Le Figaro littéraire* « les grand-messes du rugby », les « vêpres de l'athlétisme » et les « processions du Tour de France[16] ». Quant à Michel Serres, évoquant le « culte du ballon ovale », il considérait en 1979 : « Écoutez donc la marée humaine hurler. Voici l'écho ou la reprise du plus enfoui des archaïsmes. Cette cérémonie est religieuse[17]. » Le journaliste de TF1 J.-M. Lelliot confirme, qui, dans une émission consacrée au dopage, estimait en 1987 : « Ils ont tué le sport : c'est-à-dire l'une de nos dernières religions[18]. » C'est, enfin, l'entraîneur Jean-Claude Perrin qui affirmait sans ambiguïté en 1992 : « Je reste [...] un missionnaire de l'athlétisme[19]. »

Cela ne fait donc aucun doute : le sport d'aujourd'hui est bien issu d'un processus d'engendrement spécifique à une cléricature. Qui plus est, cette cléricature sportive aurait une vocation « religieuse ». Ce qui laisse clairement envisager le poids culturel des symboles, des normes et des valeurs et donc la difficulté d'en intégrer de nouveaux ; surtout s'ils relèvent d'une contre-culture.

De la cléricature à l'administration

Une organisation de type clérical prend son origine dans une production de valeurs et de pratiques spécifiques. Pourtant, il faut

---

13. P. de Coubertin, « Les Assises philosophiques de l'olympisme moderne », message radio-diffusé, 4 août 1935.
14. J. de Beaumont répondait aux questions de D. Souchier, lors de l'émission « Parlons vrai » du 6 octobre 1987 sur France-Inter.
15. Cité par J. Thibault, *Sport et Éducation physique*, Paris, Vrin, 1972, p. 211.
16. *Ibid.*
17. *Le Monde*, 4-5 mars 1979.
18. Lors de l'émission « Sport Dimanche Soir » du 18 octobre 1987.
19. *L'Équipe*, 16 avril 1992.

bien convenir que cette production ne lui permet pas de se faire reconnaître en tant qu'organisation légitime par la société qui l'englobe. Pour être reconnue elle doit tenir compte des normes que lui impose l'organisation sociale dont elle fait partie[20]. Pour être légitime, c'est-à-dire juridiquement fondée et consacrée, une organisation doit donc se conformer à la loi. Reste que cette « consécration » n'est pas suffisante pour lui faire rencontrer le succès auprès du public. La réussite d'une organisation de nature associative, par exemple, repose aussi sur la légitimité qu'elle rencontre aux yeux des individus qui acceptent de vivre les pratiques organisées qui, d'une manière ou d'une autre, sont toujours contraignantes. Une organisation sportive associative ou fédérale doit donc intégrer deux types de contrainte dans ses modalités de fonctionnement : celle émanant de la légitimité étatique et celle qui relève de la légitimité sociale. Cette dernière est le fait de la cléricature. La légitimité étatique, ou institutionnelle, repose, pour sa part, sur des conventions administratives.

La réussite d'une organisation sportive est donc au centre d'un double mouvement né, d'une part, de l'évolution des procédures administratives et, d'autre part, du processus de changement social. Ce qui revient à considérer que l'organisation devra en permanence ajuster son fonctionnement pour répondre au législateur et aux transformations de la demande sociale... si transformations il y a. Ce deuxième point laisse envisager que la démarche marketing *doive* être d'une certaine façon partie prenante des stratégies de développement des organisations sportives. Pourtant, il semble bien que pour les fédérations sportives contemporaines la contrainte première soit institutionnelle. Or, en répondant prioritairement aux désirs du législateur, elles s'avèrent souvent incapables de répondre aux besoins et aux désirs du « marché ». La raison est simple : le moteur du changement social est presque toujours le fait des acteurs sociaux, rarement celui du législateur. La réalité du sport d'aujourd'hui est le propre de ceux qui le font. Elle n'est pas le fait des structures institutionnelles plus ou moins crispées sur leur propre représentation du sport. Cette vision de nature institutionnelle mais reposant, dans le domaine sportif, sur une représentation fortement

---

20. Voir à ce sujet P. Tabatoni et P. Jarniou, *Les Systèmes de gestion. Politiques et structures*, Paris, PUF, 1975.

cléricale[21] s'ancre loin dans le passé et, partant, accepte difficilement toute remise en cause. Non qu'elle rejette systématiquement
l'innovation. Mais elle l'intègre plus ou moins formellement, au
coup par coup, essentiellement sur la base de son savoir-faire (c'est-
à-dire l'organisation des compétitions) et, surtout, sans que cette
intégration repose sur une vision stratégique globale et à long terme.

D'une manière générale, toutes les organisations ne sont pas
en position d'intégrer le changement. Dans cette perspective, Alain
Touraine distingue les « agences » du changement social des
« administrations[22] ». Les premières possèdent la capacité d'être des
acteurs du changement alors que les secondes sont des agents d'exé-
cution des décisions institutionnelles. Autrement dit, la dépendance
envers l'État caractérise le fonctionnement des « administrations »,
ce qui n'est pas le cas des « agences » qui s'apparentent plutôt à
des cléricatures. Contrairement à l'« administration », les membres
de l'« agence » se définissent non pas seulement par un statut et
un rôle mais par l'acceptation des valeurs qu'elle véhicule. La vocation et non la compétence détermine leur engagement. Ils appar-
tiennent à un groupe qui s'autorecrute et définit lui-même ses règles
de conduite. On peut considérer que les membres d'une « agence »
particulière sont les représentants de ce qui transcende à un niveau
de fonctionnement correspondant la bonne marche d'une société
qui s'incarne donc partiellement dans le système de valeurs de
l'« agence ». Il reste que la gestion de ce modèle culturel transcendant est le fait des clercs (des dirigeants) cooptés par l'« agence »
et non le fait des laïcs (des simples membres). Ajoutons que
l'« agence » est indépendante et qu'elle définit elle-même son
système organisationnel ; ce qui le rend totalement légitime aux
yeux de ses membres-adhérents.

Un État qui se réduirait à une structure d'application des décisions de nature politique laisserait toute liberté aux « agences ». À
l'inverse, un État interventionniste aurait tendance à transformer
toute « agence » en « administration ». Les « administrations » ne
sont que des organes exécutifs qui appliquent les décisions de l'État.
Elles sont donc des appareils de contrôle social qui gèrent des pra-

---

21. Car les fédérations sportives présentent cette particularité unique d'être à la fois dépendantes de l'État et dépendantes des organisations sportives internationales.
22. A. Touraine, *op. cit.*, p. 293 *sq.* Il s'agit là d'une utilisation partielle des analyses développées par l'auteur.

tiques non plus organisées mais administrées. Une « administration » ne possède pas de rationalité propre et se voit donc prescrire moyens et objectifs par l'appareil étatique. L'application de la règle institutionnelle s'impose en tant que mode de fonctionnement. Dès lors, la résistance au changement et l'inadaptation aux transformations de la demande sociale est le fait des « administrations ».

De l'agence sportive à l'administration sportive

De la fin du XIXᵉ siècle jusqu'au début de la Seconde Guerre mondiale, les associations sportives correspondirent à des « agences » du changement social. Elles introduisirent un « culte » nouveau dans la société française : le sport de compétition. Organisées sur la base de la loi de 1901 relative au droit de s'associer, elles créèrent de toutes pièces une forme d'utilité sociale qui leur était propre. À partir de 1940, elles devinrent peu à peu des « administrations ». En effet, alors même que le mouvement sportif conservait[23] de profondes velléités d'indépendance, les normes étatiques s'imposèrent de plus en plus précisément face à ses règles de fonctionnement *sui generis*. C'est ainsi que la Charte des sports de 1940, les ordonnances de la Libération, la création d'un corps de fonctionnaires et les lois-programmes d'équipements sportifs au cours des années 60, puis, enfin, les lois Mazeaud (1975), Avice (1984) et Bredin (1992), sont autant d'étapes de l'ingérence progressive de l'État dans le fonctionnement des fédérations sportives françaises.

Cette intervention graduelle de l'État eut pour conséquence de transformer l'« utilité sociale » originelle de la cléricature sportive en cette reconnaissance d'« utilité publique » qui est le propre des fédérations d'aujourd'hui. L'introduction de la règle administrative transforma dans la même foulée le statut du sportif licencié qui est passé de la qualité de membre-adhérent à celle d'« administré ». Ce qui modifie totalement les modes de recrutement et le type de

---

23. Et conserve toujours, si l'on se souvient des réactions du CNOSF au projet de modification de la loi de 1984 que Roger Bambuck présenta au Conseil des ministres le 10 avril 1991. Ce « projet Bambuck », en affermissant sensiblement la tutelle de l'État sur les fédérations sportives, allait à l'encontre des avis émis par le mouvement sportif.

relation en vigueur, comme le souligne Jean Houel : « Selon ce processus, ce n'est donc plus le lien associatif qui est la source d'une
obligation librement acceptée, mais bien la décision normative émanant de l'autorité administrative et qui, elle, touche tout individu
qui entre dans son champ[24]. »

Si l'on s'en tient au strict plan de l'ingérence de la puissance
publique dans le fonctionnement des organisations sportives, il apparaît pourtant que celles-ci conservent le pouvoir de préserver dans
une bonne mesure leur système de valeurs. Ce sont elles, en effet,
qui élaborent toujours les règles de fonctionnement qui régissent
les comportements des sportifs sur les stades. Ce qui n'est pas sans
créer des situations juridiques étonnantes. On a pu le voir, en 1991,
avec la rétrogradation des Girondins de Bordeaux en deuxième division, en application de l'article 9 du règlement de la Ligue nationale de football... mais en contradiction avec la loi du 25 janvier
1985 relative à la mise en redressement judiciaire des entreprises
en difficulté. Une décision émanant du Conseil d'État - de manière
très significative de cette volonté d'indépendance du mouvement
sportif - fut considérée par monsieur Fournet-Fayard (alors président de la Fédération française de football) comme la plus importante décision prise au cours de la saison 1990-1991[25].

C'est là un arrêt du Conseil d'État qui fera sans doute jurisprudence et qui laisse penser que les organisations sportives ne sont
pas de « pures administrations ». Reste qu'elles assurent une mission de service public. Qui plus est, à l'évidence, leur autonomie
juridique s'arrête là où commence l'application des principes généraux du droit, comme s'est plu à le souligner un rapport du Conseil d'État sur « l'exercice du contrôle du pouvoir disciplinaire des
fédérations sportives » au cours de l'année 1990[26]. S'inquiétant et
émettant de « sérieuses réserves » quant à certaines pratiques disciplinaires des fédérations sportives, ce rapport faisait des propositions propres à améliorer le traitement des litiges sportifs. Parmi

---

24. J. Houel, « Règles de droit et culture sportive », in *Actes du colloque Sport et société contemporaine*, Paris, INSEP, 1983, p. 110.
25. *L'Équipe*, 6 août 1991, p. 3.
26. Voir le rapport Braibant : « L'autonomie du droit sportif, qui est une indéniable réalité dans le domaine des règles techniques et déontologiques, doit s'arrêter là où commence
l'application des principes généraux du droit auxquels aucune activité sociale organisée ne
saurait être soustraite, à plus forte raison lorsqu'elle comporte des prérogatives de puissance
publique. »

ces propositions, deux au moins visaient à un renforcement du contrôle étatique. L'une préconisait l'homologation des règlements disciplinaires des fédérations par le ministère de la Jeunesse et des Sports - « seul garant d'un véritable contrôle de la légalité ». La seconde proposait de « dynamiser » la tutelle étatique sur l'application des règlements fédéraux, y compris à l'aide de sanctions contre l'autorité disciplinaire[27].

Bien plus, le 25 janvier 1991, le Conseil d'État a rendu un arrêt, dit « arrêt Vigier », qui montre clairement les limites des prérogatives fédérales en matière de droit et de contentieux sportifs. En rendant cet arrêt, le Conseil d'État a purement et simplement annulé le résultat d'un championnat de France[28]. Même si l'arrêt Vigier ne constitue pas un bouleversement de la jurisprudence qui pourrait placer le juge en position d'arbitre et le tribunal en situation de jouer le rôle qui est habituellement dévolu à la commission de discipline fédérale[29], le Conseil d'État souligne néanmoins qu'il lui appartient de faire respecter les notions d'égalité des chances et d'impartialité des arbitres, si l'on considère qu'une compétition de niveau national s'inscrit « dans l'exercice d'une mission de service public ».

C'est bien ce dernier point qui est nettement original car il va au-delà de la jurisprudence habituelle et laisse envisager que les organisations sportives ne sont plus les seules dépositaires de l'éthique sportive. Une éthique qui repose essentiellement sur la loyauté et l'égalité. Dorénavant, le juge apparaît comme une instance supérieure à toutes les fédérations sportives lorsqu'il s'agit de « dire » l'éthique. On l'a très bien vu le 22 septembre 1993 lorsque le conseil fédéral de la Fédération française de football (FFF) prit des mesures dites « conservatoires » à l'encontre de l'Olympique de Marseille. En effet, à cette date du 22 septembre, l'OM ne fut pas déchu de son titre de champion de France acquis lors de la saison 1992-1993. Cela alors même que les dirigeants du football fran-

---

27. Pour une information à la fois précise et facilement abordable concernant les différentes prises de position du Conseil d'État en matière de droit sportif, voir *La Lettre de l'économie du sport*, en particulier les numéros 80 (20 juin 1990) et 112 (6 mars 1991).
28. Il s'agissait du Championnat de France d'haltérophilie, musculation et culturisme, catégorie des plus de 90 kilos.
29. Le Conseil d'État prend d'ailleurs bien soin de préciser les limites de son arrêt en soulignant qu'il fut pris car le classement du championnat se fondait « sur la base de considérations étrangères à l'appréciation des mérites » des athlètes.

çais étaient convaincus qu'une faute avait été commise contre la morale sportive[30]. L'attribution du titre fut simplement « suspendue » par le conseil en attendant les résultats de... l'instruction judiciaire. Cette mesure (ainsi d'ailleurs que les sanctions prononcées à l'encontre des joueurs et de Jean-Pierre Bernès, l'ex-manager de l'OM) ne préjugeait en rien des décisions que le conseil fédéral se réservait la possibilité de prendre en fonction des résultats de l'enquête du juge[31]. En réalité, en matière d'éthique sportive, force est d'admettre que dans cette affaire OM-Valenciennes la parole fut (au moins au début) laissée à l'autorité judiciaire.

Le danger serait donc d'identifier trop étroitement culture sportive et structures sportives pour promouvoir un « esprit sportif » dont les fédérations seraient les seules dépositaires mais qui, dans les faits, leur échappe de plus en plus au bénéfice d'un État nettement omnipotent dans le domaine du sport. Ce qu'il faut envisager, ici, c'est l'improbable indépendance des organisations sportives françaises. Assurant une mission de service public, les fédérations peuvent difficilement être autonomes car cette notion de « service » s'inscrit dans le cadre de l'intérêt national. Or, la définition de celui-ci relève d'une décision purement administrative et institutionnelle : seul l'État peut dire le caractère « public » du service rendu par les fédérations sportives.

La situation des organisations sportives par rapport au développement du phénomène historique qu'elles ont engendré est donc une situation d'associé. Mais un associé minoritaire, si l'on considère le processus de décision en vigueur qui relève plus de l'imposition que de la négociation. Je rejoins donc parfaitement Jean Houel lorsqu'il s'interroge : « Au fond, ne serait-on pas en présence d'une sorte d'expropriation pour cause d'utilité publique, ou encore d'une forme de nationalisation pour cause d'intérêt général[32] ? » J'ajouterais simplement que cette « expropriation » ne sera pas sans

---

30. M. Jean-Pierre Hureau, vice-président de la Ligue nationale de football et membre du conseil fédéral, affirma le 22 septembre 1993 : « Nous sommes convaincus, au conseil fédéral, qu'il y a eu corruption, ou plus exactement tentative de corruption dans cette affaire. » *Le Quotidien de Paris*, 23 septembre 1993, p. 7.
31. Dans sa conférence de presse, M. Jean Fournet-Fayard (alors président de la FFF) jugea d'ailleurs nécessaire de préciser : « Ces décisions ont été prises dans le respect de la loi française, le respect de notre procédure et les exigences internationales », mettant ainsi clairement en évidence les limites de l'autonomie fédérale. Voir *L'Équipe*, 23 septembre 1993, p. 5.
32. J. Houel, *op. cit.*

conséquence sur les possibilités d'adaptation des fédérations françaises à la contre-culture sportive qui s'est développée au cours des années *fun*.

Savoir et savoir-faire

Autres motivations, autres valeurs, les sports d'utilité publique et le *fun* se distinguent aussi quant à la forme que prennent les connaissances transmissibles qui permettent leurs pratiques. Il s'agit peut-être là de la différenciation la plus simple (en même temps que la plus éclairante) que l'on puisse établir pour marquer leurs « vocations » différentes.

La « vraie » relation sportive est rationnelle. Elle valorise l'ordre de la règle mais également la recherche scientifique propre à favoriser l'amélioration des comportements et techniques conduisant à la victoire. Elle produit donc un « savoir », là où les pratiques de glisse, en soulignant surtout la qualité des réflexes due à l'expérience et le caractère spontané et adaptatif de l'action, ne produisent qu'un « savoir-faire ». Cette distinction entre savoir et savoir-faire est le fait de l'institutionnalisation du premier par la voie de la recherche scientifique et de la « canonisation » du second dans le cadre encore embryonnaire d'une cléricature « sportive » inédite : la glisse.

Dans le domaine du sport de compétition, l'efficacité technique résulte de l'optimisation d'un couple ressources-contraintes, spécifique à un individu ou à une équipe, sur la base de la gestion rationnelle des différents paramètres, notamment réglementaires, qui constituent une discipline. Cette optimisation prend la forme d'une technique particulière qui est configurée à l'intérieur d'un corpus de connaissances. Ce corpus est un savoir car il passe par deux étapes qui ne sont pas nécessaires à la constitution d'un simple savoir-faire : l'étape de la recherche scientifique et celle de la certification institutionnelle.

La théorisation, en vue de leur optimisation, des gestualités sportives est le fruit d'une recherche de très haut niveau dans de nombreuses disciplines scientifiques. Les neurosciences sont un bon exemple. Ainsi, le titre d'un livre récent du professeur J. Paillard - *Iti-*

néraire pour une psychophysiologie de l'action. Neurosciences et acti-
vités physiques et sportives[33] - est bien fait pour montrer ce caractère scientifique. Il indique clairement que l'objectif du chercheur
est la progression d'un savoir de nature éminemment scientifique
dans le domaine du sport. Il s'agit bien d'améliorer la compréhension de certains processus conditionnant la production des gestes sportifs pour les rendre plus efficaces sous certaines contraintes,
notamment réglementaires. L'utilisation des connaissances issues des
neurosciences dans le domaine de la recherche appliquée au sport
d'utilité publique apparaît ainsi comme un moyen que la science
met à la disposition des entraîneurs. L'État ne s'y est d'ailleurs pas
trompé, qui a institué un Comité national de la recherche de la
technologie dans le domaine du sport placé sous la tutelle des ministres chargés de la Recherche, de l'Éducation nationale, de la Santé
et des Sports[34].

Dans ces conditions, l'accès à ces connaissances, d'une part, leur
maîtrise, d'autre part, la certification institutionnelle de cette maîtrise, enfin, sont les trois passages obligés pour quiconque veut faire
profession d'entraîneur. Profession et pas seulement fonction, car
si la fonction s'accorde avec l'absence de reconnaissance statutaire,
la profession, par contre, est liée contractuellement à un statut dont
le niveau correspond au degré de certification de l'impétrant. Il se
trouve qu'avec l'instauration de diplômes d'État disciplinaires, la
France est l'un des rares pays à avoir institué par voie législative
une telle certification dans le domaine des sports. Ce point ne sera
pas sans poser certains problèmes d'harmonisation entre les différents pays membres de l'Union européenne lors de la mise en œuvre effective du Marché unique. Mais il montre bien qu'un véritable « savoir » de nature scientifique est à l'œuvre. C'est pourquoi,
là encore, l'État s'est attribué la maîtrise de la diffusion de l'enseignement portant sur ce type de connaissances. En effet, la loi de
1984 précise bien que seuls « les établissements de formation de
l'État et les établissements agréés assurent la formation initiale et
continue des cadres rémunérés des activités physiques et
sportives[35] ».

---

33. Paris, Actio, 1988.
34. Article 34 des lois du 16 juillet 1984 et 13 juillet 1992 relatives à l'organisation et
à la promotion des activités physiques et sportives.
35. Article 45 de la loi du 16 juillet 1984, repris par la loi du 13 juillet 1992.

Face à ce savoir, le savoir-faire des glisseurs s'apparente au tour de main de l'artisan. Ce dernier se transmet par un maître avéré, c'est-à-dire reconnu en tant que tel pour son expérience, et non par un professeur certifié, reconnu en tant que tel par la validation institutionnelle de ses connaissances. La grande différence entre le savoir-faire des glisseurs et le savoir des sportifs repose sur leur mode de transmission respectif. Le premier se transmet par la pratique sans recours à la théorie[36]. Le second en appelle à la théorie pour enseigner la pratique.

Une des raisons qui expliquent cette différence relève des transformations permanentes qui touchent les pratiques de glisse. Une évolution due aux innovations tant techniques que technologiques qui, en les rendant rapidement obsolètes, ne permettent aucune stabilisation des procédures qui sous-tendent les savoir-faire. Certaines pratiques récentes comme le half-pipe[37] sont très représentatives de cette situation nouvelle dans le sport.

Dans le cas particulier du « pipe », une double évolution a pris forme en 1992. D'une part, on a assisté à une métamorphose très rapide des figures qui furent importées du skate par des adeptes de plus en plus jeunes qui combinèrent alternativement les deux pratiques. D'autre part, l'amélioration accélérée des planches et, surtout, des fixations a autorisé des enchaînements impensables il y a seulement une ou deux saisons. Ce double développement d'une pratique par ailleurs récente altère particulièrement la « culture technique » des « pipers ». L'altération culturelle se perçoit très bien dans le renouvellement permanent du vocabulaire, sinon de la sémantique[38], en usage. Il faut noter un phénomène remarquable : dans

---

36. Comme le souligne, par exemple, le magazine *Surf Saga* : « Le surf ne peut satisfaire aux normes de la science car toute la dimension technique et pédagogique, la connaissance du milieu et du matériel, se développent dans la diversité des vagues. » *op. cit.*, p. 50.
37. Pratique du surf des neiges sur une « rampe » dont l'objectif est l'enchaînement de figures aériennes et spectaculaires.
38. Dans un article intitulé « Méthodologie sémantique ou l'art de nommer une figure », *Wind Magazine* devait noter : « La plupart des figures de snowboard sont purement dérivées des figures de skate, soit. Mais comme, accessoirement, tous les noms de figures de skate sont éditées dans un néoslang [argot] de skaters ricains, la tâche de décryptage n'est pas aisée pour un trasher franchouillard. » *Wind Magazine* hors-série n° 21, p. 82. À titre d'exemples, voici le nom des figures les plus impressionnantes (selon la revue *Anyway*) réalisées lors de la Kebra Classic organisée à Tignes au mois de novembre 1992 : « Maxi indy 540° sur le pro-jump », « Easy 360 par-dessus la fun-box », « Nosebone over the fun-box », « Catchs to fakie en transfert hip », « 180° catch backside pro-jump », etc. *Anyway* n° 20, décembre 1992, p. 19.

le petit monde du « pipe », le futur semble se combiner avec le présent tant l'évolution est rapide. Ce qui ne manque pas de créer des situations bizarres, notamment en ce qui concerne la réglementation des compétitions. Ainsi, en 1991, les instances françaises qui tentaient difficilement de gérer le développement du « pipe » n'appliquaient pas le même règlement que les instances internationales... C'est là une situation extravagante, on en conviendra. Une situation dont l'absurdité s'explique pourtant très bien si l'on considère l'instabilité des savoir-faire qui mélangent alternativement snowboard et skate, tendance *hard* ou *soft*, « compet' » et recherche de sensations, l'ensemble formant un mélange de créativité et de fantaisie parfaitement ingérable dans le cadre normalisateur d'une structure institutionnelle.

Plus ancienne, donc relativement établie, la planche à voile est un exemple très intéressant de la difficulté qu'éprouvent les fédérations sportives pour fixer les savoir-faire issus de la glisse en tentant de les stabiliser sous la forme de savoirs sportifs institutionnels. Dans ce cas particulier, il s'avère que les nombreux ouvrages qui proposèrent des méthodologies d'apprentissage au début des années 80 ne sont plus d'actualité aujourd'hui. Complètement dépassée par l'évolution du matériel et de la technique, l'activité qu'ils proposaient aux véliplanchistes d'hier ne correspond plus à la pratique des funboarders d'aujourd'hui. Il faut bien comprendre qu'au-delà de cette obsolescence accélérée des compétences techniques, la difficulté consiste surtout à suivre la tendance en la corrélant avec le savoir correspondant. Ce qui, semble-t-il, est impossible pour une institution[39]. Certaines prises de position particulièrement critiques montrent bien cette impossibilité quasi mécanique en même temps qu'elles donnent à voir la différence qu'il convient d'instaurer entre savoir institutionnel des sportifs et savoir-faire plus ou moins « sauvage » des glisseurs. « L'état de l'enseignement de la planche à voile en France n'est pas mauvais, il est catastrophique [...]. L'apprentissage de la planche à voile souffre d'avoir été happé, au fond malgré elle, par [la] Fédération française de voile. [...] L'enseignement du windsurf, calqué sur celui,

---

39. Dans un domaine bien différent, on le constate avec l'université qui éprouve les plus grandes difficultés pour définir les contenus de formation des futurs informaticiens du fait du renouvellement permanent des technologies. L'embarras universitaire dans le domaine informatique donne la mesure du problème que doivent résoudre les fédérations sportives.

traditionnel et rigide, du dériveur, n'avait ainsi dès le départ que peu de chance d'être compris par des marins [...] très vite déroutés par les us et coutumes anticonformistes des véliplanchistes. Sommée de codifier l'apprentissage et d'assurer la promotion d'un sport dont l'évolution a été très rapide, la FFV a [...] fait montre d'incompétence. [...] Résultats : une formation de moniteurs approximative [et] un contenu pédagogique souvent inepte[40]. » Jugement trop sévère ? Probablement, puisque cette « incompétence » relève surtout du caractère institutionnel (donc obligatoirement normalisateur) de la Fédération française de voile.

En réalité, force est de constater que la glisse introduit un phénomène remarquable dans l'univers emprunt de rationalité qui caractérise le sport : la connaissance n'est plus seulement produite par le chercheur ; elle devient surtout le fait du héros, voire du « dieu » ou du « maître du monde[41] ». Celui-ci apparaît comme le seul pourvoyeur d'informations propres à améliorer les techniques qui sous-tendent les pratiques. On l'a vu plus haut avec Robby Naish : pour ce qui concerne le savoir-faire des adeptes du funboard, il est à l'origine de toutes les connaissances : « Robby a tout inventé, ça tout le monde le sait[42]. » Cette maîtrise des innovations et des savoir-faire correspondant explique l'étonnante formule utilisée par la revue *Wind Magazine*, qui affirme sans ambiguïté : « La raison du plus Naish est toujours la meilleure[43]. » Naish n'étant pas un chercheur scientifique, cette formulation signifie bien que dans le monde de la glisse la constitution du corpus des connaissances relève de l'expérience pratique, non de l'expérimentation savante.

Cette différence entre savoir institutionnel et savoir-faire « sauvage » semble parfaitement assimilée par les dirigeants sportifs même si, à l'évidence, elle leur pose un problème de type administratif. Il apparaît, en effet, que « par nature » les milieux sportifs seraient plus enclins à faire confiance au second qu'au premier. C'est ainsi, par exemple, qu'à la suite de l'échec cuisant du demifond français lors des Championnats du monde d'athlétisme de Tokyo, en 1991[44], Michel Jazy, vice-président de la Fédération

---

40. *Wind Magazine* n° 138, novembre 1991, p. 35.
41. Voir *supra*, « Les délires de la communication *fun* ».
42. Voir *supra*, *idem*.
43. Voir *supra*, *idem*.
44. Aucun coureur français ne fut finaliste en demi-fond, ce qui ne manqua pas de soulever de nombreuses critiques à l'endroit des entraîneurs.

française d'athlétisme, devait ironiser quant au contenu des
connaissances scientifiques exploitées dans ce domaine particulier.
Pour lui, « le demi-fond est une chose simple. Je regrette qu'on
l'ait trop compliqué. Aérobie, anaérobie[45], qu'est-ce que c'est ? Je
ne connais que Nairobi, au Kenya. Montrons-nous réalistes, n'allons
pas chercher midi à quatorze heures. Les gars et les filles sont pau-
més. [...] Pourquoi n'associe-t-on pas à la direction technique, dès
maintenant, des champions qui ont fait leurs preuves et qui seraient
d'excellents entraîneurs, même s'ils n'ont pas de diplômes[46] ? »

Le PDG et le champion

La rationalité fonctionnelle des motricités comparées constitue
l'axe de recherche principal autour duquel s'articule le savoir sportif. L'optimisation de l'efficacité et du rendement des athlètes sous
contraintes neurophysiologiques, biomécaniques, psychologiques et
réglementaires représente donc l'objectif ultime assigné à cette
connaissance que des scientifiques ont pour tâche d'élaborer. Le fait
que la réalisation des objectifs du savoir sportif soit exprimée en
termes monétaires - l'or, l'argent et le bronze qui étalonnent la
valeur de la monnaie olympique mais aussi, plus prosaïquement,
les primes et salaires versés aux sportifs professionnels - permet de
penser que la rationalité sportive est proche de la rationalité qui
gouverne la sphère techno-économique. De fait, la valeur d'une
innovation sportive ne se mesure qu'à son utilité opérationnelle.
Le saut en hauteur, avec l'introduction du *fosbury flop*, est un cas
exemplaire qui montre que dans le monde du sport le changement
n'est lié qu'à un seul principe : l'efficacité. On peut donc dire que
c'est la « productivité » recélée par certaines gestualités qui leur
confère le statut de techniques sportives de pointe.

L'analogie structurelle et idéologique entre les mondes sportif
et techno-économique a déjà fait l'objet de nombreuses analyses
et prises de position souvent critiques[47]. J'aimerais envisager que

---

45. Ce sont là deux concepts de nature scientifique utilisés dans le domaine de la physiolo-
gie de l'effort.
46. « Jazy, un Platini du demi-fond ? », in *L'Équipe*, 3 septembre 1991, p. 7.
47. Notamment de la part de l'équipe de la revue *Quel corps ?* que dirige Jean-Marie Brohm.

cette analogie doive être complétée par un point qui n'est que très rarement mentionné mais qui m'apparaît comme fondateur des transformations en cours : la « disparition » de l'individu considéré en tant qu'être sensible dans le monde du sport de compétition[48].

L'« individu » sera considéré ici comme un être doué d'une « sensibilité motrice » qui lui est propre. J'examinerai cette sensibilité particulière en tant qu'elle peut *aussi* être considérée comme la perception individuelle d'un mouvement vécu dans ses rapports aux autres ou à l'environnement. Mouvements vécus comme pourvoyeurs de sensations *in vivo* mais que la société sportive masque pour promouvoir un geste platement mesuré ne délivrant qu'émotions et sensations *in vitro*, puisqu'elles ne seront appréciées qu'*a posteriori*, après comparaison. La première acception de cette sensibilité corporelle relève d'une mutation radicale de la seconde. Georges Vigarello le souligne bien, qui affirme : « Une caractéristique essentielle des investissements ''physiques'' nouveaux est qu'ils visent d'abord un retour sur soi. Considérable est la distance entre de telles sollicitations et les modèles auxquels ils se substituent[49]. »

La structure sociale hiérarchisée de l'entreprise relève d'un principe simple selon lequel la séparation des fonctions est nécessaire à leur bonne coordination. Même si des noms apparaissent sur les organigrammes, il s'agit bien d'une séparation de fonctions ; pas d'une séparation d'individus. Jusqu'à une date récente qui a vu l'apparition d'entreprises « du troisième type », la firme préférait gérer des rôles et des statuts plutôt que des hommes et des femmes doués de sensibilité. Les explications fréquemment avancées pour justifier ce phénomène sont connues : on coordonne plus facilement des rôles que des individus. Il en résulte que toute hiérarchie est une structure de fonctions dans laquelle la personne privée n'a, en principe, aucune importance au bénéfice de ses qualités professionnelles. Ainsi a-t-on pu montrer que dans une organisation de type techno-économique c'est sa position hiérarchique qui détermine le niveau et la qualité des rapports interpersonnels développés par un individu. Autorité et reconnaissance sociale sont donc propres à une

---

48. Je m'appuierai largement sur l'analyse de Daniel Bell pour développer ce point de vue. Voir *Les Contradictions culturelles du capitalisme*, Paris, PUF, 1979.
49. G. Vigarello, « Les vertiges de l'intime », in *Esprit*, « Le corps... entre illusion et savoir », février 1982, p. 68-78.

place déterminée au sein d'un organigramme. Autant d'attributs que l'on endosse dès lors que l'on accède à la position hiérarchique considérée. Dans ces conditions, l'individu perd tout caractère sensible, il « devient un objet ou une ''chose'', non parce que l'entreprise est inhumaine, mais parce que l'accomplissement d'une tâche est subordonné à la finalité de l'organisation[50] ».

Il en va de même pour l'« autorité sportive » conférée au statut de champion qui est liée dialectiquement à une position hiérarchique supérieure. Pour un cadre supérieur comme pour un champion, autorité et reconnaissance sociale sont attachées de la même façon à la place - référencée en unités de mesure monétaires (dollars, francs, or, argent) - qu'ils occupent au sommet d'une pyramide. Elles ne sont pas attachées à l'individu sensible mais à ses qualités opératoires. Dans les deux cas, la relation aux autres est déterminée par les rôles qu'impliquent ces conditions de références : parangons d'autant de qualités spécifiques à leurs positions, PDG et champion doivent être des exemples. Leur personne sensible, voire leur réalité humaine, disparaît derrière le titre dont on les pare et le chiffre (salaire ou classement) qu'on leur attribue.

En février 1992, le quotidien *La Tribune de l'Expansion* fit état du palmarès des plus gros salaires attribués aux États-Unis. Le journal présenta à la une un graphique sur lequel figuraient dix noms affublés d'un chiffre. La sécheresse d'une telle présentation était suffisante pour faire exister les individus ainsi référencés aux yeux des lecteurs : leur réalité publique était entièrement contenue dans le chiffre de leur salaire. De la même façon, au mois de septembre 1987, l'athlète canadien Ben Johnson n'a existé pour le public que par le biais d'un chiffre publié sur six colonnes à la une de *L'Équipe* : « Johnson : 9'87 ». En donnant une forme chiffrée aux qualités de l'athlète, la presse faisait apparaître un recordman du monde du 100 mètres ; pas l'individu Johnson. Ce dernier ne l'intéressait en aucune manière. Pour preuve, en 1991, alors qu'il participait toujours aux compétitions internationales, le *même* homme dépassé par les coureurs américains Leroy Burrell et Carl Lewis ne « faisait » plus un entrefilet dans la presse internationale.

Cette dépersonnalisation - ou « dé-sensibilisation » - du chiffre

---

50. D. Bell, *op. cit.*, p. 21.

sportif au bénéfice de sa signification a sans doute atteint son apogée avec la chute du record du monde du saut en longueur le 30 août 1991. L'exploit inattendu de Mike Powel (qui améliora de 5 centimètres le record de Beamon vieux de vingt-trois ans) mit en exergue l'athlète référencé au détriment de l'individu sensible. De manière très significative, la façon dont *L'Équipe* présenta le record montre bien que l'individu Powel n'intéressait personne. Seuls comptaient les 8,95 mètres qu'il venait de réaliser. Dans sa livraison du samedi 31 août 1991, *L'Équipe* ne titra pas sur Mike Powel mais bien sur le chiffre censé exprimer la réalité, sinon l'existence « terrestre », de cet homme. Sur la première page du quotidien, le nom du sauteur apparaissait en minuscules caractères bleus de 2,5 millimètres de hauteur reproduits comme une litanie sur toute la largeur du journal. Par contre, le chiffre de l'exploit mesurait 37,7 centimètres de longueur pour une hauteur de 13,5 centimètres (autrement dit 25 % de la surface totale de la une du journal)[51].

À deux mètres de distance, seul le chiffre était lisible : il semblait être présenté sur un fond bleu du meilleur effet. En réalité cette page fut construite autour du chiffre et non pas autour du nom de celui qui l'avait produit. Le commentaire était bien fait pour mettre en évidence comme une seconde naissance de Mike Powel. Un peu comme si celui-ci n'existait nullement avant de produire le chiffre de son exploit. Bien plus, tout semblait indiquer qu'il devint une « présence » ou une « réalité » pour la société dès lors que ses pointes touchèrent le sable après avoir quitté le sol 8,95 mètres auparavant. Comme le souligna Robert Parienté, à partir de ce moment, « Powel est devenu célèbre, mais il est surtout devenu quelqu'un[52] ». Dédoublement de la personnalité de celui qui y accède, la célébrité sportive serait donc une forme de schizophrénie. Ainsi, le multiple champion et recordman du monde Carl Lewis parlerait de lui à la troisième personne du singulier[53]...

---

51. Le 7 juillet 1994, à la suite du nouveau record du monde du 100 mètres établi par Leroy Burrell, le quotidien présenta en couverture le chiffre de 9'85 en caractères quatre fois plus gros (11,6 centimètres de hauteur) que le nom du sprinter. Cette fois, néanmoins, une photographie pleine page présentait l'auteur du record.
52. *L'Équipe*, 31 août-1er septembre 1991, p. 1.
53. Comme le remarque *Libération* : « Ce type qui parle de lui à la troisième personne du singulier, ce type qui semble cultiver une schizophrénie royale, comme si l'homme Lewis, mal assuré d'être à niveau, regardait agir l'athlète Lewis. » *Libération*, 31 août 1991, p. 28.

La démocratie sportive

L'inexistence de l'individu sensible dans les sociétés techno-économiques et sportives doit être rapprochée du concept d'égalité qui représente la pierre angulaire des sociétés démocratiques et du mouvement sportif. De la même façon que le consensus démocratique repose sur la stricte égalité des citoyens, le consensus sportif légitimant places et records ne peut se concevoir en dehors de la règle égalitaire qui certifie l'égale condition des acteurs face aux résultats à venir. L'égalité des chances, dans ce cas, représente une sorte de « citoyenneté sportive » qui se traduit par une égalité devant la règle sportive et non devant la loi démocratique. Dans les deux cas, pourtant, la personne privée disparaît face à ce système de représentation du réel que sont les règles écrites qui conditionnent le bon fonctionnement des sociétés sportive et démocratique. Émerge alors une personne publique qui n'existe que parce qu'elle se soumet aux codes civils et sportifs. Qu'elle y déroge, et elle sera disqualifiée, c'est-à-dire qu'elle perdra ses droits publics, d'une part, sportifs, d'autre part.

Il faut donc admettre que tant dans le domaine de la société civile que dans celui de la société sportive, l'être sensible apparaît comme une sorte de « part maudite » qu'il conviendrait d'éradiquer. La personnalité intime doit s'effacer au profit de l'homme public. Elle disparaît au bénéfice de la bonne marche des institutions - démocratie, entreprise, fédération - qui tendent à la rejeter aux marges, notamment dans les sphères de non-production comme les loisirs. On comprend facilement que la revendication d'existence de l'individu, si elle doit s'exprimer dans ces marges, ne le fera que sur des bases différentes, alternatives, contre cette culture qui la domine habituellement et en exigeant les conditions de sa liberté. On comprend, surtout, que la recherche de l'expression individuelle utilisera des modèles et des dispositifs distincts de ceux qui la contraignent *normalement*. L'irréductible opposition entre les personnes publiques et privées jouera dès ce moment sur des registres et des procédures dans lesquels toutes les coercitions habituelles seront exclues[54] : jouissance, sensations, fête, vertige, libre arbitre,

---

54. Les surfers, par exemple, représentent l'archétype de cette attitude qui relève d'une recherche constante de dispositifs atypiques : « Nomades itinérants, en fonction des climats et des spots. Aujourd'hui ici, demain là-bas. Le mode de vie et le rythme des surfers est lié à

exaltation. On comprend, enfin, que dans tous les cas l'imposition d'une règle commune ne pourra se concevoir.

Reste qu'en l'état actuel de l'organisation sportive une telle proposition ne peut être considérée que selon deux points de vue : au pire, une aporie, car cette libéralisation contient en germe un désordre inacceptable ; au mieux, une utopie, mais alors une utopie qui se concrétiserait dans les marges « et nulle part ailleurs[55] ».

Les effets pervers
de la relation sportive

La « vraie » relation sportive n'est justifiée que par un seul but : l'appropriation de ce que j'appellerai un « objet-victoire » que matérialisent coupes et médailles. Le mouvement vers cet « objet » est organisé et réglementé pour être mesuré et comparé à d'autres mouvements. Cette mesure est propre à attribuer un « prix » au geste qui est mis en jeu. Cette valeur est ensuite « échangée », c'est-à-dire confrontée avec la valeur atteinte par les gestes produits par d'autres.

Dans la perspective économique, la mesure de la valeur d'un objet est proportionnelle à son degré de désirabilité. L'appréciation de cette valeur implique, bien entendu, sa comparaison avec la valeur atteinte par d'autres objets. Cela suppose une mise en perspective hiérarchique des différentes valeurs attribuées à chaque objet de façon à établir un classement. Il existe deux possibilités de classement. La première est subjective. C'est le cas d'un choix individuel, intime, visant à satisfaire un besoin personnel ou à procurer des sensations agréables. Dans ce cas, c'est l'individu qui estime la valeur attribuée à l'objet. Il est seul juge du bien-fondé d'un

l'incertitude permanente du milieu dans lequel ils vivent. Chaque surfer développe ainsi une intelligence adaptative, oubliée de notre civilisation aseptisée par les mesures et les normes [...]. Cette race est encore capable de toucher, de goûter, de sentir, et d'entendre. Cinq sens pour percevoir le monde. » *Surf Saga* n° 1, p. 50.

55. Pour reprendre une publicité du Club Méditerranée qui représente une véritable « utopie concrète » selon une expression d'Edgar Morin. *L'Esprit du temps*, Paris, Grasset - « Le Livre de poche », 3e édition 1975, p. 251. Sur le Club Med, voir A. Ehrenberg, *Le Culte de la performance*, Paris, Calmann-Lévy, 1991, p. 103 *sq.*

choix dont la légitimité s'établit à une aune privée. On parlera dans ces conditions d'une valeur d'usage individuel attribuée à l'objet.

Une seconde possibilité de classement revêt un caractère plus objectif. Ce type de classement est utilisé dans le cas d'un échange entre plusieurs individus. Dès que deux personnes échangent un objet, la valeur affective qui lui est attribuée ne compte plus. Ce qui est considéré, c'est le caractère d'utilité sociale du bien qui relève d'une échelle de mesure hétéronome, c'est-à-dire non pas établi de manière autonome ou individuelle mais sur une base négociée collectivement. C'est le degré d'utilité sociale, symbolique ou matérielle, qui détermine la valeur d'échange de l'objet dans les limites d'une transaction.

L'objet symbolique que représente la victoire sportive possède une valeur d'échange et non pas une valeur d'usage. Il faut considérer, néanmoins, que cette valeur d'échange n'est pas déterminée par la quantité de travail pourtant considérable que l'on a introduit dans le processus de la conquête victorieuse. Ce qui compte ici, ce n'est donc pas la « valeur ajoutée » mais la rareté. C'est parce que l'« objet-victoire » est unique que sa valeur d'échange est considérable. Le système sportif est fondé sur l'étalon-or. L'argent et le bronze ne permettent en aucun cas de négocier la victoire. Ils n'apparaissent que comme des « valeurs refuges » pour ceux qui n'y ont pas accès. Le quotidien *L'Équipe* expliqua d'ailleurs très bien cette « réalité financière » lorsqu'il commenta la défaite de Marie-José Pérec aux Championnats du monde de Stuttgart au mois d'août 1993. Pour ce faire, en effet, l'envoyé spécial de *L'Équipe* utilisa une métaphore très significative de la valeur d'échange qui est conférée à la prestation sportive : « Reconvertie sur 200 mètres après avoir été deux années de suite l'étalon-or de la distance supérieure, Marie-José Pérec n'a malheureusement pas eu tout à fait les moyens de ses ambitions pour y établir la primauté du franc. Il est vrai qu'en sprint prolongé la pièce maîtresse de notre athlétisme n'était pas la monnaie de référence : à la Bourse mondiale de Tokyo en 1991, c'était le deutschemark incarné par Katrin Krabbe, aujourd'hui totalement dévaluée pour faux et usage de faux[56] ; et, sur la place olympique de Barcelone, l'an dernier, c'était le dollar représenté par Gwen Torrence. Marie-Jo ne roule

---

56. L'athlète allemande Katrin Krabbe fut accusée de dopage.

donc plus sur l'or, ni sur l'argent, ni même sur le bronze dont on a pu croire un instant, hier soir en finale, qu'elle allait le dérober à la roublarde Irina Privalova ; [...] cette médaille aurait évité à la France un revers de fortune[57]. » Est-il nécessaire de préciser que le métal d'usage courant dans lequel sont fabriquées les médailles offertes à tous les participants d'une course sur route ne possède aucune valeur échangeable ? La seule valeur pouvant leur être attribuée s'établit à une aune individuelle, autrement dit fortement inégalitaire. Elle n'est qu'affective ; en aucun cas monnayable sur le marché des « objets sportifs » car elle relève d'une valeur d'usage et non pas d'une valeur d'échange.

Seuls des *alter ego* peuvent avoir accès à cet objet symbolique qu'est la victoire. En effet, l'égalité d'accès à l'objet-victoire fonde la relation sportive car l'échange acceptable par tous ne peut s'établir que sur une base égalitaire, unique principe susceptible de mettre en évidence le mérite. Ce point laisse entrevoir le parfait équilibre, voire la parfaite harmonie, qui semble contenu dans les relations nées des comportements sportifs. La sagesse de ce raisonnement masque pourtant des effets pervers dont on commence à mesurer l'incroyable pouvoir de destruction des individus. La théorie du « désir mimétique » proposée par René Girard va nous aider à comprendre l'ambiguïté et, au-delà, le danger de la relation issue de la confrontation sportive[58].

La victoire n'a pas de valeur propre[59]. Elle n'a de valeur que dans la mesure où d'autres désirent *également* y accéder. La relation concurrent-victoire est donc médiée par des tiers. La théorie du désir mimétique proposée par Girard transforme ainsi la ligne droite qui va de l'individu à l'objet qu'il désire[60] en un triangle dans lequel un modèle (un champion, par exemple) désigne aux autres l'objet désirable, soit parce qu'il y a accès, soit parce qu'il le désire aussi. Il existe deux cas de figure. Ou bien le modèle est inaccessible ; il s'apparente alors à une fonction transcendante (un

---

57. *L'Équipe*, 20 août 1993, p. 2.
58. R. Girard, *Mensonge romantique et vérité romanesque*, Paris, Grasset, 1973.
59. La victoire sportive, s'entend, celle qui relève de la gratuité du geste, non pas celle acquise par un professionnel du sport.
60. Et qui fait que nous désirons une chose parce qu'elle est bonne ou bien qu'une chose est bonne parce que nous la désirons.

dieu du stade[61]). Ou bien le modèle est accessible ; il est alors un *alter ego* qui est un obstacle à la réalisation du désir de victoire. Ce qui revient à dire que plus le modèle est proche, plus l'objet du désir revêt un principe de réalité. À l'inverse, plus le modèle est éloigné plus le désir ne peut être que virtuel ou illusoire : donc inexistant.

Cela explique probablement pourquoi plus de 10 000 coureurs acceptent si facilement de participer aux 20 kilomètres de Paris aux côtés de 150 athlètes surentraînés. En effet, ces « as » ne sont en aucun cas des modèles pour les « masses » car la distance qui les sépare[62] est tellement importante que les premiers ne peuvent certainement pas désigner la victoire comme objet de désir aux derniers. Ces 150 concurrents ne sont donc pas des obstacles à la réalisation des désirs des 10 000 autres participants. Aucune égalité n'existe entre eux, de même qu'aucune égalité n'existe entre les multiples individus qui constituent le gros des coureurs. C'est bien parce qu'ils ne sont pas à égalité face à l'objet-victoire qu'ils acceptent de souffrir ainsi sur le bitume.

La raison de leur participation serait beaucoup plus déconcertante. Il semble bien, en effet, que l'« objet » pour lequel ils soient en concurrence, cet « objet » devant lequel ils sont à égalité... ce soit justement la souffrance. Comme l'affirme avec beaucoup de pertinence le magazine *Grandes Courses*, ces épreuves sont une véritable « éloge de la douleur[63] ». Dès lors, on peut comprendre que le handicap, c'est-à-dire l'inégalité, puisse être valorisé dans ce type de courses car c'est lui et non les autres concurrents qu'il s'agit de vaincre. Ne nous étonnons pas, dans ces conditions, que la souffrance soit ouvertement présentée sinon mise en scène. Il faut envisager que ces concurrents handicapés moteurs, ces valides exténués, ces personnes du troisième âge, tous grimaçants de souffrance, tous à bout de souffle et d'énergie, ne font que désigner aux autres la douleur comme objectif à surmonter, donc à atteindre... et par conséquent à désirer.

C'est la raison pour laquelle « dans un marathon il n'y a ni gagnant ni perdant, il n'y a que des vainqueurs », comme devait

---

61. Voir *supra*, lorsque les adversaires du windsurfer Robby Naish revendiquaient la possibilité de courir dans une autre catégorie que la sienne : la catégorie « humaine ».
62. Au sens propre comme au sens figuré.
63. *Grandes Courses* n° 5, janvier 1988, p. 43.

l'affirmer joliment, dans un article consacré au marathon, la revue *Handicap Magazine*[64]. Il s'agit donc, clairement, de n'être ni devant, ni derrière, mais simplement à sa place puisque, de toute façon, cette place représente une victoire sur sa propre faiblesse. Un point de vue confirmé par *Jogging international* qui, commentant le marathon de Berlin couru en 1992, titra : « 20 000 vainqueurs[65] ».

Pour les organisations sportives, l'erreur consisterait à considérer les marathons de masse comme le prototype de l'épreuve sportive pour tous qui proposerait le champion comme médiateur du désir de victoire. La règle aurait ainsi pour objectif d'égaliser les chances relatives aux possibilités d'accéder à cet objet symbolique pour tous. La réalité est tout autre. C'est la souffrance née d'une fatigue endurée en commun qui détermine les conditions de l'égalité entre le premier et le dernier. La mesure du temps de course est ici éclipsée au bénéfice de la durée d'une souffrance vécue à l'identique. Car la douleur est présente à tous les niveaux. Bien plus, elle rend des individus différents au départ égaux devant elle à l'arrivée. Il semble que Nietzsche ne dise pas autre chose lorsqu'il affirme : « Quelques heures d'escalade en montagne font d'un voyou et d'un saint des créatures sensiblement semblables. La fatigue est le chemin le plus court vers l'égalité et la fraternité[66]. »

On le constate, nous sommes là devant un bouleversement complet de l'éthique sportive égalitaire qui fait de la victoire sur autrui la raison d'être des codes disciplinaires. Pourtant, cette dernière perspective est encore largement majoritaire au sein de l'institution sportive d'« utilité publique ». Son « métier » repose historiquement sur sa capacité à organiser les comparaisons permettant l'accès ou le non-accès à l'objet-victoire. Un problème se pose néanmoins : les media et, corrélativement, les organisateurs d'événements sportifs distinguent de moins en moins l'objet de sa brigue[67]. Ou, si l'on préfère, le but du sport (la victoire) du processus d'accès au but (la compétition)... tant il est vrai que ce dernier est devenu pourvoyeur de spectacle, donc de profits non plus symboliques mais financiers. Pour la majorité des observateurs, aujourd'hui la définition du sport

---

64. *Handicap Magazine* est une revue spécialisée dans les problèmes des handicapés. Cette phrase est attribuée à Émile Zatopek. *Handicap Magazine* n° 3, juillet 1988, p. 29.
65. *Jogging international* n° 99, avril 1992, p. 29.
66. Cité par A. Sivère, *Nietzsche, maximes et pensées*, p. 87.
67. Étymologiquement, « brigue » vient de « lutte » ou « querelle » et le terme « compétition » est issu du mot latin *competere* signifiant « briguer ».

s'épuise entièrement dans l'énoncé de son « principe compétitif latent[68] ». La brigue est devenue l'objet même du sport « téléspectaculaire ». Tout est organisé et tout sera bientôt réglementé pour optimiser la mise en scène du processus d'accès à la victoire.

Dans un avenir probablement proche, il ne faudra plus analyser le sport comme une lutte pour un objet qui ne sera désiré que pour les vertus symboliques qu'il conférera au vainqueur. Ce sera là, encore une fois, une mutation radicale de l'éthique sportive. Si le champion condensait jusqu'alors *en* sa personne toute la mythologie sportive, l'objet-victoire qu'il acquerra bientôt ne relèvera plus de cet usage symbolique *a posteriori*. Bien au contraire, la victoire s'inscrira dans un échange *a priori* financier. Il reste que, si cette mutation s'inscrit « naturellement » dans la logique économique d'une évolution qui tend à transformer le sport en spectacle producteur de *stars*, elle ne pourra se réaliser aussi facilement que dans la mesure où cette logique fut incluse dans la doctrine évhémériste qui gouverne le sport depuis un siècle. Le fonctionnement du sport selon une telle doctrine - qui considère les champions comme des dieux - a en effet produit un étonnant phénomène d'évolution : depuis des décennies, le sport semble marcher « en crabe » vers son destin. C'est à reculons, comme par mégarde, qu'il se dirige vers un professionnalisme définitif qui transformera les dieux en *stars*.

Si cette possibilité lui est offerte aujourd'hui sans que cela semble trop gêner les différents acteurs du mouvement sportif, c'est probablement parce qu'elle était « génétiquement » inscrite dans une certaine logique de l'accès à l'objet-victoire. Dans la cohérence nouvelle - et, semble-t-il, naturelle - qui préside aujourd'hui à la « téléspectacularisation » du sport, l'objet-victoire semble de moins en moins désiré parce qu'il ne peut pas être partagé. Il devient objet de désir car il est aussi désiré par des rivaux... d'un autre type que le type sportif traditionnel. En effet, la brigue qui s'instaure pour sa conquête relève quasi exclusivement d'une production économique. Un *feed-back* positif s'instaure alors, qui accélère dangereusement le processus de transformation de la relation sportive : le sport devient destruction de l'adversaire dans un monde de concurrence exacerbée.

---

68. M. Bouet, *Signification du sport*, Paris, Éditions universitaires, 1968, p. 48.

René Girard a montré que, dans ce type de relation, lorsqu'un certain seuil est dépassé, l'objet désiré disparaît au profit d'un « désir métaphysique ». S'appuyant sur l'œuvre de Dostoïevski, Girard montre que le désir mimétique devient peu à peu pathologique : il relève de la folie et de la mort[69]. Si les modèles étaient jusqu'alors des obstacles à la réalisation du désir, les obstacles deviennent peu à peu des modèles. Le désir se condense dans le désir d'obstacle. Ce qui est le cas du sport lorsqu'il se résume à la brigue *spectaculaire*, c'est-à-dire au processus d'accès à la victoire et non plus à la victoire elle-même. Selon *L'Équipe Magazine*, dans ce cas, autrement dit chaque fois que le sport « se prend à son propre jeu », il devient une véritable guerre[70]. On assiste alors à une « verdunisation *[sic]*[71] » de l'événement sportif « qui colle de trop près à la définition qu'en donnait George Orwell : ''Le vrai sport n'a rien à voir avec le fair-play. C'est plein de haine, de jalousie, de vantardise, de non-respect des règles et d'un plaisir sadique à regarder la violence. En d'autres mots, c'est la guerre sans les coups de feu[72].'' »

Le sport contemporain aurait-il dépassé les bornes ? C'est probable[73]. Il ne semble plus exister de limites, plus de seuils raisonnables ni aux désirs de destruction de l'adversaire par la violence et la fraude ni aux ravages corporels par le dopage ou le surentraînement. Aujourd'hui, une sorte de « désir pathologique » est trop souvent devenu la réalité de la relation sportive. Sur de nombreux points, ce que nous observons, notamment dans le sport professionnel, s'apparente exactement à un processus de destruction du système sportif. Une illustration (ô combien significative !) de cette réalité quasi morbide peut être évidemment donnée avec les dysfonctionnements révélés par ce que tous les observateurs appelèrent le « feuilleton de l'été 1993 », autrement dit, l'« affaire OM-

69. R. Girard, *Critique dans un souterrain*, Lausanne, L'Âge d'homme, 1976.
70. « Sport ou guerre », in *L'Équipe Magazine*, samedi 11 novembre *[sic]* 1989, p. 30.
71. *Ibid.*
72. *Ibid.*
73. Ce point inquiète fortement les instances dirigeantes du sport français. Le 9 janvier 1995, le ministre de la Jeunesse et des Sports a lancé une campagne nationale sur le thème de la promotion de « l'esprit sportif ». Le ministre veut faire du sport « une école de convivialité, de respect de l'autre, de respect de la règle et d'éducation civique ». De son côté, le CNOSF propose un code de la déontologie sportive destiné à lutter contre « les nouvelles formes de déviances qui affectent la pratique sportive contemporaine ». *La Lettre de l'économie du sport*, 18 janvier 1995.

Valenciennes ». Au-delà, pourtant, sur le strict plan économique, les différentes « affaires » qu'a vécues le football au cours des dernières saisons ont montré le caractère surréaliste des enjeux financiers. Le déraisonnable est devenu la règle. Remarquons simplement, à titre exemplaire du caractère anormal des enjeux financiers dans le sport, qu'au plus fort de l'affaire OM-Valenciennes le quotidien économique *Les Échos* devait souligner que « la décision [de l'UEFA] d'exclure l'OM de la Coupe d'Europe conduirait à un manque à gagner de 100 millions de francs pour le club phocéen, selon son président, Bernard Tapie[74] ».

Par ailleurs, le dopage est partout, l'entraînement excessif déforme les corps, la « détection » précoce des talents raccourcit les carrières, bientôt les manipulations génétiques cloneront les champions[75]. Bref, le sport s'inscrit très exactement dans le processus de déraison contenu dans la devise olympique[76]. Sa logique du « toujours plus » aboutit à un mécanisme implacable qui produit des dégâts bientôt irréparables. Coubertin le soulignait d'ailleurs de cette manière bien ingénue propre à l'époque : « Chercher à plier l'athlétisme à un régime de modération obligatoire, c'est poursuivre une utopie. Ses adeptes ont besoin de liberté d'excès. C'est pourquoi on leur a donné cette devise : *citius, altius, fortius*, toujours plus vite, plus haut, plus fort, la devise de ceux qui osent prétendre à abattre les records[77]. »

L'improbable évolution du sport d'utilité publique

Avez-vous déjà demandé à un joueur de football chevronné ou à un supporter assidu de vous donner une définition simple - disons en une ou deux phrases - du football ? Faites l'expérience et vous

74. *Les Échos*, 7 septembre 1993, p. 12.
75. Voir sur ce point les possibilités qui seront bientôt offertes par la biologie moléculaire. À ce sujet, on lira avec intérêt C. Bouchard, « Quelques réflexions sur l'avènement des biotechnologies dans le sport », in F. Landry, M. Landry, M. Yerlès (éds.), *Sport... le troisième millénaire*, compte rendu du symposium international, 21-25 mai 1990, Québec, Presses de l'université de Laval, 1991, p. 455-464.
76. « Citius, altius, fortius. »
77. Cité par Le Floch'moan, *La Genèse des sports*, Paris, Petite Bibliothèque Payot, 1962, p. 174.

constaterez d'abord la surprise, puis la gêne, enfin l'impossibilité pour votre interlocuteur de formuler une réponse cohérente et rapide. L'origine de la difficulté provient du fait qu'une réponse formulée en deux phrases est impossible. En effet, définir le football ne peut se faire qu'en énonçant la totalité des articles du règlement contenus dans le code d'arbitrage. Oubliez-en un, soyez imprécis sur un autre, faites une erreur sur un troisième et vous évoquerez, certes, un « jeu de ballon qui se pratique avec les pieds », mais vous ne parlerez pas du football. Totalement inattendue pour la majorité des footballeurs (et pour tout autre sportif spécialiste d'une discipline auquel vous auriez posé la même question), la difficulté que vous constaterez alors montre bien que nous n'avons pas une réelle conscience de ce que nous faisons lorsque nous pratiquons un sport. En fait, nous respectons strictement les « règles » de la « discipline ».

Remarquons que les deux mots « règles » et « discipline » sont extrêmement proches l'un de l'autre[78]. Dans ces conditions, le fait que le langage commun utilise le second pour qualifier une activité sportive n'est pas sans dénoter une volonté certaine de donner une acception contraignante à la notion de sport.

Il faut bien en convenir, le respect d'un code réglementaire est l'essence même du sport ; cela avant la notion de classement, de record, de victoire ou de défaite. En effet, sans règles, il ne peut y avoir d'enjeu sportif car la réalité même de ce dernier est conditionnée par l'existence des règles qui le fixent. Donner la définition d'une discipline sportive revient donc à énoncer ses règles. Ce qui signifie que la « matérialité » d'un sport est constituée des règles qui déterminent les conditions d'accès à la coupe (ou à la médaille), cet objet symbolique représentatif de la victoire et donc de la défaite d'autrui. Le respect des règles étant au fondement de la vie sociale, on comprend que la pratique des sports ait pu apparaître depuis la fin du XIXe siècle comme un support pédagogique judicieux susceptible de favoriser une intégration sociale harmonieuse[79].

Prenez l'*Essai de doctrine des sports* élaboré à la demande du gouvernement français par le Haut Comité des sports en 1964. On

---

78. La discipline étant « l'ensemble des obligations qui règlent la vie dans certains corps, certaines assemblées (syn. règlement) » selon le *Larousse de la langue française*.

79. Sur ce thème du sport considéré comme un facteur d'intégration sociale, on consultera avec intérêt P. Duret, M. Augustini, *Sports de rue et insertion sociale*, Paris, INSEP, coll. Recherche, 1993.

peut y lire : « Le sport, par la discipline qu'il impose, [fait découvrir] la nécessité de la règle, les bienfaits de l'effort gratuit et organisé. Par la vie en équipe [...] il donne le respect de la hiérarchie loyalement établie, le sens de l'égalité, celui de la solidarité et de l'interdépendance. Il est incontestablement un excellent apprentissage des relations humaines, une remarquable école de sociabilité. Le sport participe [...] à l'adaptation de l'enfant à la cité d'aujourd'hui[80]. » On ne saurait être plus affirmatif quant à la capacité d'intégration sociale que posséderait le sport. On ne saurait être plus clair, surtout, quant à la mission de service public que doivent assumer les organisations sportives : « Le sport [doit] ainsi assumer à l'égard de la famille, de l'école et de l'entreprise un rôle de continuité[81]. »

Au début des années 60, le sport apparaît donc aux yeux de l'État comme un moyen ou un outil de « construction » de la société. Les organisations sportives au même titre que la famille, l'école, voire l'armée, comme le souligne l'*Essai...*, sont des organisations éducatives. Cela n'est certes pas une nouveauté puisque cette qualité pédagogique traverse l'histoire du sport moderne depuis la fin du XIXe siècle. Sous la Ve République, la différence, toutefois, tient au fait que des moyens considérables (financiers, humains, juridiques, administratifs) vont être mis en jeu pour exploiter ce « potentiel » du sport. L'élaboration de l'*Essai de doctrine des sports* apparaît comme une forme de justification de l'attribution de ces moyens.

En 1995, on ne peut manquer de rapprocher les points de vue développés par les auteurs de l'*Essai de doctrine...* de certaines actions relevant de l'actualité liée aux problèmes soulevés par l'insatisfaction des jeunes des banlieues et au traitement de ces difficultés par le sport. Aujourd'hui comme hier, l'accord semble se faire sur le constat que « le sport évite l'apparition de certaines manifestations modernes d'insatisfaction des jeunes qui [...] échappant par suite de la remise en cause des valeurs traditionnelles à des disciplines morales pourtant indispensables [...] se tournent vers des formes d'actions qui reposent sur le défi et la force[82] ».

Dans ces conditions, l'évolution du sport contemporain dans le

---

80. *Essai de doctrine des sports*, Haut Comité des sports, 1964, p. 24-26.
81. *Ibid.*
82. *Ibid.*, p. 23.

sens des aspirations et des désirs d'une part importante du « marché » que représentent les adeptes de la glisse sera donc contrainte par deux facteurs. Le premier est issu du dogme façonné depuis un siècle par la cléricature sportive, qui permet de distinguer le vainqueur de tous les vaincus et de classer les femmes et les hommes selon leurs mérites sans se préoccuper de leur sensibilité individuelle. Le second relève de la doctrine élaborée par l'État sur la base de la forte adéquation existant entre l'esprit sportif, qui repose entièrement sur le respect de la règle, et le fonctionnement de la société. Ces deux contraintes se rejoignent pour former une idéologie forte, très proche en dernière analyse de celle qui a accompagné le développement de la société industrielle. « Proche », mais non pas identique, car le mouvement sportif en revendiquant son indépendance cherche en permanence à affirmer la neutralité de sa démarche. Ainsi, une bonne part de la « vertu » du dogme olympique « réside dans le fait qu'il s'est mis au service de l'homme et qu'il n'entend pas l'exploiter à des fins philosophiques, économiques ou politiques[83] ».

En la matière, la réussite est totale puisque aussi bien les sociétés communistes et libérales parlèrent des vertus du sport de manière significativement comparable. À Cuba, par exemple, ce même sport de Coubertin fut, en quelque sorte, reconnu d'« utilité socialiste » : « Le sport est à la fois but, moyen et aussi résultat de la construction du socialisme [...]. Le sport crée des conditions importantes pour un rendement intellectuel et physique accru et, de ce fait, constitue [...] un des facteurs de la participation créatrice des masses, sans laquelle la révolution socialiste ne pourrait vaincre[84]. » De la même façon, le point de vue que développait le parti communiste de l'ex-RDA concernant l'utilité éducative du sport que prônait Coubertin ne laisse pas de poser un problème à certains exégètes du baron : « Je crois que l'on peut dire que notre parti œuvre aussi dans le sens des idées forgées par le baron de Coubertin [...]. Les idées de Coubertin ont trouvé leur application en RDA[85]. » Une opinion partagée par Avery Brundage, ancien président du Comité

83. N. Paillou, *Les Trois Enjeux du sport français*, Paris, Dalloz, 1986, p. 76.
84. R. Pointu et R. Fidani, *Cuba, sport en révolution*, Paris, Les Éditeurs français réunis, 1975, p. 81.
85. R. Passevant, interviewant un membre du comité central du PC de l'ex-RDA en 1971, in *Les Mystères du sport en RDA*, Paris, Les Éditeurs français réunis, 1972, p. 167.

international olympique, qui déclara en 1969 : « Je vois une unité entre les idées sur les activités physiques exprimées par Marx et Coubertin[86]. »

L'utilité sociale du sport traverse donc les barrières idéologiques. Ce que confirment des comparaisons pourtant improbables. La loi du 29 octobre 1975, que l'on doit au député RPR Pierre Mazeaud, affirmait dans son article premier : « Le développement de la pratique des activités physiques et sportives, élément fondamental de la culture, constitue une obligation nationale. » Une formulation étonnamment proche de celle des articles 18 et 34 de la Constitution de l'ex-RDA, qui stipulaient : « La culture physique et le sport sont des éléments de la culture de tous les citoyens [...] chaque citoyen a droit à la culture physique et au sport populaire. » Faut-il ajouter que les articles premiers des lois promulguées par l'État français le 16 juillet 1984 et le 13 juillet 1992 ne sont guère différents dans leur teneur ?

Les pays européens considèrent d'ailleurs étroitement ce caractère d'utilité sociale du sport, au point que quatorze d'entre eux l'ont intégré soit au niveau législatif, soit au niveau constitutionnel[87]. À des degrés divers et sur la base de formes juridiques différentes, les pays d'Europe partagent donc le point de vue selon lequel la place du sport dans la société doit être légitimée sur le plan institutionnel. En Grèce, par exemple, la Constitution de 1975 établit que « le sport est placé sous la responsabilité et la supervision suprême de l'État ». La Constitution portugaise de 1976 parle de « droit culturel à part entière ». La Constitution suisse mentionnait pour sa part, dès 1874 « [la] gymnastique et [le] sport pour la jeunesse et pour les adultes ». En Espagne et en Italie, nous trouvons des organisations investies d'une mission de service public : le Conseil supérieur des sports espagnol et le Comité olympique national italien (CONI).

Cette reconnaissance officielle du sport se traduit toujours par la formulation d'objectifs nationaux précis : développement du sport à l'école, promotion du sport pour tous, formation des cadres, aide au sport de haut niveau, lutte contre le dopage et la violence. Il

---

86. *Ibid.*, p. 162.
87. Les exceptions sont l'Allemagne (sauf certains Länder), l'Irlande, le Royaume-Uni et la Suède.

s'agit donc clairement d'un système doctrinal légitime qui a trouvé une expression commune avec la Charte européenne du sport pour tous (modifiée en 1992), qui encourage les États européens à développer le sport en étroit partenariat avec le mouvement sportif.

Bref, le sport serait utile à la construction d'une société harmonieuse[88] quelle que soit la structure idéologique qui en sous-tend l'organisation. Il est donc normal que l'idéologie sportive soit totalement intégrée aux appareils idéologiques d'État. Il n'y a aucune surprise, dans ces conditions, de constater qu'à l'« Est » comme à l'« Ouest » le sport fut promu de longue date au niveau institutionnel. Chacun comprendra que nous sommes là au cœur d'une problématique proposant une improbable intégration des comportements sportifs alternatifs que nous avons mis en évidence dans la première partie de ce livre. En effet, comme nous l'avons vu, la glisse et le *fun* exploitent tous les symboles de la contre-culture et, en valorisant le rebelle social, excluent, au moins provisoirement[89], la possibilité de leur intégration par des organisations sportives à vocation institutionnelle.

88. Lors de sa réunion du 30 janvier 1993, le haut comité des sports du RPR réaffirma ce dernier point avec force en affirmant : « Le sport est un élément de stabilisation et dynamisation de la société. » *La Lettre de l'économie du sport* n° 201, 17 février 1993.
89. Provisoirement, car il faut bien entendu compter avec la capacité d'absorption des marginalités par la société. Cette capacité se mesurant néanmoins à l'échelle de l'histoire, nous pouvons estimer que l'intégration de la glisse au sein du mouvement sportif institutionnel ne se fera pas au XXᵉ siècle, sauf « révolution culturelle ». Ce phénomène n'est d'ailleurs pas nouveau dans le monde des activités physiques. N'oublions pas que l'action de Coubertin fut elle-même une proposition de nature alternative. Elle échafaudait une forme de liberté d'action face aux carcans imposés par les gymnastiques répétitives qui maintenaient les individus dans l'obligatoire reproduction des modèles correctifs imposés par un maître (voir le livre de G. Vigarello, *Le Corps redressé, op. cit.*). Il n'aura pas fallu moins d'un demi-siècle à l'organisation sociale pour donner un caractère réellement institutionnel à la marginalité coubertinienne.

Le sport « d'utilité ludique »

La relation ludique élaborée pour le simple plaisir, just for the fun,
*échappe à toute volonté organisatrice. Contrairement à la relation
sportive, ce qu'elle produit ne se rattache à aucune finalité
socialement reconnue. Le monde du jeu relève du monde de
l'inessentiel, du déraisonnable, de l'irrationnel. Ainsi ses valeurs
ne peuvent guère s'apparenter à celles de la société sportive,
qui plébiscitent l'efficacité, la rationalité, l'utile et le sérieux.*

Hors son rôle de débordement d'un adver-
saire dans le cadre réglementé et institutionnel d'une brigue pour
l'objet-victoire, tout comportement sportif perd son identité historique pour devenir un simple jeu. Ce qui revient à considérer que
le sport d'utilité publique que nous venons d'analyser n'est pas un
jeu. Il s'agit d'une pratique physique à vocation éducative, spectaculaire ou encore - de plus en plus - économique, qui présente[1]
l'intérêt principal de favoriser l'intégration sociale des individus.

À l'inverse, les pratiques alternatives fondées sur la recherche
de sensations et de plaisir profondément individuel hors des cadres
réglementés sont considérées comme des activités « sauvages » par
les acteurs sportifs institutionnels. Elles ne trouvent leur place qu'aux
marges de l'organisation sociale. Elles relèvent de cette notion de
jeu issue d'une relation « élémentaire » que les Anglo-Saxons appellent *play.* Cette relation est élémentaire car elle n'est régulée que
sur la base de conventions spécifiques, ponctuelles et éphémères,
hors de tous les réglages dominants promus par la société. C'est
un défi. Comme nous l'avons vu, dans cette situation « particu-

---

1. Faut-il dire qui *présentait* ?

lière », l'accord est passé entre des protagonistes qui se désintéressent de la logique égalitaire traditionnelle qui règle les relations sportives pour promouvoir le cadre singulier de leur propre « combat ». La logique de la relation qu'ils mettent en œuvre n'est pas déterminée par une finalité sociale quelconque mais dans l'objectif d'une provocation ou d'un *challenge* simplement personnel ou *inter*-personnel. Ce lien ludique n'est pas un lien social. Il n'est donc pas « normalisé ». Comme le souligne Jean Duvignaud[2], les Anglo-Saxons distinguent bien la notion de *play* de celle de *game*. Cette dernière relèverait plus d'un accord de type contractuel, c'est-à-dire matérialisé par des règles écrites et non simplement évoquées, comme c'est le cas dans les jeux.

Cette relation ludique élaborée pour le simple plaisir, *just for the fun*, échappe à toute volonté organisatrice tendant à la planifier, car c'est une activité « inutile ». Ce qu'elle produit ne relève d'aucune finalité socialement reconnue. Elle ne présente, en effet, aucun caractère susceptible de proposer une vérité admise en tant que telle à un niveau quelconque de la structure sociale. Elle s'inscrit en dehors de tout raisonnement qui aboutirait à dire le « vrai » ou le « bien » et à montrer le « faux » ou le « mal ». Le jeu est donc une activité libre qui ne prête à aucune conséquence véritable. Selon l'expression de Duvignaud, il se caractérise par une « intentionnalité zéro[3] ». Reste que la société ne le tolère qu'à ses marges : la période de l'enfance et le moment des loisirs. Les comportements ludiques ne sont admis qu'en dehors des « règles raisonnables » mises en œuvre par la structure sociale, en dehors de sa logique propre, mais aussi de toutes obligations ou contraintes nécessaires à sa pérennité ou à son développement. Nous pouvons considérer que le jeu relève du monde de l'inessentiel, du déraisonnable, de l'irrationnel, là ou la société contemporaine valorise la fonctionnalité des comportements et la logique des attitudes relationnelles. Ainsi, les valeurs de jeu ne peuvent guère s'apparenter aux valeurs de la société industrielle qui privilégie l'utile et le sérieux.

---

2. J. Duvignaud, *Le Jeu du jeu*, Paris, Balland, 1980.
3. *Ibid.* p. 24. Sur l'analyse du jeu, existent en particulier les ouvrages suivants : J. Huizinga, *Homo ludens*, trad. française, Paris, Gallimard, 1988 ; R. Caillois, *Les Jeux et les Hommes*, Paris, Gallimard, 1977 ; J.-P. Carse, *Jeux finis, jeux infinis*, Paris, Seuil, 1988 ; A. Cotta, *La Société ludique*, Paris, Grasset, 1980 ; J.-J. Wunenburger, *La Fête, le Jeu, le Sacré*, Paris, Éditions universitaires, 1977 ; et, bien entendu, les analyses de J. Piaget.

Pour certains auteurs, néanmoins, le positionnement des comportements ludiques au sein d'une société est plus subtil qu'il n'y paraît. Roger Caillois estime que les jeux apparaissent toujours en dehors des relations réglementées produites par la société dans laquelle ils ont été constatés. C'est la tolérance sociale qui permet l'existence des jeux. Caillois considère également que, replacé dans une perspective historique, « ce qui s'exprime dans les jeux n'est pas différent de ce qu'exprime une culture[4] ». Pour lui, c'est la perte de fonctionnalité d'une règle sociale qui la transforme en jeu. Cette dégradation de la règle naît de l'évolution culturelle qui la métamorphose en convention de pure forme. Dès lors, le respect ou le non-respect de cette convention n'engage plus les individus au-delà d'une préoccupation de nature simplement somptuaire ou ludique.

Roger Caillois estime, d'autre part, que les normes qui soustendent les pratiques ludiques s'identifient de façon très particulière aux règles sociales. Et de mentionner une série d'attitudes qui correspondent bien à certains rôles sociaux : le besoin de s'affirmer et l'ambition de se montrer le meilleur, le goût du record, l'envie de se mesurer dans une épreuve de force, de rapidité, d'endurance[5]. On aura bien sûr reconnu les éléments fondateurs du sport moderne. À ces notions s'ajoutent une seconde série de motivations comme la peur, l'improvisation, la griserie, l'ivresse, l'extase, le désir de panique voluptueuse[6] ; bref, des paramètres nettement plus constitutifs du *it*[7], du « pied » et de l'« éclate » que de la compétition sportive réglementée.

Or, pour Caillois, ces deux grands groupes d'attitudes ludiques sont incompatibles entre eux et s'excluent mutuellement lorsqu'ils apparaissent dans une société donnée. Ainsi, là où l'un des groupes serait en honneur, l'autre serait rejeté aux marges. « Une répartition implicite [...] s'effectue ainsi dans chaque culture entre les valeurs à qui est reconnue une efficacité sociale et les autres. Celles-ci s'épanouissent alors dans les domaines secondaires qui leur sont abandonnés[8]. » Dans ces conditions, l'auteur se demande si

---

4. R. Caillois, *op. cit.*, p. 136.
5. *Ibid.*, p. 138.
6. *Ibid.*
7. Voir *supra*, « De la Route à la glisse ».
8. R. Caillois, *op. cit.*, p. 139-140.

l'identité culturelle d'une société n'est pas en relation directe avec la nature de certains jeux qu'elle valorise ou, au contraire, qu'elle rejette aux limites de son organisation.

Cette observation de Roger Caillois appelle un prolongement immédiat pour ce qui concerne l'analyse des pratiques de glisse contemporaines : en tant qu'elles se veulent contradictoires, on l'a vu, avec les activités sociales, ces pratiques ne permettraient-elles pas d'analyser le futur de notre société qui, progressivement, les tolère avant de (probablement) les intégrer d'une façon ou d'une autre ?

La question mérite d'être posée lorsque l'on constate l'engouement récent pour les pratiques vertigineuses et « hors limites » dans le monde de l'entreprise. En effet, d'aucuns considèrent qu'une fois vécues, ressenties et « intériorisées » par des cadres d'entreprise en formation, certaines de ces pratiques seraient censées favoriser leur créativité et donc leur « performativité[9] ». Il ne fait aucun doute que cette démarche d'éducation de l'esprit d'entreprise, reposant sur des comportements considérés comme *anormaux* par beaucoup, ne se situe plus aux marges de l'organisation sociale. Elle est, bien au contraire, au cœur même du système en s'introduisant dans les rouages des firmes les plus performantes. Qu'elle y demeure en pérennisant ce nouveau type de comportement « entrepreneurial », et ce sera un siècle de gestes mesurés qui seront remis en cause au bénéfice d'un mouvement vertigineux vécu d'autant plus intensément qu'il le sera pour le plus grand bénéfice de la société...

Caillois remarque que chaque culture promeut des jeux au rang d'institution. Dans ce cas, le jeu s'accorde pleinement avec les valeurs de la société, les confirme même en les renforçant. Le sport de compétition joue depuis près d'un siècle ce rôle de confirmation des normes de la société techno-économique. À l'inverse, les pratiques de glisse seraient la contrepartie tolérée qui, selon ce point de vue, ne pourraient qu'être exclues du cadre institutionnel. Antithèse de l'institution, ces comportements ne peuvent se développer que dans une sphère très particulière - celle des loisirs - où ils ne présentent aucun danger de remise en cause de l'organisation sociale. Ils se développent dans un champ coupé du monde organisé, loin de

---

9. Voir, en particulier, A. Meignant et J. Rayer, *Saute manager ! Techniques outdoor dans la formation des cadres*, Paris, Les Éditions d'organisation, 1989.

toute conséquence fatale pour celui-ci. On le comprend immédiatement : une telle perspective ne sera pas sans conséquence sur les
possibilités de gestion par les organisations sportives d'utilité publique des nouveaux comportements « sportifs » issus des années *fun*.
Deux types de stratégies se dessinent. Ou bien les fédérations sportives intègrent les activités « sauvages » en les « sportivisant » pour
qu'elles entrent dans le cadre des jeux socialement reconnus. Ou
bien, à l'inverse, elles acceptent - au moins provisoirement - de
perdre leur nature institutionnelle pour promouvoir des activités non
plus sportives mais de loisirs purement ludiques.

On comprend donc mieux la réalité du « service public » que
rendent les activités sportives traditionnelles. Ce service relève d'une
utilité collective en favorisant l'intégration d'attitudes et de comportements qui s'inscrivent dans la logique de la société : progres-
ser et atteindre l'excellence pour gagner. Dans cet esprit, il n'est
pas sans intérêt d'observer qu'en 1988, à Séoul, des sportifs professionnels furent pour la première fois invités à participer aux Jeux
Olympiques. Loin des gagne-petit, à la limite de la marginalité
sociale que généra l'amateurisme « marron », la carrière des professionnels d'aujourd'hui s'apparente aux *success stories* dont notre
société est si friande. Un champion professionnel incarne parfaitement ce système de la réussite sociale propre aux « gagneurs » ayant
engendré la figure du *yuppie* et de l'argent souvent ostentatoire
que d'aucuns érigent en vertus sociales cardinales. À ce titre, il
n'existe plus aucune raison de les priver de Jeux Olympiques.

Du sport au jeu

Nous l'avons dit, le jeu « sauvage » situé aux marges de la société
ne produit aucun principe de vérité socialement admis. Nous con-
sidérerons donc que l'engagement d'un individu dans cette activité ne peut guère se concevoir que pour l'attrait du plaisir - du
fun ! - qu'il en retirera. En aucun cas les mesures et comparaisons
qui en résulteront ne seront certifiées à un niveau quelconque de
l'institution sportive. Toute relation simplement ludique, c'est-à-
dire se construisant hors des cadres réglementaires reconnus comme
légitimes, s'épuise donc avec la fin du jeu. Il n'en reste pas de

trace puisque le résultat n'est pas un « vrai » résultat. Plus précisément, ce résultat ne relevant d'aucune validation sociale, d'aucune
existence légale, il ne peut être justifié hors du cercle restreint des
joueurs. Cette production « sauvage » ne possède donc aucune valeur
d'échange. Elle ne relève que d'une valeur d'usage limitée dans
le temps. Ce qui revient à dire que le produit du jeu n'est que
connoté affectivement, il n'est pas dénoté socialement. De surcroît,
les contraintes que s'imposent les joueurs ne sont légitimes qu'à
leurs propres yeux et ne sont acceptées que sur la base de leur bien-
fondé en regard du bon déroulement de l'activité. Elles sont déter-
minées de manière autonome, en aucun cas hétéronome. Nous sommes donc là devant une activité des plus singulières : tant au plan
des règles que du résultat, le jeu n'existe pas en dehors de l'individu autonome et autoréférent qui joue. Ce qui n'est pas sans poser
d'importants problèmes d'organisation et de gestion de ce type
d'activités.

Ce point suggère certaines interrogations quant au caractère réellement institutionnel des pratiques sportives. N'aurions-nous pas
affaire à une pseudo-institution sportive plutôt qu'à une institution à part entière ? L'étude des jeux faite par Roger Caillois peut
nous aider à répondre par la négative et affirmer qu'en reproduisant les valeurs de la société le mouvement sportif est un véritable
« modèle réduit » de l'organisation sociale.

L'auteur distingue quatre types d'attitudes ludiques « élémen-
taires[10] » : l'*agôn* (la compétition), l'*alea* (la chance, l'aléatoire), la
mimicry (le simulacre) et l'*ilinx* (le vertige). Selon lui, parmi ces
quatre catégories il existe des « conjonctions interdites[11] » : compétition et vertige, par exemple. En effet, le vertige n'est pas mesurable car il relève du désordre des sens, de la jouissance ou de la
peur. Il ne peut être réglementé et quantifié. Il est donc impossible qu'il serve de support à des pratiques compétitives. Il existe
également des « conjonctions contingentes[12] » : aléatoire et vertige
ou compétition et simulacre sont des couples dont les constituants
ne sont pas contradictoires. Mais Caillois montre surtout qu'il existe
des « conjonctions fondamentales[13] » : l'*agôn* et l'*alea*, par exem-

---

10. R. Caillois, *op. cit.*, p. 145 *sq*.
11. *Ibid.*, p. 147.
12. *Ibid.*, p. 148.
13. *Ibid.*, p. 150.

ple, requièrent une égalité absolue entre les joueurs. Ces deux attitudes représentent l'univers de la règle face aux domaines du vertige et du simulacre qui ressortissent, au contraire, à la déréglementation. Dans ce dernier cas, « le joueur improvise constamment, se confiant à sa fantaisie jaillissante ou à une inspiration souveraine, qui, ni l'une ni l'autre, ne reconnaissent de codes[14] ». Même si, pour l'auteur, il existe à l'intérieur de ces distinctions des polarités positives ou « créatrices » (compétition et simulacre) et des polarités négatives ou « dévastatrices » (aléatoire et vertige), il reste que l'axe compétition-chance est au fondement de la société organisée alors que la sphère du désordre relève de l'axe simulacre-vertige.

L'ordre et la règle imposés ne se repèrent pas sur l'axe imprévisible du masque, des jeux de rôles, du carnaval et des comportements vertigineux. À l'opposé, le libre arbitre n'a pas sa place dans une société qui fonctionne au mérite. Bien au contraire, il y a là une exigence collective qui promeut la règle et son respect, la compétence et sa mesure chiffrée, la compétition surveillée et l'exclusion d'autrui, au registre des vertus cardinales qui transcendent les comportements. Or, cet axe est bien celui qui est valorisé par la société sportive ; nulle surprise, donc, à constater la qualité d'« administration[15] » des fédérations. Nulle surprise, également, à observer les dysfonctionnements qui touchent les structures sportives atteintes par les scandales de toutes les « affaires » qui font la une des quotidiens. Caillois montre bien, en effet, qu'une société organisée autour de l'axe compétition-chance verra immanquablement apparaître des comportements déviants : corruption, violence, fraude, autant d'attitudes nées d'une volonté de puissance exacerbée.

Dans le même esprit, ce modèle d'analyse est propre à nous expliquer les raisons de l'utilisation ostentatoire des symboles de la contre-culture par les media *fun*. En rejetant sur le mode violent le *square*[16] ou le « blaireau » (« fuck the blaireau ! »), c'est-à-dire l'individu qui inscrit trop consciencieusement ses comportements dans l'univers de la règle et du hasard, les glisseurs cherchent surtout à promouvoir leurs préférences pour le vertige et le déguisement.

---

14. *Ibid.*
15. Voir *supra*, « Le sport d'utilité publique ».
16. Autrement dit celui qui est loyal ou, si l'on préfère, « bien » carré.

Négliger les « G »
et s'envoyer en l'air

Une surprise attend le lecteur néophyte ou l'observateur circonspect qui parcourt la nouvelle presse sportive que nous avons évoquée précédemment[17]. L'étonnement n'est pas mince, en effet, lorsqu'il constate que *toutes* les pratiques de glisse peuvent être répertoriées dans la catégorie de l'*ilinx*. Cela quel que soit le substrat leur servant de support : l'air, bien sûr, mais aussi le béton, la falaise, l'eau, la neige, la piste de terre. Force est de se rendre à cette évidence : dans les media *fun* un glisseur est rarement présent s'il n'est pas en plein ciel[18].

De fait, ces revues valorisent systématiquement un paramètre technique surprenant : le vol. Plus précisément, le vertige né du déséquilibre résultant d'un décollage[19]. Aucune activité ne semble devoir y échapper, même les plus improbables. Prenez le cyclisme, le basket et le canoë-kayak. Avec le VTT[20], la première se permet aujourd'hui des figures de style inattendues. Ainsi, Hans Rey, un trialiste (c'est-à-dire un adepte du trial) allemand installé aux États-Unis, fut présenté par *VTT Magazine* comme le « fou volant du vélo tout-terrain » au mois de mars 1993. À l'image d'Eskimo en funboard[21], No Way Rey[22] n'a jamais remporté de grandes épreuves de VTT. Pourtant, il fait la une des magazines car il se permet

17. Voir *supra*, « L'athlète, le rocker et le surfer ».
18. Entre mer et ciel (funboard), neige et ciel (snowboard), béton et ciel (skate-board), etc. Dans le cas du snowboard, par exemple, *Surf Session* affirme : « Élément de prédilection du snowboard, la grosse poudreuse est le théâtre de toutes les folies. Sauts de barres, sauts de corniches, tous est permis. Certains se jettent dans des jumps de plus de vingt mètres de haut. » *Surf Session* hors-série n° 18, décembre 1992, p. 28.
19. La revue *Wind* estime que « de tous les plaisirs, le plus grand est celui de se retourner la tête, les pieds dans les étoiles, les binocles attirés irrésistiblement par une pesanteur à laquelle tout piper [c'est-à-dire un adepte du half-pipe, une pratique consistant à enchaîner les figures aériennes en surf des neiges] de bon style échappe naturellement à la naissance. [Il] s'entraîne à négliger les G, faire fi de la chute, faire la nique à la force centrifuge, [...] astro jumper de l'espace, laboureur de la Voie lactée et cosmo pipeur de l'éternité étoilée. [...] L'important est de prendre de la hauteur quelle que soit la figure. Les ''big air'', sauts bien gras où compte d'abord l'engagement avant la réalisation technique, c'est ce qu'on aime par-dessus tout. [...] Que c'est bon de s'envoyer très haut en l'air ! ». *Wind* hors-série n° 21, p. 60 et 66.
20. Le vélo tout-terrain.
21. Voir *supra*, « Les délires de la communication *fun* ».
22. Surnom donné par les Américains, qui signifie « c'est impossible, Rey ».

des vols « monstrueux » par-dessus les voitures dans les embouteillages[23]. De son côté, le magazine *Vélo vert* rapportait récemment que lors de la première manche du Championnat de France de descente organisée à Praloup en 1991, « le final [fut] géant et aérien. Histoire d'offrir du spectacle aux curieux, deux tremplins avaient été mis en place en pleine descente[24] ». Aujourd'hui, le décollage semble tellement passionner les vététistes que la revue *Vélo tonic* a jugé nécessaire d'introduire un dossier pédagogique sur le saut dans son numéro du mois de février 1993[25].

Les basketteurs ne sont pas en reste. Michael *Air* Jordan, l'un des leaders de la Dream Team de Barcelone propose à ses fans : *come fly with me*, dans une cassette vidéo distribuée par la société Anaconda. Dans la revue *Mondial Basket* du mois de décembre 1992, il explique son surnom d'« Air Jordan » de la façon suivante : « C'était en février 1988 au Stadium de Chicago lors du concours de smash du All Star Games. J'ai pris mon appel de la ligne des lancers francs. Je me suis littéralement senti décoller comme jamais, j'avais l'impression de voler. J'ai planté le panier, le public a hurlé... C'était géant. [...] Un photographe a saisi cet instant magique entre tous. J'ai vu cette photo de moi plus souvent que n'importe quelle autre. Mes amis me disent qu'elle explique pourquoi on m'appelle Air Jordan[26]. » Dans ces conditions, personne ne s'étonnera qu'un joueur qui *dunk* (qui « smashe ») souvent, c'est-à-dire dont les épaules se situent au niveau du panier, soit appelé un *skywalker* (un marcheur du ciel) dans le jargon du basket[27].

Le kayak a bien changé également. Ses adeptes se montrent de

---

23. *VTT Magazine* n° 47, mars 1993, p. 101-104.
24. *Vélo vert* n° 18, août-septembre 1991, p. 131.
25. *Vélo tonic* n° 32, p. 68.
26. *Mondial Basket* n° 20, décembre 1992, p. 103.
27. Nous remarquerons pourtant qu'il ne suffit plus de *dunker* aujourd'hui. Pour se faire remarquer des media comme, par exemple, Shaquille O'Neall, le joueur d'Orlando élu meilleur *rookie* (débutant professionnel) en 1993, il devient nécessaire d'« anéantir » le panier, ou de l'« exploser » lors d'une *Shaq Attack* comme lors du fameux match entre les Orlando Magic et les Suns de Phoenix, le 7 février 1993. Lors de ce match, Shaq avait fracassé le système hydraulique du panneau. *L'Équipe Magazine* explique : « Les commentateurs de la NBC en perdirent leur voix une fraction de seconde avant de trouver le slogan miracle et de s'écrier au micro : ''C'était une Shaq Attack.'' Le match fut retardé de trente-cinq minutes, mais pas un spectateur ne s'en plaignit. La salle avait rugi de plaisir ; [...] le spectacle se concentre là, tout à l'inverse du jeu étiré pratiqué en Europe. » *L'Équipe Magazine* n° 593, 12 juin 1993, p. 68.

plus en plus enclins à sauter tout équipés[28] d'un pont, d'un arbre, d'une falaise, faisant ainsi la démonstration que l'eau vive n'est pas leur seul élément de prédilection.

Il est évident que c'est une manifestation de rejet des comportements prévisibles qui se manifeste ici. Les sites sportifs « sensationnels » sont toujours hautement improbables[29] quand ils ne sont pas totalement surréalistes. Un viaduc ne fut jamais conçu pour permettre à des individus de sauter dans le vide les pieds accrochés à un élastique. Ce que permettent pourtant aujourd'hui certaines associations de benji. De mémoire de marins, le gros temps ne fut jamais prétexte à des débordements d'euphorie. C'est pourtant le cas actuellement. Seul le baston permet des sauts de vague extraordinaires en planche à voile : « 8 mètres de haut, rotation dans un axe parfaitement vertical, voile en prise au vent permanente, réception digne de la NASA[30]. » Les notions de sécurité elles-mêmes

---

28. C'est-à-dire en kayak ! Comme l'a très bien montré Didier Givois, de l'agence Vandystadt, avec une superbe photographie utilisée par la société Minolta dans le cadre d'une campagne publicitaire.

29. À cet égard, le récit de l'un des plus longs vols en parapente (231 kilomètres - non homologué, réalisé le 30 novembre 1991) relève véritablement d'une sorte de « troisième » dimension sportive. Le parapentiste qui a réalisé ce vol, Andrew Smith (véritable Peter Pan du parapente), raconte son exploit dans la revue *Parapente Mag* : « Je m'envole à 12 h 45, [...] une douce ascendante m'a monté à 1 000 m lorsque du sol [on] me prévient qu'un énorme dust se forme dans les parages. Trop tard, le monstre me happe, [...] je lui échappe par une dégueulante qui me ramène près du sol. [...] Dans les petites ascendantes hachées par le vent fort, je me refais pourtant ; [...] à 14 h 30 je suis à nouveau très haut, à 4 400 m sous un gros cumulus noir, et il me faut me détourner par l'ouest. [...] Redescente jusqu'à 200 m du sol et je me prépare une nouvelle fois à atterrir lorsqu'un thermique musclé me monte à 5 m/sec pendant plus de 3 000 m ; [...] j'essaie seulement de rester prudent parmi tous ces cumulus dont quelques-uns sur développent légèrement. [...] Je passe la barre des 100 km, [...] un thermique bleu plus loin, je suis à 120 km, il est 16 h. [...] La dégueulante du thermique me laisse à 500 m du sol avec vue sur une superbe rue de nuages à 5 km de là. Un énième thermique m'y amène sans peine et me voilà emporté par du vent de dos dans une ascendante de rêve ; [...] à 18 h j'entends qu'il y a beaucoup de vent fort au sol et qu'un gros cunimb vient droit à ma rencontre. Cette fois il est temps d'atterrir. [...] J'ai fait 231 km ! » *Parapente Mag* n° 20, mars-avril 1992, p. 7.

30. *Wind Magazine* n° 99, juin 1988, p. 72. Sur ce point, cette revue a mis clairement en évidence l'exaltation étonnante des funboarders à l'annonce de la fameuse tempête du 28 septembre 1991 qui, par ailleurs, inquiéta profondément les milieux maritimes. Dans une « chronique d'un baston annoncé » *Wind Magazine* explique : « Brest, 28 septembre, excitation maxi chez les funboarders bretons. Le bulletin météo annonce tempête et mer formée pour le week-end. [...] On la sent cette tempête. Elle est bien là et la mer fume avec des moutons en troupeau. Ça devrait déménager raide. » *Wind Magazine* n° 138, novembre 1991, p. 40-47. Cette attitude qui consiste à se réjouir à l'annonce d'une tempête est constante chez les funboarders. Par exemple, début février 1993, l'île de Maui fut atteinte par une dépression extrêmement creuse. Une véritable catastrophe pour les autorités de l'île

sont quelquefois détournées de leur signification initiale. En escalade, la chute est devenue le « vol » pour les grimpeurs qui utilisent ce mot pour caractériser un saut dans le vide volontaire ou non. Le béton lui-même est synonyme de décollage. De mémoire de skater on n'a jamais vu un « backside air » qui « pète » ou un « fakie air » bien « chaud » réalisés à moins de deux mètres du sol[31], comme ça, pour le plaisir et non pas dans un objectif d'appréciation. Le magazine de skate *Anyway, underground lifestyle* ne dit pas autre chose lorsqu'il affirme « se taper totalement » des règles et des classements, seule la folie de l'altitude présentant un intérêt à ses yeux : « Contests, compètes, résultats, classements... on s'en tape. L'essentiel est dans le plaisir de se retrouver en plein délire, aller plus haut, apprendre de nouvelles tricks, exploiter de nouveaux spots, voir de nouveaux horizons. [...] Embarquez à bord et délirons ensemble, *Anyway* met à votre disposition son vaisseau spatio-temporel[32]. »

Désormais, dans le monde du « sport alternatif », il semblerait bien que le délire ait pris le pas sur la raison. La légitimité va au vertige. La stabilité est celle que l'on trouve en contrôlant des déséquilibres recherchés. L'émotion naît de la précarité du geste. C'est moins la solidité des appuis que la fugacité des impressions qui est à l'œuvre ici. Stupéfiante, dès lors, devient la recherche forcenée du comportement incertain, du degré improbable, du niveau problématique, des stades parfaitement aléatoires. Comme si la performance s'était muée en détournement des espaces-temps habituels. Les maîtrises sportives sont déportées des cadres balisés vers des sites vierges et précaires que l'on s'emploie à transgresser, à transformer ou simplement à traverser. On les trace. On les marque de son empreinte[33].

---

qui interdirent l'accès à tous les spots. Que croyez-vous qu'il arriva ? Les « rebelles » hawaiiens ont surfé le plus gros swell jamais vu de mémoire de funboarders... après un jeu de cache-cache avec les life-guards mais non sans avoir (dans le plus grand secret) convié les meilleurs photographes de l'île. « Le lundi matin, sains et saufs, six windsurfers hors du commun posent à nouveau le pied à Hookipa, dont les vagues ont repris une taille plus normale. [...] Ces six hommes-là reviennent d'un autre monde. » *Wind magazine* n° 155, juin 1993, p. 48-60. *Surf Session* confirme ces débordements d'euphorie : « Rien n'excite plus un bon surfer australien que la formation d'un cyclone au large de la côte de Queensland. » *Surf Session* n° 71, juin 1993, p. 12.

31. Ces expressions sont les noms donnés à des figures de skate-board, les qualificatifs utilisés sont, bien sûr, issus du registre sémantique des skaters.

32. *Anyway* n° 4, juillet 1991, p. 20.

33. La revue *Vertical* affirme : « Qui ne s'est jamais retourné pour admirer la trace de son

Plus surprenant encore : l'improvisation devient progressivement la règle. De ce fait, les habiletés sont souvent incertaines. L'expertise, la compétence ne sont plus toujours l'essentiel. C'est plus le caractère « hypothétique » et « aléatoire » du mouvement qui est mis en évidence que sa stabilisation mesurée et chiffrée. Les préférences allant plus aux improvisations qu'aux techniques répertoriées, les appréciations deviennent floues, fugitives, l'audace l'emportant sur l'aptitude. L'époque est aux frénésies enthousiastes plus qu'aux mesures, à l'excitation plus qu'à l'équanimité. La spirale des sensations nouvelles aboutit à des comportements plus étonnants qu'impressionnants. L'exploit étant apprécié à l'aune individuelle, les prouesses relèvent souvent autant de l'égarement que de la virtuosité. Ainsi, Alfred Lepelcerf, le doyen des sauteurs en benji français (en 1992), a réalisé son premier saut du viaduc de la Souleuvre en Normandie... à l'âge de quatre-vingt-six ans[34].

Selon toute vraisemblance il s'agit là de tentatives de concrétisation d'utopies et de fantasmes simplement vécus à l'échelle individuelle. Reste que les lieux de mise en œuvre de ces comportements se situent clairement hors des cadres sociaux habituels. Un élément permet de vérifier ce point : les réglementations sont toujours postérieures aux procédures techniques mises en œuvre[35]. Ce

---

passage et l'empreinte de son style. La trace, la preuve de son existence, son expression écrite. Qu'elle soit là à jamais. La neige est alors le reflet de soi-même. [...] Toutes les nouvelles pratiques évoluent dans ce sens, avec un but avoué : la recherche du coin parfait où l'on pourra imprimer sa trace, glisser avec un plaisir maximum, sur des pentes vierges, propres et belles. Loin, bien loin de la surpopulation et des "pistes boulevards", triste réplique de la ville. » *Vertical* spécial n° 4, décembre 1990, p. 21.

34. Dans un registre certes différent mais qui n'en démontre pas moins que le sport n'est plus réservé à une élite, la revue *Ted Mag* (revue de triathlon) présenta au mois de février 1993 un triathlète doublement original : le père Grebouval, 66 ans, curé de Marisel. Il explique ses problèmes d'entraînement : « Évidemment, pour moi avec mes horaires professionnels, 18 h au stade ça ne colle pas... Alors je compense le lundi matin pendant mon jour de congé. [...] Quand je suis en forme, il y a des fois où je fais mes 26 km à une moyenne de 8-9 km/h. [...] Je me suis attrapé une tendinite, [...] c'est là qu'on sent que tout d'un coup, bah, y a comme une vieillerie quelque part : il y a une rotule qui coince. Alors pendant une semaine faut se dire qu'on ne doit pas pousser, vous voyez. [...] Et dire qu'on perd 3 % de force ou quelque chose comme ça chaque année. » *Ted Mag* n° 4, février 1993, p. 24-27.

35. Ce point pose de nombreux problèmes de normalisation du matériel. Il arrive d'ailleurs que les tentatives de standardisation ou de labellisation soient perçues comme une forme renouvelée de fascisme... C'est ainsi qu'au mois de décembre 1992, sous le titre « Néofascisme ! », la revue *Vol libre Magazine* s'étonnait d'une réaction très négative de l'AFNOR à un canular qu'elle avait lancé : « L'AFNOR n'apprécie pas les poissons d'avril, dont acte !

qui indique bien le caractère « anormal » de ces conduites, qui
explorent les marges physiques, psychologiques, juridiques ou géographiques de la société humaine. Comme le montre bien Roger
Caillois, le vertige revêt, en effet, cette particularité constante de
produire des processus culturels demeurant en marge du mécanisme
social : haute voltige, griserie de la vitesse, drogues, etc[36]. Ce
caractère inhabituel de la prise de risque est tellement prégnant que
Claude Sobry n'a pas hésité à parler de pratiques « icariennes » pour
qualifier les attitudes alternatives de glisseurs[37].

Simultanément le triomphe du vertige s'accompagne d'une étonnante aversion pour les survêtements et autres tenues sportives classiques. L'ajustement des conduites sur un registre délirant semble
s'accorder avec des ajustements vestimentaires nettement originaux.
Comme si le débordement de la règle devait s'accompagner de repères visuels démontrant cette volonté de démarquage. Appendices
ostentatoires, les vêtements *fun* viennent corréler le besoin de montrer sa différence. À travers eux, c'est une revendication de « distinction » qui s'exprime. De la même façon que le masque et le
désordre carnavalesque sont isomorphes, le « déguisement » *fun* et
le désordre sportif relèvent d'une même conformité face aux débordements des règles. Le soin emphatique apporté au choix des équipements (couleurs, formes, graphismes) est plus qu'une simple
coquetterie car il cache mal une volonté de rompre avec les standards sportifs habituels. La mode « barjo-fluo[38] » est donc bien
représentative d'un double phénomène dont les deux composantes, le vertige et le déguisement, sont parfaitement complémentaires. Le funwear serait ainsi une sorte de rite d'inversion des repères vestimentaires habituellement[39] à l'œuvre dans le monde du
sport traditionnel.

De la même façon, la recherche de sensations « icariennes » ren-
verse les réglages dominants qui marquent des équilibres sportifs

---

Il est vrai que l'humour n'obéit à aucune norme... Il est donc *a priori* suspect pour ces
Torquemada de l'inquisition technocratique. [...] Ceci étant *Vol libre* est sommé d'abandonner son sens critique vis-à-vis d'un processus de normalisation [...] perfectible. [...] Après
le ''cause toujours'', c'est ''ferme ta gueule''. » (p. 15).
36. R. Caillois, *op. cit.*, en particulier le tableau de la page 122.
37. C. Sobry, « Le retour d'Icare », in *Esprit*, avril 1987, p. 106.
38. Selon une expression utilisée par l'un des invités de l'émission de France-Inter « Le téléphone sonne » du 12 août 1991.
39. Voir *supra*, « L'athlète, le rocker et le surfer ».

historiques. Ce faisant, elle promeut un désordre organisateur
d'agencements différents mais à l'harmonie non moins spectaculaire. En vol libre, par exemple, le déguisement se combine délibérément au vertige lors de rassemblements associant les « ailes »
et le « délire » comme à Saint-Hilaire, Verbier, Accous, ou encore
au puy de Dôme au mois de septembre 1992. Lors de cette dernière manifestation, trente-cinq pilotes de delta et de parapente
s'étaient grimés et déguisés. La revue *Vol libre* rapporte que les
classements firent apparaître que le Chaperon rouge s'était classé
en tête des deltas, suivi de la Guêpe et du Cyclope, alors qu'en
parapente ce fut la Bouteille de champagne qui l'emporta devant
le Poussin jaune et Blériot (ou trouvait aussi une sorcière, un abbé
en soutane, un homme-grenouille, un clown, etc.). Ces pratiques
paravalesques font florès et rencontrent un succès grandissant auprès
du public. C'est ainsi que, le 19 septembre 1993, la Coupe Icare
de Saint-Hilaire-du-Touvet s'est déroulée devant 40 000 spectateurs,
selon la revue *Parapente Mag*[40]. La volonté des organisateurs de
cette coupe consistait sans ambiguïté à promouvoir un état d'esprit
carnavalesque, très éloigné de toutes les pratiques sportives et compétitives habituelles. Le magazine *Parapente* précise : « L'incontournable concours de déguisements, la Coupe Icare, est comme tous
les ans le point d'orgue de la rencontre. Les cinq meilleurs déguisements se sont vu attribuer les prix de la catégorie Esprit Coupe
Icare. [...] Pendant la Coupe Icare de Saint-Hilaire, c'est chaque
année la fête. [...] Bien plus qu'un championnat du monde ou
que n'importe quelle compétition, le festival de Saint-Hilaire est
bien, désormais, le "big" événement du vol libre pour lequel il
constitue une extraordinaire vitrine[41]. »

Il reste que, de moyen, ce rite d'inversion des usages sportifs
établis est rapidement devenu une fin, c'est-à-dire une mode. Si
le sport institutionnel matérialise l'axe *agôn-alea* et se caractérise
par son utilité publique, la glisse et son totem *fun* sont représentatifs d'un axe *ilinx-mimicry* qui relève d'une utilité simplement
ludique mais représente un marché dont la croissance se mesure
à l'évolution remarquable de certains indices. À titre exemplaire :
en 1984, le marché français du cycle a absorbé 1 760 VTT. Six ans

---

40. *Parapente Mag* n° 30, septembre-octobre 1993, p. 11.
41. *Ibid.*

plus tard, en 1990, un million d'unités furent vendues[42]. Sur
cette masse, la Fédération française de cyclisme répertoriait tout juste
5 550 licenciés adeptes du VTT[43].

Un point mérite une attention toute particulière. Si l'on considère l'augmentation exponentielle du nombre des « icariens », il ne
fait aucun doute que le développement des organisations sportives
françaises passera par l'introduction du déguisement et du vertige
dans la gestion de structures qui ne s'intéressaient, jusqu'alors, qu'au
talent dû aux aléas de la naissance et à la compétition. Pourtant,
si l'on suit l'analyse de Roger Caillois, on ne peut qu'être très pessimiste quant à la possibilité d'envisager une telle stratégie d'intégration : les deux axes considérés étant plus qu'incompatibles, ils
sont antinomiques. Comme le souligne l'auteur, ils relèvent d'une
« conjonction interdite[44] ».

Le romantique et l'athlète

Nous avons vu que la société sportive, comme la société civile,
excluait la personne sensible au profit de sa représentation chiffrée.
Cette dernière constitue ce que nous pourrions appeler le « noyau
dur » de l'organisation sportive, l'être sensible étant rejeté aux marges. Dès l'origine du sport organisé, c'est-à-dire au cours du premier tiers du XXe siècle, de nombreux auteurs, essayistes et romanciers français notèrent que la littérature sportive s'est toujours posée
en réaction contre cette forme de sensibilité bien particulière qui
fut le propre des romantiques[45]. Celle-ci se débusque dans une
certaine forme d'intolérance envers les contraintes du corps, dans
le caractère souvent morbide du discours et de la pensée ainsi que
dans le mépris des normes de santé. Dans les années 20, ce sont

---

42. Source : Fédération des industries des équipements pour véhicules, état du marché au
20 février 1991. En 1992, selon le magazine *Sport Première* (mai 1993, p. 45-47), 1 500 000
VTT furent vendus en France, essentiellement en grandes surfaces *alimentaires*. Ce dernier
point confirme bien le glissement des pratiques d'inversion quelque peu « élitistes » d'origine vers un marché de la mode sportive dont la vocation première est la pratique de masse.
43. Source : *Vélo vert* n° 18, août-septembre 1991, p. 19.
44. R. Caillois, *op. cit.*, p. 147-148.
45. Voir P. Charreton, *Les Fêtes du corps. Histoire et tendances de la littérature à thème
sportif en France 1870-1970*, CIEREC, université de Saint-Étienne, 1985, en particulier p. 10
sq.

là autant de critères romantiques qui permirent aux exégètes de la philosophie sportive naissante de se poser en recours face à ces « dégénérescences ». Un positionnement bien dans l'air du temps si l'on en croit certaines affirmations : « Tout un grand public demande des romans [...] qui ne tournent pas sans cesse dans le cercle d'un sentimentalisme morbide ou d'une sensualité débridée. [...] Des œuvres saines, vigoureuses, et, de ce fait même, non plus déprimantes, mais toniques[46]. » L'athlète va dès lors apparaître comme un héros salvateur, initiateur de nouveaux standards corporels, très éloignés des dérives et des avachissements romantiques. Ce qui, pour certains auteurs, ne sera pas sans danger. Ils y virent, en effet, comme une forme de détournement de sens en vue d'une exploitation nettement idéologique. Ainsi, évoquant Montherlant et *Les Olympiques*, Bertrand de Jouvenel ira jusqu'à parler de cette « jeunesse européenne [qui] prit dans les sports le dégoût de l'avachissement humain dont le spectacle s'étalait autour d'elle. Elle aima les corps droits et sveltes, les mouvements vifs et nets, les paroles brèves. [...] Elle admirait et aimait la force. Elle était prête à applaudir les victoires de la force[47] ».

Au-delà de ces emprunts contre nature, ce qui doit nous intéresser ici, ce sont les rejets implicites par la littérature sportive naissante de toutes les avant-gardes des Années folles qui prônèrent la sensibilité individuelle. Particulièrement fécondes, ces dernières prirent certes des formes diverses comme le dadaïsme, le surréalisme, le futurisme italien, le freudisme, d'autres encore, mais toutes eurent pour préoccupation essentielle la libération de l'homme de tous les contrôles « raisonnables » mis en œuvre par la société. Le surréalisme, par exemple, est une constante recherche de moyens d'investigation destinés à préserver le potentiel de spontanéité et de créativité de l'individu. L'objectif consiste à libérer ces forces virtuelles pour les exploiter à partir d'un processus de construction d'une *autre* réalité par analogies successives. Ce mécanisme analogique - véritable logique « floue » - serait propre à rapprocher des réalités présentant, apparemment, peu de corrélations entre elles. Ce sont les droits de l'individu sensible et, surtout, créatif qui doivent claire-

---

46. M. Bertheaume, *Sportive*, Les éditions de la vraie France, 1925 ; cité par P. Charreton, *op. cit.*, p. 12.
47. B. de Jouvenel, *Le Réveil de l'Europe*, Paris, Gallimard, 1938, p. 234 ; cité par P. Charreton, *op. cit.*, p. 19.

ment être préservés. Avec le surréalisme, cette logique est poussée très loin puisqu'il s'agit de revoir, pour la corriger dans ce sens, la Déclaration des droits de l'homme comme le souligna, en 1924, le premier numéro de la revue *Révolution surréaliste*.

On comprend aisément que de telles perspectives aient pu apparaître à l'inverse des convictions morales imposées et des certitudes physiques mesurables (et comparables !) que cherchaient à prescrire les tenants du sport. Ce pragmatisme sportif, élaboré au cours du premier tiers du XXᵉ siècle, apparaît bien en décalage par rapport aux innovations artistiques et littéraires qui foisonnèrent en cette période de frénésie créative. De fait, comme le souligne P. Charreton en évoquant la psychanalyse et ses effets induits sur l'émergence marquante de l'individu sensible, l'ensemble de la littérature sportive de l'époque « vitupère les conquêtes de la psychanalyse freudienne et ignore les prodigieuses conséquences qu'elles entraîneront dans les modes de pensée, dans les recherches littéraires et artistiques, dans les représentations de l'homme et les visions du monde. En somme, la littérature sportive, dans l'ensemble, va à contre-courant[48] ».

L'apport du « modernisme »

Aujourd'hui, le paradoxe n'est pas mince, qui propose comme une reformulation de ce grand mouvement avant-gardiste, esthétique, artistique et littéraire dans ce monde sportif qui l'avait si fortement décrié il y a plus d'un demi-siècle. Nous avons vu, en effet, la forme nettement spontanéiste et contre-culturelle que prend la « marginalité » sportive contemporaine en exploitant un nombre important de symboles contestataires et alternatifs. Retour d'utopie, réminiscence d'une démarche systématiquement contestataire, souvenirs plus ou moins conscients de l'expérimentation individualiste et de certains de ses corrélats, il reste que l'exploitation totémique de cette mouvance contre-culturelle n'est pas vraiment fortuite. Elle s'inscrit, bien au contraire et de manière quasi naturelle, encore que ce soit avec un retard remarquable, dans une perspective historique qui a pris le nom de « culture moderne » ou

48. P. Charreton, *op. cit.*, p. 20.

de « modernisme » au cours du XXᵉ siècle. Ce mouvement de nature profondément individualiste et hédoniste s'est constitué en opposition à la culture « bourgeoise » rationnelle, utilitaire et « mécanique » (voir p. 263 la partie intitulée « Retour vers le futur »). La « culture moderne » ayant engendré des bouleversements dans nombre de conduites sociales, le sport ne pouvait pas ne pas être touché à son tour… même si cette atteinte se produit avec un décalage dans le temps pour le moins déroutant.

Cette « culture moderne » a été construite autour de la totale liberté d'exprimer le « moi[49] » individuel et sensible, cela quel que soit le support de cette expression. Dans ce cadre extrêmement large, aucune contrainte n'existe qui briderait l'expression individuelle, tout est autorisé, bien plus, chacun se doit de tout explorer. Comme le souligne Daniel Bell : « La culture moderne se définit par une extraordinaire liberté qui lui permet de piller les entrepôts du monde et d'absorber tous les styles qu'elle rencontre[50]. » Il est possible de considérer que la culture moderne est issue de l'omniprésence et de l'omniscience de l'individu face aux contraintes imposées par la société organisée.

Dans son livre, Bell explique comment la naissance du modernisme relève d'une double évolution historique : l'avènement du bourgeois libéral et individualiste dans le monde de l'économie, c'est-à-dire le « capitaine d'industrie » créateur de marché, d'une part, l'artiste indépendant, c'est-à-dire vivant du marché de l'art libéré des mécènes et des carcans artistiques qu'ils imposaient, d'autre part. Si cette double évolution procède d'un même courant, le modernisme, il est paradoxal de constater que le bourgeois et l'artiste engendrèrent deux types d'attitudes opposées. Le conservatisme, le savoir transmissible, les comportements standardisés et contraints furent le fait du premier. La spontanéité créatrice, le savoir-faire individuel, l'autonomie et l'« impulsion » furent, à l'inverse, nettement valorisés par le second.

Notons d'emblée que pour Daniel Bell l'épuisement de la spontanéité et de l'autonomie créatrice au cours de la seconde moitié du XXᵉ siècle devait donner naissance au mouvement psychédélique.

---

49. J'utiliserai cette expression « moi » à la suite de Matthew Arnold (voir *infra*) et de Daniel Bell. Elle veut signifier l'individu autonome et, dans certains cas, autoréférent.

50. D. Bell, *Les Contradictions culturelles du capitalisme*, trad. française, Paris, PUF, 1979, p. 24. Cette partie doit beaucoup à l'analyse de D. Bell.

Autrement dit, à une tentative désespérée de dépasser artificielle-
ment les limites individuelles de l'artiste pour accéder à une sensibilité radicalement nouvelle.

D. Bell précise : « *Dans le domaine de l'art c'est la recherche
forcenée de la nouveauté qui caractérise le mieux la culture moderne.
Partant, il faut envisager que le concept de culture artistique ait
subi une profonde transformation avec l'émergence du modernisme.
La culture n'est plus le lieu de la référence à l'aune de laquelle
tout doit être mesuré, en particulier l'innovation. La culture est un
mouvement permanent de création. L'art devient ainsi l'avant-garde
de la société et le modernisme une sorte de préconscient du futur.* »

Mon objectif, ici, consiste à tenter de proposer une explication
identique pour ce qui concerne l'évolution du sport.

Rapporté au sport des années *fun*, le paragraphe qui précède
devra donc pouvoir se décliner de la manière suivante :

*Dans le domaine du sport c'est la recherche forcenée de la nou-
veauté qui caractérise le mieux les années* fun. *Partant, il faut envisager que le concept de culture sportive ait subi une profonde transformation avec l'émergence de la glisse. La tradition sportive n'est
plus le lieu de la référence à l'aune de laquelle tous les comportements sportifs doivent être appréciés, en particulier les conduites,
attitudes et expressions innovantes. La culture sportive des années*
fun *est un mouvement permanent de création. Le sport pourrait
ainsi être considéré comme l'avant-garde de la société et la glisse
comme une sorte de préconscient du futur.*

Bien entendu, pour comprendre le parallèle que je propose
d'établir entre glisse et modernisme, il est nécessaire de faire un
détour expliquant l'apport original de la culture moderne à l'art
contemporain et, pour cela, il convient de s'y arrêter quelque peu,
à la suite de D. Bell.

L'apport essentiel du modernisme peut être résumé par la formule suivante : la véritable réalisation artistique ne doit en aucun
cas reproduire les standards et les normes, c'est-à-dire la société en
tant que celle-ci ne peut que renvoyer au passé. Nous sommes ici
devant une rupture radicale. Alors que l'on concevait que culture
et structure sociale procédaient d'un même processus d'engendrement, la culture n'étant qu'une superstructure (comme dans le cas
de la cléricature sportive et de l'expression symbolique de la culture que représente le champion, voir *supra*), avec le modernisme

cette relation n'existe plus : culture et structure sont dissociées[51]. La rationalité issue des domaines scientifiques, économiques, juridiques ou culturels n'est plus le liant social. Elle cède la place à la spontanéité. On mesure donc la distance qui existe entre la culture moderne et la discipline obligatoire face aux archétypes promus par la culture bourgeoise. Cette dernière valorise l'ordre reproducteur en regard du désordre organisateur que prône la première.

Un point doit être noté, comme le souligne Bell. Bien que marginal si l'on considère le petit nombre d'individus qu'il concerna comparé à l'ensemble de la société, le modernisme en vint pourtant à dominer totalement le monde artistique : littérature, cinéma, peinture, musique ainsi que toutes les organisations culturelles comme les galeries d'art, les maisons d'édition, les musées ou les revues spécialisées. C'est au point que l'on peut aujourd'hui constater l'inexistence de la culture artistique de nature bourgeoise face à cette contre-culture moderne. Aucun style bourgeois n'est aujourd'hui défendable sur le marché de l'art contemporain. La contradiction est étonnante. C'est, en effet, ce même ordre bourgeois, c'est-à-dire le marché, qui a permis l'expression du modernisme. C'est en valorisant la contre-culture sur la base de sa transformation en marchandise que le marché lui a donné vie.

Le rapport de forces est identique dans le monde du sport contemporain[52]. Marginale et pourtant productrice nettement impérialiste de sens, de valeurs... et de marchés, la glisse s'apparente étrangement au modernisme. Je pense, en effet, que nous sommes dans une situation similaire avec l'exploitation du totem *fun* par les acteurs économiques qui animent le segment des sports de glisse. Le *fun* et la glisse seraient en quelque sorte la branche « sportive » et tardive du modernisme.

On a vu l'extraordinaire utilisation des symboles artistiques issus de la culture moderne par les hommes de marketing qui cherchent

51. Ce point explique pourquoi la glisse n'a pas besoin de champion, comme nous l'avons vu précédemment. Elle n'a que faire de celui qui assure symboliquement la liaison entre culture et structure puisqu'elle rejette la culture...

52. Par exemple, une étude réalisée en 1994 par la Transworld Snowboarding pour l'International Snowboard Federation montre que les snowboarders représentent seulement 11,2 % des usagers de la neige. L'étude estime qu'en l'an 2000 « il y aura un équilibre de 50/50 entre les snowboarders et les skieurs dans toutes les tranches d'âge. Le ski perd du terrain dans toutes les tranches d'âge en l'an 2000 : 6-17 ans : − 23,5 % ; 18-24 ans : − 32,7 % ; 25-34 ans : − 24 % ». *Surf Session Snow*, janvier-février 1995, p. 9.

ainsi à répondre aux désirs d'un marché du sport en pleine mutation. Pour beaucoup, il est clair que la déco *fun* « est une avant-
garde » picturale comme a cherché à le montrer l'« étude » parue
dans *Wind Magazine* au mois de novembre 1983[53]. Les « variations déchirées et bazookées », le style pop, les motifs baroques,
le damier, le style Mondrian auraient ainsi donné ses lettres de
noblesse à un « art » *fun* d'inspiration nettement moderne[54]. La
multiplication des recherches et propositions picturales d'origines
diverses, le spontanéisme ambiant, le désordre en un mot de la
décoration *fun* est bien fait pour coller à la désorganisation des repères qui est le propre de la culture moderne. Certains s'inquiètent
d'ailleurs de cette confusion qui domine la sphère des représentations, styles, graphismes et formes dont s'inspire la culture *fun*. Évoquant le marché du *fun*, *Wind Magazine* écrit : « Avec la profusion de modèles et de design, il semble de plus en plus difficile
d'avoir une idée précise des tendances. Tout se mélange dans nos
têtes. Sachant que la copie est aussi devenue une tendance consis-
tante [des] salons, vous imaginez la perplexité des acheteurs du
réseau de distribution ! Cette fuite générale dans le tissu n'est pas
bon signe[55]. »

Dans cette perspective, il est significatif que le Street Art ait
trouvé un écho particulièrement fort dans le domaine de la glisse
urbaine. Là encore la référence est clairement spontanéiste, à l'image
de la figuration libre que nous avons déjà évoquée[56]. Ainsi, dans
le domaine du skate-board, trois éléments semblent nécessaires à
l'élaboration d'une bonne « rampe[57] » : « Une usine désaffectée,
un skater fou de free style, des pros de la bombe de couleur[58]. »
Ce troisième point quelque peu surprenant s'explique par le fait
que la spontanéité et la créativité individuelle sont au fondement
de la pratique du skate comme elles sont à l'origine du mouvement « graffiti ». La revue *Anyway, underground lifestyle* le souligne dans une analyse du « style » et de l'« art » des skaters : dans

---

53. Voir *supra*, « L'athlète, le rocker et le surfer ».
54. Voir *supra*, *idem*.
55. *Wind Magazine* n° 79, octobre 1986, p. 39.
56. L'un des précurseurs de la figuration libre est le peintre américain Karel Appel, créateur du Street Art.
57. C'est-à-dire d'une piste de skate.
58. *Nouvelles Sensations* n° 9, août 1988, p. 66.

ce domaine, « les gestes sont le langage d'une chose que l'on éprouve au plus profond de soi-même[59] ». Nulle surprise, dans ces conditions, lorsque l'on remarque qu'en 1988 les peintres du groupe Base 101, dont la spécialité était le bombage des sites urbains désaffectés, furent plébiscités par les skaters. En effet, « la créativité est un des aspects du skate [...] ; peindre, graffiter, bomber [...], un seul but : se reconnaître plus que se faire connaître, passion primitive pour le dessin, presque une pulsion pour se réapproprier le béton des bunkers environnants[60] ».

Il faut noter ici combien la marginalité picturale se combine parfaitement à la marginalité « sportive » urbaine. Les sites préférés des skaters sont souvent des « bâtiments hors du temps[61] ». Sites promis à la démolition, à l'écart des moments sociaux, économiques et sportifs ordinaires, les spots de skate relèvent souvent d'une « béatitude emmurée[62] » (d'une « *beat* attitude ? ») qui se complaît dans l'abandon, l'oubli et la destruction. Ainsi, l'ancienne manufacture de la SEITA (la Manu) à Toulouse : voué à la destruction, repère des junkies, des rats et de tous les marginaux, ce bâtiment, une fois les murs graffités et les planchers bricolés, fut métamorphosé en « aire de street comparable [...] aux meilleurs modules des meilleures compétitions[63] ». Provisoirement, car les skaters n'étaient que des squatters. Ils avaient su regarder différemment cette usine désaffectée pour l'utiliser avant l'arrivée des bulldozers. Reste que la marginalité revendiquée suinte clairement des propos tenus : « [Ils] ne sont armés que d'une planche attachée à quatre roues. Ils ne sont pas, pour une fois, en quête de nourriture, quoique la pratique de leur activité puisse être considérée par certains comme un aliment spirituel. Non, ils ne cherchent qu'un abri, un endroit où, loin de l'humidité et des grands-mères bousculées, ils pourront retrouver les gestes si longtemps pensés[64]. » En 1995, les

---

59. *Anyway* n° 3, juin 1991, p. 59.
60. *Wind Magazine* hors-série n° 9, juillet 1988, p. 49.
61. « La manufacture, complainte d'un bâtiment hors du temps », in *Anyway* n° 11, mars 1992, p. 24.
62. *Ibid.*
63. *Ibid.*
64. *Ibid.* Devenue *B. Side*, la revue *Anyway* se plaît à donner les bons plans pour accéder aux meilleurs spots urbains... surtout lorsque ceux-ci sont interdits par les autorités (la revue cherche d'ailleurs à publier la « carte de France des spots interdits », voir n° 21, p. 7). Ainsi, à Versailles et au Chesnay, « malgré une interdiction de skater un groupe d'indestructibles

choses ont changé sur le plan technique : les skates sont progressivement remplacés par les rollers (les patins en ligne de type Rollerblade). En revanche, la logique contre-culturelle demeure.

Du « happening »
au marathon urbain

Daniel Bell souligne un élément caractéristique du modernisme
que nous allons trouver particulièrement présent dans le sport
« moderne[65] ». Sur le plan de la technique formelle, ce qui distingue le plus le moderne du classique est l'implication pleine et entière
de l'observateur dans l'œuvre d'art. Alors que les productions artistiques prémodernes contraignaient le spectateur à un rôle passif de
contemplation, l'œuvre moderne l'oblige à s'investir physiquement
en participant « activement ». Comme l'affirmait le *Manifeste futuriste*, il s'agit de « placer le spectateur au centre du tableau[66] ».

Une telle perspective a permis de considérer que dans ces conditions il n'existe plus de différence entre l'art et la vie. En effet,
l'art n'est plus l'imitation du réel ; il *est* le réel. Le modernisme
n'imite pas la réalité, il la crée de toutes pièces à partir des sensations de l'observateur qui est *à l'origine* de la création artistique.
L'art devient le fait de l'individu qui le fonde à partir de son propre travail perceptif et de son action personnelle. La règle de la
correspondance d'un mot, d'une forme, d'une couleur, d'un son,
avec une seule signification n'est plus suffisante pour comprendre

skaters résiste toujours aux blaireaux. [...] N'aimant pas attendre un quart d'heure pour
faire un trick dans un skatepark bourré de people, ils préfèrent streeter des spots comme :
- les chaînes : plus connu sous le nom étonnant de « palais de justice de Versailles », ce
spot se trouve en face de la préfec' [...] ;
- place du Marché : le carré le plus intéressant est le carré « à la viande » (tu te tôles, c'est
direct à la boucherie) [...] ;
- le Novotel du Chesnay : the dream [...] ;
- la piste du Chesnay [c'est-à-dire la piste de skate municipale] : une mini pourave [abso-
lument pas intéressante], des modules nazes. [...] Merci monsieur le maire ;
- la mairie du Chesnay : le maire a voulu se faire pardonner en construisant des rebords
et un handrail de quatre marches en marbre *[sic]*. Skatable contre une amende de 50 rou-
bles. Merci qui ? ». *B. Side* n° 24, avril 1993, p. 30-31.
65. On aura compris que cette expression « sport moderne » devra maintenant être comprise au sens de « sport de glisse » ; ce que je vais tenter de démontrer.
66. *Futurism*, manifeste technique, New York, J. Taylor, 1961, p. 125-127 ; cité par Bell.

une réalité qu'il s'agit de créer soi-même. C'est l'individu sensible qui par son « activité » va construire sa propre perception. Il passe à un rôle actif, devient un véritable acteur, un producteur de la création artistique sur la base de nouveaux critères comme la sensation, la pulsion, l'« impact » ; autant de comportements qui remplacent la simple notion d'observation contemplative.

On comprend que cette interprétation, à la mesure de l'intimité, perturbe la perception communautaire d'une réalité artistique qui, jusqu'alors, se voulait sociale et donc normée. À la limite, plus aucun principe n'existe avec le modernisme, aucun cadre ne vient organiser la réalité, tout devient possible. Bien plus : ce sont tous les « possibles » qui sont revendiqués et l'art devient ce que font les individus lorsqu'ils estiment qu'ils commettent une œuvre d'art...

C'est au cours des années 60 que ce radicalisme moderne atteint, à la fois, son apogée et son épuisement. La technique du *happening*, en exigeant l'implication totale du public dans la création artistique, illustre parfaitement la forme revêtue par le modernisme au cours de cette décennie. Le *happening* est la négation de la création imposée au spectateur. Le spectacle n'est plus sur la scène, il est dans la salle. Il n'est plus une production mais un « événement » individuel créé à partir de sensations et de perceptions personnelles. C'est le processus de création qui prend le pas sur le résultat de la création. L'esquisse, l'essai, par exemple, seront considérés à l'identique du produit final. Le corps en mouvement du spectateur-créateur est investi de significations esthétiques singulières qu'il s'agit d'exploiter. C'est ainsi qu'en 1969, une exposition intitulée « Espaces » organisée par le Museum of Modern Art de New York mettait en scène un gymnase au sein duquel il était nécessaire d'agir physiquement pour créer l'« objet » esthétique. Une telle approche revient à considérer que ce type de production n'est absolument pas dénoté socialement. Elle n'évoque rien qui revête un caractère culturel, elle ne représente aucun contenu expressif décodable par un tiers. Elle existe simplement en tant qu'elle est créée et perçue par un individu dans son autonomie corporelle et son autoréférence esthétique.

Auto-organisation mais aussi autoévaluation, car le critique en tant qu'il est un juge ou un arbitre est exclu de cette démarche artistique. Il n'existe ici aucune interprétation possible car elle renverrait à une référence extérieure, à une échelle hétéronome, à une préférence culturelle. Remarquable est donc le bouleversement des règles qui dictaient jusqu'alors les conduites. La mesure est entièrement individuelle comme le souligne D. Bell, citant S. Sontag : « Nous sommes ce que nous sommes capables de voir, entendre, goûter, sentir[67]. »

Incontestablement c'est à une forme de démocratisation de la culture - une sorte de revanche de la sensation sur l'esprit - que travaille le modernisme. Plus aucune hiérarchie n'ayant cours, toutes les productions sont égales et tous les sujets se valent. L'égalité est totale devant ces nouvelles sensations individuelles qui ne se reconnaissent aucun repère culturel. En devenant acteur, chacun devient un artiste créateur d'une œuvre propre. Peu importe qu'il ne soit pas compris car, tous les critiques l'admettent, si l'artiste n'est pas compris, c'est le public qu'il faut blâmer. L'artiste seul, en effet, est capable de suivre la vérité de son propre génie. Dès lors, c'est à une « démocratisation du génie[68] » que nous convie le modernisme.

De nombreux exemples existent. Le plus pertinent est probablement le *living theatre*, dans lequel les acteurs rejetaient tous les textes pour improviser. Ce faisant, ils revendiquaient leur propre identité et leur propre spontanéité en regard d'une histoire qui pouvait être rien moins que l'histoire de la société comme dans le cas du théâtre classique. En improvisant ainsi sur le répertoire classique, le *living theatre* suivait à la lettre les préceptes d'Antonin Artaud commandant de « brûler les textes ». Comme nous l'avons vu, les tenants de la Beat Generation s'inscrivirent dans cette perspective avec la « prose spontanée ». En permettant au préconscient du narrateur de s'exprimer, c'est le rejet de toute tradition qui fut constamment recherché par Kerouac. L'*action painting* et le *dripping* de Jackson Pollock participent de ce même mouvement en accordant toute l'importance de la création artistique au geste improvisé du peintre qui « agit » sur la toile plutôt qu'il ne reproduit un objet.

Au-delà de cette révolution artistique, c'est une idéologie révolutionnaire que cherchent à promouvoir les adeptes de cette cul-

67. D. Bell, *op. cit.*, p. 138.
68. L'expression est de Daniel Bell.

ture d'opposition. En déstabilisant les traditions et les normes cul-turelles, les promoteurs de ces sensations nouvelles et individuelles veulent signifier qu'une remise en cause de la société tout entière est possible. À travers la mise en œuvre d'une spontanéité de nature privée en lieu et place d'une rationalité hiérarchiquement gérée, c'est bien un système de valeurs qui est proposé. Pour Théodore Roszack, l'un des leaders de cette contre-culture, il s'agit réelle-ment de détruire le monde scientifique, technique et économique reposant sur le savoir rationnel. Il faut promouvoir à la place un autre système au sein duquel la sensation irrationnelle et le savoir-faire individuel seraient les seuls arbitres du beau, du bon et du vrai.

Comme le modernisme fut une forme avancée de la démocra-tisation de la culture, les sports de glisse me semblent correspon-dre à la forme la plus achevée de la démocratisation du sport.

Les signes se multiplient qui montrent qu'aujourd'hui le sport est tout simplement devenu l'activité développée par un individu lorsqu'il estime - seul et autoréférent - qu'il fait du sport. Après la période de codification et de comparaison des gestes issus du XIXᵉ siècle, le sport est marqué par un souci de personnalisation des contraintes. L'esprit sportif se redéploie sous la bannière de la participation, des sensations individuelles, de la connivence et de l'élémentaire valeur d'usage du mouvement libéré des coercitions antérieures. C'est à une inversion des polarités que nous sommes conviés. Aux « rectitudes » arbitrées d'hier se substitue le besoin d'une liberté de mouvement sans contraintes autres que celles dic-tées par la sécurité. La spontanéité, la pulsion, l'impact du ver-tige, la perte recherchée des repères habituels, participent d'une fièvre émancipatrice qui requalifie le libre arbitre de l'individu face aux codes réglementaires normalement prônés. Cette évolution intè-gre trois éléments entièrement inédits : l'autodéfinition, l'auto-organisation et l'autoévaluation de la pratique « sportive ». La rup-ture est brutale avec la tradition sportive codifiée, structurée et qui n'a d'autre but que l'évaluation des comportements rapportée à une échelle de mesure communautaire.

Une telle remise en cause ne pouvait laisser indifférent. Elle n'a d'ailleurs pas fini d'alimenter les passions. Il faut noter que cette fin de XXᵉ siècle ressemble étrangement aux dernières années du XIXᵉ, lorsque le débat portait alors sur l'intérêt du sport anglais, *libéral* et susceptible de développer l'initiative individuelle, face à l'école de gymnastique française coercitive et disciplinaire. On ne peut manquer d'être étonné par une telle reproduction - même si, à l'évidence, la forme est différente - de ce vieux débat. Sauf à considérer l'implacable marche institutionnelle qui introduisit progressivement, au cours du XXᵉ siècle, la contrainte réglementaire et législative au cœur même de l'esprit de liberté qui présida à l'action de Coubertin, transformant dans la foulée les « agences » sportives en « administrations[69] ». Nul doute que si la glisse impose son propre état d'esprit comme le « libéralisme » coubertinien le fit il y a exactement cent ans, le poids institutionnel pèsera progressivement sur elle pour adapter ses comportements aux besoins de la société. Reste que nous sommes ici à l'aune de l'histoire et que, si cette adaptation doit se faire, elle ne verra le jour qu'au cours de la première moitié du XXIᵉ siècle, sur la base d'activités, de matériels et d'équipements inconnus aujourd'hui pour nombre d'entre eux.

Il faut noter qu'au début de la décennie 90, le débat s'est brutalement engagé dans des media nettement éloignés de la sphère sportive. À l'évidence, c'est le signe que l'évolution du sport est entrée dans la « zone sensible » du changement social. Ainsi, dans sa livraison du 14 janvier 1989, *Le Monde* se faisait l'écho d'une polémique née autour de la définition du sport ; un débat présenté comme « un problème de société[70] ». La controverse opposait l'INSEP[71] et l'INSEE. Dans une enquête nationale portant sur les pratiques sportives des Français[72], l'INSEP arrivait à une proposition chiffrée faisant apparaître que 73,8 % des Français avaient une activité physique ou sportive. De son côté, l'INSEE présentait une étude sur l'évolution des pratiques sportives en France entre 1967 et 1984 de laquelle il ressortait que seulement 43,2 % d'entre eux faisaient du sport[73].

Derrière le débat chiffré se dessinaient deux positions radicalement différentes concernant la « nature » de l'activité sportive.

---

69. Voir *supra*, « Le sport d'utilité publique ».
70. *Le Monde*, 14 janvier 1989, p. 12.
71. Institut national du sport et de l'éducation physique.
72. P. Irlinger, C. Louveau, M. Métoudi, *Les Pratiques sportives des Français*, Paris, INSEP, 1987 ; *Méthodologie de l'enquête*, Paris, INSEP, coll. Recherches, 1989.
73. P. Garrigues, *L'Évolution de la pratique sportive des Français de 1967 à 1984*, Paris, INSEE, série M, n° 134, octobre 1988.

L'équipe des sociologues de l'INSEP préconisait « une vision moderniste [74] » du sport défini comme « une activité non productive [75] » s'inscrivant dans une définition très large et surtout très « moderne » - au sens, cette fois, de ce terme tel que je l'ai utilisé plus haut. Particulièrement délicate à élaborer, la définition qu'ils proposèrent fut calquée sur la définition du jeu de l'enfant donnée par Piaget : le jeu est ce que fait l'enfant lorsqu'il dit qu'il joue. Partant, le sport contemporain ne serait pas autre chose que ce que font les gens lorsqu'ils disent qu'ils font du sport. Une telle formulation s'opposait totalement au point de vue de l'INSEE qui réagit en estimant qu'une définition aussi large aboutissait à un résultat qui tendait « à masquer la détresse du sport français [76] ». Reste que le point de vue du laboratoire de sociologie du sport de l'INSEP semble bien correspondre à la contre-culture sportive contemporaine qui puise ses références dans la culture moderne.

La ressemblance entre ces deux types de contre-culture est proprement surprenante. Comme le modernisme, la glisse implique pleinement l'individu dans l'action sans référer sa prestation à une quelconque autorité qui lui serait extérieure. Les notions de sensation, d'un côté, d'impact, de l'autre, suffisent à affirmer l'existence de celui qui les éprouve dans le même temps qu'il exprime la réalité d'une œuvre esthétique. Très différente de la production quantifiée du sportif, la production du glisseur est, en effet, surtout esthétique.

À l'inverse du geste codifié et artificiel de l'athlète, le mouvement *fun* est naturel et entièrement original. Au mois de janvier 1989, le « magazine des sports fous » qui se disait « à l'heure de la sensation vraie » et qui portait le titre significatif de *Nouvelles Sensations* ne trouvait pas d'autre explication que l'exploration des sensations individuelles pour interpréter l'évolution récente - et remarquable ! - de la pratique du ski : celle-ci est passée du ski alpin au snowboard au cours des années 80. Au-delà, une variation du snowboard propre à certaines avant-gardes a pris la forme exemplaire du trash (c'est-à-dire la « poubelle », le « débris », le « détritus ») à la fin de cette même décennie. Mouvement à caractère urbain, le trash est né de la renaissance du skate board aux

---

74. *Le Monde*, 14 janvier 1989, p. 12.
75. *Ibid.*
76. *Ibid.*

États-Unis. Son origine est nettement contre-culturelle puisqu'il est
« apparu sur les débris de ce qui restait de l'explosion punk[77] ».
De manière significative, « il a reconstitué dans le sport, dans la
glisse, une attitude qui tient grosso modo en un adage : faire ce
que l'on veut, comme on veut, être soi sans se soucier de rien
d'autre. Exacerbation de la personnalité n'allant pas sans une certaine volonté de provocation[78] ».

Exaltation du moi, désir de choquer, liberté individuelle revendiquée ; ce sont bien là des formes d'expression issues du modernisme mais que l'on repère, cette fois, dans le domaine du sport.
L'auteur de l'article ne semble pas signifier autre chose lorsqu'il
affirme dans un style syncopé, très spontané : « J'étais là. À Tignes.
À chercher quelque chose qui bouge. Qui innove. Qui se démar-
que. Se décale. Existe enfin. Et là, j'ai rencontré Anders Auers.
Suédois. Pro. Et trasher. Il dit : "Mes racines sont dans le skate.
Pas dans le ski. Le ski, c'est juste un sport. Mes racines c'est la
ville, la rue. Quelque chose d'*underground* [...]. La signification
de notre vie [...] c'est d'être nous-mêmes et nos fringues [qu'ils
ont très provocantes] ne sont que l'expression de cela[79]." »

Encore une fois le paradoxe est étonnant. Comme pour l'exploitation à retardement des symboles relatifs aux mouvements contestataires de Mai 68, la mise en question de la norme sportive utilise avec vingt ans de retard les références de la culture moderne
alors même que celle-ci a épuisé depuis longtemps son pouvoir de
subversion[80].

À l'image de la culture moderne, c'est bien à la promotion d'un
« moi » entièrement autonome et autoréférent que travaille la glisse.
En effet, que sont, sinon des *happenings*, ces marathons urbains,
ces « corridas », ces « grandes courses » sahariennes en autosuffisance,
ces épreuves de snowboard ou de ski de fond où le déguisement
est sinon conseillé du moins apprécié ? Ces manifestations plus ludiques que sportives, plus festives que compétitives, mettent en scène

---

77. « Trash not dead », in *Nouvelles Sensations* n° 11, janvier 1989, p. 41.
78. *Ibid.*
79. *Ibid.*
80. En 1974, le poète moderniste Octavio Paz écrivait : « Aujourd'hui [...] l'art moderne
commence à perdre ses pouvoirs de négation ; [...] la négation n'est plus créatrice. [...]
Nous vivons la fin de l'idée de l'art moderne. » *Modern Poetry from Romanticism to the
Avant-Garde*, Cambridge, Harvard University Press, 1974, p. 174 ; cité par D. Bell.

des acteurs qui n'auraient jamais dépassé le stade du simple spectateur dans le cadre de la culture sportive traditionnelle. De manière surprenante, ce sont bien ces cohortes colorées qui créent l'*événement*[81] sportif, comme l'ont reconnu implicitement les organisateurs du marathon de Montréal. En effet, ces derniers se sont trouvés dans l'obligation de regrouper la course des « as » et celle des « masses » le même jour pour cause de désaffection et de manque d'intérêt des spectateurs pour les prouesses des premiers[82]. À l'image du « théâtre vivant » qui engageait le spectateur à participer à la création artistique, les marathons urbains proposent à n'importe quel individu rien de moins que de créer l'événement sportif.

Plus significatif encore : au cours d'un marathon de nombreux participants ne sont pas certains que leurs capacités physiques et/ou psychologiques leur permettront de terminer le parcours. Lorsqu'ils prennent le départ, ils se lancent à l'aventure car ils sont dans l'incapacité de prévoir leurs réactions. En réalité, ils improvisent entièrement leur course. Une attitude parfaitement perçue par la firme Nike qui, au cours de la saison 1988, exploita une campagne publicitaire sur le thème de l'improvisation en course à pied en affirmant : « À chaque kilomètre, on se demande jusqu'où on peut aller[83]. » Ces *funruners* improvisent donc sur le répertoire olympique le plus classique - une distance mythique et historique de 42,195 kilomètres - selon un registre entièrement personnel. Une démarche identique à celle des acteurs du *living theatre* lorsqu'ils improvisaient sur le répertoire du théâtre classique. Dans les deux cas nous sommes devant une entreprise de démythification : celle de la symbolique sportive, d'une part, celle de la symbolique sociale, d'autre part.

---

81. En anglais *happening* signifie « événement ».

82. Les premières éditions du marathon de Montréal se déroulaient sur deux jours, le samedi et le dimanche, la première journée étant réservée aux « as ». Le peu d'intérêt suscité par la course du samedi a conduit les organisateurs à regrouper les deux manifestations le dimanche.

83. Nike justifia cette campagne en expliquant : « Au départ, on s'élance tranquillement et puis on se surprend rapidement à dépasser ses propres limites. Dans cette course folle, l'Air Pegasus de Nike est votre plus sûr compagnon. [...] Elle vous offre un confort exceptionnel qui en fait une très grande ''routière''. Alors tant que vous ne déciderez pas de vous arrêter, vous verrez défiler les kilomètres. » Voir, par exemple, cette publicité parue dans le magazine *Actuel* n° 111, septembre 1988, p. 30-31.

Si, comme l'affirmaient les représentants du modernisme, leurs
œuvres ouvraient l'art sur la vie au point que, pour eux, toute distinction entre l'art et la vie était exclue, il s'avère que le sport des
années *fun* réduit considérablement l'écart qui existait jusqu'alors entre
le sport et la vie quotidienne. Loin des artefacts réglementés et imper-
sonnels que sont les stades d'athlétisme, les gymnases de sports collectifs et les piscines olympiques, de nos jours le comportement « sportif » se combine de plus en plus aux rythmes journaliers. Les signes
se renouvellent en permanence, qui tendent à « sportiviser » le quotidien. Un cadre d'entreprise n'omettra jamais de mentionner la pratique du golf dans son curriculum vitae. Le sport est omniprésent dans
la publicité[84]. La sociologue Catherine Louveau a souligné, pour sa
part, combien chacun organise son mode de vie de façon à avoir « la
forme, pas les formes ». On remarquera, de la même façon, que les
femmes associent de plus en plus facilement « talons aiguilles et cram-
pons alus » dans l'organisation de leurs journées[85].

Aujourd'hui, quelle entreprise high-tech n'insiste-t-elle pas outre
mesure sur les équipements sportifs mis à la disposition de ses salariés sur les lieux mêmes de leur activité professionnelle ? Ainsi, Dow
Cheminal à Sophia-Antipolis propose une piscine pour « aller piquer
une tête en plein après-midi, histoire de se rafraîchir les idées après
une réunion harassante[86] ». À Clichy, à deux pas du périphérique,
le siège social de L'Oréal met à la disposition des salariés une salle
d'entretien physique ultramoderne. Dans la vallée de Chevreuse,
la société Apple complète les services de son centre antistress intégré (machines à skier, à grimper, à pédaler, à ramer, salle de squash,
jacuzzi, sauna) par un menu diététique Apple-forme servi le midi.
Pour sa part, la société Médiasport propose aux responsables de
façonner le « nouveau visage de [leur] entreprise » en l'engageant
dans le Challenger's Trophy. Il s'agit là, très simplement, d'injec-
ter du sport de pleine nature dans les rouages de la rationalité et
du fonctionnement habituel de la firme : « Désormais, pour pla-

---

84. Voir à ce sujet M. Métoudi, « Présence du sport dans la publicité », in C. Pociello et
coll., *Sport et Société*, Paris, Vigot, 1981, p. 328 ; M. Métoudi, « Les leçons de la publicité », in *Esprit*, « Le nouvel âge du sport », avril 1987, p. 73.
85. C. Louveau, « La forme, pas les formes ! Simulacre et équivoque dans les pratiques physiques féminines », in *Sport et Société, op. cit.*, p. 303 ; C. Louveau, *Talons aiguilles et cram-
pons alus*, compte rendu de recherche, Paris, INSEP, 1988.
86. *L'Expansion*, 15 juillet 1988, p. 72.

cer votre entreprise au premier rang, il faudra troquer son stylo pour une boussole et son téléphone pour une carte d'état-major[87]. » Bref, on n'échappe guère à l'invasion du sport dans des domaines où sa présence était jusqu'ici fortement improbable. Attitudes, images, comportements se voulant « sportifs » personnifient un individu contemporain *cool*, beau, souple, « bien dans ses baskets », très éloigné en dernière analyse de la crispation des *yuppies* à l'agressivité par trop ostentatoire.

Reste que, si le sport influence la quotidienneté, il est aussi influencé par elle. Il imprègne tellement les conduites sociales qu'il arrive que les aléas qui touchent ces dernières pèsent également sur les représentations sportives. Paul Yonnet a pu ainsi envisager que la multiplication des courses d'endurance, nécessitant d'économiser son énergie au détriment de toute velléité de vitesse, puisse être liée aux restrictions énergétiques dues au premier choc pétrolier. Il estime que l'apparition subite au cours des années 70 d'une culture d'endurance qui s'est développée dans les seules sociétés occidentales sous des formes principalement sportives peut être rapportée à l'événement majeur de cette période : la vaste crise à la fois économique, énergétique et morale qui a secoué l'Occident[88].

Deux points méritent d'être soulignés. De nos jours, le modèle sportif n'est plus seulement le champion et l'objet du sport n'est plus toujours l'excellence référencée. L'explication est simple : l'enjeu ne relève plus uniquement de la victoire sur l'autre et chacun est devenu un champion face à un enjeu personnel déterminé de manière strictement individuelle. Comme l'affirmait avec beaucoup de clairvoyance la revue *Nouvelles Sensations* : « L'individu [est] devenu lui-même la mesure des choses[89]. » Ainsi peut-on proposer des enjeux « sportifs » multiples : hygiénistes, physiologiques, pondéraux, psychologiques, ludiques, esthétiques, sociaux, économiques, hédonistes... La liste est à la mesure des aspirations individuelles. C'est peut-être là la difficulté majeure que rencontrent, sans toujours s'en rendre compte, les fédérations sportives. À la gestion d'un enjeu unique - la quête de l'excellence liée à la victoire -

---

87. Publicité Médiasport, in *Le Figaro*, 14 avril 1988.
88. P. Yonnet, *Jeux, modes et masses*, Paris, NRF-Gallimard, 1985.
89. *Nouvelles Sensations* n° 9, août 1988, p. 9.

issu d'une conception techno-économique de nature « bourgeoise »,
se substituent des enjeux « sportifs » nettement hétéroclites nés de
la culture « moderne ». La difficulté provient du fait que des enjeux
différents ne peuvent pas s'inscrire dans un cadre réglementaire univoque. Ce qui veut dire qu'un enjeu ayant un objectif particulier
n'est pas tenu de s'inscrire dans un système de règles qui défini-
rait des contraintes liées à un autre type d'enjeu dont l'objectif
lui serait distinct. En fixant son propre enjeu, chacun détermine
en même temps le système de règles qui va le contraindre. Or,
à supposer que les organisations sportives renoncent à l'enjeu unique représenté par la victoire ou le record, comment harmoniser
des interrelations agonistes ou coopératives, hédonistes ou ascéti-
ques, ludiques ou économiques, créant leurs propres systèmes réglementaires dans le cadre d'une même manifestation ?

La solution est particulièrement délicate à mettre en œuvre. Un
exemple de cette difficulté nous fut donné par l'organisation du
Paris Givré, une épreuve de ski de fond d'origine privée[90] au
cours de laquelle chaque participant détermine lui-même, au cours
de l'épreuve, sa propre distance de course. Une formule très originale qui bouleverse les modalités habituelles d'organisation des compétitions sportives : « Dès la première édition, en 1983, le Paris
Givré bousculait les traditions [...]. Seule épreuve où l'on choisit
sa distance de course, cinq, quinze, trente ou quarante kilomètres.
Pas d'*a priori*. Ce sera suivant sa forme, la météo, l'ambiance. Je
revois encore les frémissements affolés des futurs chronométreurs dans
les bureaux de la Fédération française de ski [...] : ''Ça ne s'est
jamais fait. Et il faudra qu'ils partent ensemble, etc.[91].'' » Il est
significatif, dans ces conditions, que, si la licence fédérale était
« hautement recommandée[92] » pour participer à cette course, elle
n'était absolument pas obligatoire. En n'imposant pas l'affiliation
à la Fédération française de ski, donc à son code réglementaire,
les organisateurs reconnaissaient implicitement la possibilité pour chacun des participants de le transgresser en déterminant lui-même ses
propres règles de course.

---

90. Cette course est organisée par le magasin parisien d'articles de sport Le Vieux Campeur.
91. *Montagne Magazine* n° 91, mars 1987, p. 65.
92. *Ibid.*

La mise en forme artistique

La vocation esthétique de la glisse est fréquemment avancée par les media *fun*. Il semble bien qu'à l'image d'un Jean Vérame, qui crée des œuvres picturales à partir du rocher et avait entrepris de « peindre » le Sinaï et le désert du Tibesti en 1989 - ce « vision-naire du désert » qui a « peint 80 kilomètres de Sinaï[93] » - certains grimpeurs privilégient une création artistique ayant pour support la paroi au détriment d'une performance platement sportive. On avait déjà pu constater le caractère esthétique de l'escalade avec la création d'un « opéra vertical » par le Théâtre national de la danse et de l'image à l'occasion des Hivernales d'Avignon, en 1989. Inti-tulée *Fragments de montagne*, cette création originale mettait en scène des grimpeurs non pour la performance qu'ils étaient capa-bles de réaliser mais pour la qualité artistique des gestes qu'ils produisaient[94].

De fait, pour de nombreux adeptes de la grimpe, le rocher ne semble pas être autre chose qu'un écran, une scène sinon un « théâ-tre lyrique[95] » où, comme pour Patrick Edlinger ou Isabelle Patis-sier, la qualité de la prestation tient autant à l'efficacité du geste qu'à l'esthétique du mouvement. Encore une fois, le lexique de la grimpe opère des emprunts improbables. Évoquant le site renommé des gorges du Verdon, la revue *Montagne Magazine* n'hésite pas à utiliser un vocabulaire surprenant mais néanmoins bien approprié à ce caractère artistique que revêt l'activité : « Ver-don baroque [...] hors cet écran de pierre géant où l'on affiche complet, d'autres scènes, d'autres dramaturgies. En voici le ré-

---

93. *VSD* n° 630, 28 septembre 1989, p. 35-46. Au mois de septembre 1994, la revue *Ver-tical* devait rendre hommage à Jean Vérame en lui consacrant sa couverture et une éton-nante photographie géante et détachable représentant Jerry Moffat escaladant l'un des blocs peints du Tibesti.

94. Livret et mise en scène de Michel Pastore, musique de Piotr Moss. Les années 80 ont d'ailleurs vu la création de plusieurs compagnies de danse-escalade. Citons : la compagnie Turbulence (Grenoble) qui a remporté le premier prix du festival de danse-escalade de Vaux-en-Velin, en 1988, avec un spectacle intitulé *Traverse* ; la compagnie Densité (Valence) ; la compagnie Durandal (Angers). De son côté, l'association Ciel et Terre de La Chapelle-en-Vercors s'est spécialisée dans la création d'« œuvres éphémères » à partir du rocher, comme à Grenoble lorsqu'elle a tendu la falaise de la porte de France de bandes de couleurs et de châssis de bois (les « laqman ») créés par Francis Lara en 1987.

95. *Montagne Magazine* n° 108, octobre 1988, p. 84.

pertoire[96]. » Il est patent que la grimpe opère une transfiguration artistique de celui qui s'y adonne : il s'agit de « lier le geste et la pierre pour une chorégraphie subtile[97] ». Dans tous les cas c'est l'individu seul, dans le secret de sa perception intime du rocher, qui crée pour lui-même un décor au sein duquel il se met en scène. Comme le relève *Vertical* : « Le paysage est là mais c'est le grimpeur qui l'installe, l'ordonne, en allant vers lui[98]. »

Comment s'étonner, dans ces conditions, que nombreux soient les grimpeurs qui considèrent un mur d'escalade artificiel à l'identique d'une véritable œuvre d'art que l'individu échafaude en l'enchaînant ? Ainsi, Wenzel Vodicka, un grimpeur certes, mais « artiste plus que sportif [...]. Son rêve ? Travailler [...] sur un projet de mur gigantesque, où il aurait carte blanche pour organiser les voies, penser l'esthétique, réaliser les sculptures et les peintures... Une œuvre d'art[99] ». Le grimpeur est donc un créateur, un artiste « capable de produire des œuvres tangibles, qu'il ne cache à personne. Une voie est une œuvre offerte à la contemplation des autres grimpeurs, et ainsi à leur critique ou à leur admiration [...]. Puisqu'une ascension a les mêmes qualités qu'une œuvre d'art, son créateur, au même titre qu'un artiste, est responsable de son tracé et de son style[100] ».

La comparaison des nouveaux comportements sportifs avec le modernisme prend des aspects souvent inattendus. Il semblerait que le cerveau du coureur à pied de longue distance produise des

---

96. *Ibid.*

97. *Montagne Magazine* n° 105, juin 1988, p. 63.

98. *Vertical* n° 18, octobre 1988, p. 82-86.

99. *Nouvelles Sensations* n° 14, décembre 1989, p. 51.

100. *Vertical* n° 15, février 1988, p. 12. Certains, toutefois, modèrent ce point de vue mais, ce faisant, ils montrent clairement le caractère « moderne » (au sens artistique du terme) de la grimpe. Ainsi Yolande Marzoff, la chorégraphe du film de danse-escalade *Grimpeur étoile* dont le rôle principal est tenu par Patrick Berhault, et qui fut elle-même danseuse étoile, explique : « On crée l'illusion de la danse mais ça n'en est pas. Le grimpeur qui danse travaille sur la sensation immédiate qu'il a du terrain, de façon un peu instinctive... Le danseur ne travaille jamais à l'instinct. Au début, Patrick me parlait toujours des moments où il s'éclate en grimpant. [...] Les danseurs ne s'éclatent pas. Ce sont de simples intermédiaires entre leur art et les autres. Il y a servitude... Il ne faut pas tout mélanger. On est grimpeur ou on est danseur, on ne peut pas être les deux à la fois. » *Montagne Magazine* n° 118, août 1989, p. 55. Ce point est bien entendu valable pour toutes les pratiques de glisse. Par exemple, comme nous l'avons déjà vu : « Le surf [des neiges] est un art et la montagne une toile infinie. [Il faut] refuser les écoles [et suivre] son inspiration. Ne laissez personne vous dicter votre style. [Il ne faut] ni bible, ni code, ni morale. » Voir *supra*.

endorphines[101] capables de l'introduire dans un état second comparable à celui que le créateur psychédélique recherche de manière artificielle. Dans son livre *Coureurs, si vous saviez*, Noël Tamini rapporte le cas de ce coureur grec « de très grand fond » qui composait de la musique lorsqu'il courait. « Quand je ne compose pas, dit-il, je me passe un film : je revois toute mon enfance, mon service militaire, mon premier flirt [...]. J'oublie que j'ai un corps[102]. » D'autre part, lors de certaines épreuves exotiques permettant de pénétrer au plus profond d'une nature minérale dépourvue de toute trace humaine, inviolée dans certains cas, l'individu procéderait à cette forme de création imaginaire que proposait le *Manifeste futuriste* lorsqu'il sommait le spectateur de s'introduire dans la toile pour créer l'œuvre d'art. De fait, le coureur se projette dans un décor vierge qu'il paraphe en le marquant de l'empreinte de ses pas. « Faire sa trace » sur le sable immaculé du désert (ou dans la poudreuse lors d'une descente hors piste) serait pour certains comparable à la trace du pinceau sur la toile. Il s'agirait même d'une forme d'expression personnelle proche, selon les cas, de la création sous LSD (voire de l'oniro-analyse sous mescaline) telle que la réalisaient les artistes liés au mouvement psychédélique. J'ai déjà évoqué la formule de *Montagne Magazine* qui, parlant du monoski dans la poudreuse, exprimait des sensations nettement hallucinatoires : « Fermer les yeux. La poudre parle. Pieds et joints liés dans un seul but : glisser. Ô, pays des merveilles. » La revue *Nouvelles Sensations* confirme : « La poudre est une piste onirique mais bien réelle. On la trace, on la marque de son signe, on la macule, on la paraphe[103]. »

Il est patent que les gestualités produites par la glisse relèvent d'une création esthétique. S'il fallait encore s'en convaincre, il suffirait de constater la relation essentiellement visuelle que proposent aux lecteurs les multiples revues *fun*. Jamais dans l'histoire du sport une telle débauche d'images n'avait été observée. Tout est mis en œuvre pour enrichir l'iconographie des media, certaines courses allant jusqu'à revendiquer distinctement un caractère plus esthétique que

101. Les endorphines sont des substances chimiques naturellement produites par le cerveau qui se fixent sur les même récepteurs que les dérivés de l'opium. Courir longtemps augmenterait la sécrétion d'endorphines, donc produirait un effet euphorisant.
102. N. Tamini, *Coureurs, si vous saviez*, Salvan, Suisse, 1985, p. 235.
103. *Nouvelles Sensations* n° 11, janvier 1989, p. 30.

sportif. Le Mémorial Joël Gery, par exemple, cette course de snowboard où le déguisement est fortement conseillé, valorise
ouvertement la production esthétique pour mieux rejeter la production chiffrée des compétitions traditionnelles. Pour expliquer leur
démarche, les organisateurs comparent leur course avec les épreuves de la Fédération française de ski (FFS) : « La FFS prend des critères que nous n'avons pas. Pour nous la silhouette doit être déliée,
furtive, vachement agile [...], le mono [c'est] pour s'éclater, sortir
du carcan du ski, faire autre chose. Il faut [...] garder une part
de création et d'imaginaire [...], [la compétition] ça déforme la silhouette [...], le mono est beau à voir [...], si le mono rentre dans
les schémas du ski, slalom, etc., ça n'évoluera pas. [Il] est basé
sur le plaisir, le geste, l'harmonie [...]. Voilà pourquoi le Mémorial [Joël Gery] existe par rapport au carcan du slalom [...] ; cette
année il faut faire encore plus pour privilégier le geste[104]... »

De l'attitude sportive privilégiant le geste esthétique à l'acte
de pure création artistique, la marge est donc étroite dans le monde
de la glisse. Tous les media *fun* le soulignent, l'efficacité n'est rien
sans la beauté. Un glisseur, quel que soit le support sur lequel il
évolue, doit donc avoir le souci de l'esthétique du mouvement qu'il
crée (et non pas qu'il produit !). Bien plus, ce mouvement doit
être ressenti et exprimé sans contrainte réglementaire tant il est vrai
que « les gestes sont le langage d'une chose que l'on éprouve au
plus profond de nous-mêmes », comme l'affirme la revue de skate-
board *Anyway*[105]. Sans contraintes réglementaires, car c'est avant
tout la personnalité intime qui doit parler et s'extérioriser.

Dans une longue étude sur le « style » publiée en juillet 1991,
cette revue devait d'ailleurs exprimer un point de vue bien particulier quant à l'origine de cette configuration esthétique propre à
chacun : « D'où viennent nos styles ? De nous-mêmes, et c'est cela
qui élève notre sport au rang d'art [...]. Si vous êtes sketchy ou

---

104. *Montagne Magazine* n° 101, février 1988, p. 43-47. Nous noterons qu'en 1995, la situation semble dégénérer entre les adeptes du « snow » (le snowboard) et la Fédération française de ski. Dans sa livraison du mois de janvier 1995, la revue *Snow Surf* devait dénoncer, dans un article au vitriol, la mainmise de la Fédération sur le « snow ». « On note toujours que le ski est du côté de la tradition, le snow lui, est ailleurs, mais apparemment
c'est un endroit mal famé ; quelque chose comme le progrès ou la nouveauté, la modernité peut-être. » *Snow Surf* n° 5, janvier 1995, p. 20-21.
105. N° 3, juin 1991, p. 59.

précis, courbé ou droit, c'est votre moi profond qui parle. Se voir skater a cela de fascinant que vous vous voyez tel que vous êtes réellement [...]. Changer son style correspondrait à changer de personnalité ? En grande partie, oui[106]. » De surcroît, pour de nombreux glisseurs, le style serait absolutoire en ce sens qu'il préserverait du futile. C'est-à-dire de la rentabilité habituellement conférée au geste sportif. Ce point fut très bien souligné par la revue *Nouvelles Sensations* dans une « anthropologie des styles » publiée en janvier 1990[107]. Ainsi, le style relève de l'esprit du corps, de l'inné, d'une sorte de savoir-être. Difficilement transmissible, il ne peut être enserré dans un savoir car il est une expression corporelle entièrement dépendante d'une personnalité mise en gestes.

Le style du glisseur est comme une écriture du corps paraphant un substrat - vague, champ de neige, rocher, ciel - en une relation toujours singulière et jamais chiffrée en vue de comparaison. « À la différence des autres sports, les sports de glisse se sont édifiés plus sur la notion de style que sur celle de performance, ce qui explique la difficulté qu'ils ont eue à intégrer la compétition en leur sein[108]. » Aucune comparaison rationnellement organisée n'est possible là où la forme d'un geste relève d'une perception du « terrain » à la fois intime, esthétique, fantasmatique et vertigineuse. Il y a quelque chose de « cru » dans le style, comme le remarque *Nouvelles Sensations*. Autrement dit, à l'image du modernisme, dans le monde de la glisse il n'y aurait pas de références ou d'appréciations qui seraient sociales à quelque niveau que ce soit. « L'esthétisme d'un style ne se détermine plus par rapport à un quelconque critère de beauté établi, mais sonne comme la note d'une intimité où faits et gestes se conjuguent à l'unisson [...] le temps d'une action[109]. »

La glisse rejette donc clairement un corps qui ne serait que codé en vue d'une mise en chiffres, pour promouvoir un corps pulsé en vue d'une mise en formes. Non pas seulement la forme (ou la santé), mais bien les formes (ou les styles) propres à chacun et que façonnent les individus autoréférents dans leur appréhension, à la fois terrifiante et intime, d'une nature qu'ils glissent.

---

106. *Anyway* n° 4, juillet 1991, p. 54.
107. *Nouvelles Sensations* n° 14, janvier 1990, p. 18.
108. *Ibid.*, p. 24.
109. *Ibid.*

Le doute n'est donc guère permis, la glisse et son totem *fun* s'inspirent de la culture moderne. Tant sur le plan du rejet des règles imposées, de l'improvisation, de la recherche de sensations proprement individuelles et non référencées, de l'engagement de chacun dans l'« événement » quel que soit son niveau de production, de la volonté de création esthétique quand ce n'est pas de création purement artistique, de la réduction de plus en plus manifeste de la distance entre l'action et la vie quotidienne, il ne fait aucun doute que les sports de glisse relèvent de la culture moderne.

La culture sportive moderne

J'ai souligné plus haut un point qui m'apparaît essentiel pour comprendre la grande transformation qui touche le sport contemporain : le jeu n'existe pas en dehors de l'existence de l'individu autonome et autoréférent qui joue. Ce point confirme que le sport n'est pas un jeu. Le sport existe, en effet, hors la présence du sportif, sous la forme des codes réglementaires qui régissent en même temps qu'ils définissent les disciplines.

Au contraire, le plaisir et les émotions ressentis dans les limites d'un « vol » procurant des sensations vertigineuses n'ont de réalité que pour l'individu qui les vit en même temps qu'il les met en œuvre. Lui seul construit en toute liberté les procédures qui le conduiront à « s'éclater » alors qu'un athlète intègre obligatoirement des processus qui normaliseront ses comportements. Les indéniables sentiments ressentis dans ce dernier cas seront pourtant occultés par la qualité du résultat. C'est celui-ci qui donnera *in fine* la mesure du plaisir ou de la déception. Le plaisir de la glisse existe par contre *in vivo* ; c'est-à-dire nulle part ailleurs que dans le schéma corporel de l'individu qui en jouit. Il est immanent et immédiat. Il n'est ni référé ni retardé. En tant qu'elle exploite l'axe *ilinx-mimicry*, la glisse assure la promotion de la sensibilité individuelle. L'être sensible qui jouit du vertige se distingue radicalement de cette « personne publique » dont la satisfaction ne sera le fait que d'une comparaison issue d'une procédure agonistique. Le plaisir du sportif ne sera promu en tant que tel que par *référence* alors que le plaisir du glisseur le sera par *autoréférence*.

La structure relationnelle de type agonistique conduirait donc à une forme d'agnosie : l'athlète ignorant volontairement le plaisir (ou la douleur) contenu dans la motricité qu'il met en œuvre pour n'apprécier que le résultat qu'elle produit. L'athlète serait, en quelque sorte, un « agnostique » de la sensation. Le glisseur, au contraire, croit profondément que l'individu autoréférent peut accéder à ces jouissances quelque peu métaphysiques que sont le *it*, la « communion avec le grand Tout[110] », le « pied » ou l'« éclate ».

En créant les connaissances permettant d'accéder à l'« objet-victoire », le savoir sportif relève donc d'une nature ontique ou, plus prosaïquement, il a une vocation « matérialiste » (« mécanique » dirait Matthew Arnold, voir *infra*, « Retour vers le futur »). À l'inverse, le savoir-faire des glisseurs, en se rapportant plus à l'être sensible, serait plutôt de nature ontologique. Après tout, Jack Kerouac, le concepteur du *it*, ne semble pas dire autre chose lorsqu'il affirme par la bouche de Dean Moriarty : « Tout est beau, Dieu existe, nous avons l'intuition du temps. Tout ce qui a été affirmé depuis les Grecs est faux. On ne rend compte de rien avec la géométrie et les systèmes géométriques de pensée. Tout est dans ''ça''. [Dean] enfila son index droit dans son poing gauche[111]. » Un glisseur vit dans le désir là où un sportif vit dans le projet. Le désir relève d'une volonté d'instinct et de liberté. Le projet s'inscrit dans la contrainte, notamment la contrainte du résultat évalué. Face à la pente (kilomètre lancé), au sommet de la falaise (base-jump), au pied de la paroi (grimpe) ou le dos à la vague (surf), le glisseur est devant un vide qu'il aspire à combler en s'y projetant. De manière identique, le peintre moderne devant la toile vierge cherche à exprimer un désir qui ne prend forme qu'avec sa réalisation. Dès lors, nous pouvons estimer que, contrairement au sport, la glisse ne « signifie » pas. C'est-à-dire qu'elle ne transmet rien qui fasse sens pour autrui. Elle ne doit pas être considérée comme un signe, elle fait sens elle-même simplement pour celui qui s'y livre.

Reste que si la glisse est réellement l'aventure des sens et de l'instinct elle n'est en aucun cas une aventure aveugle qui n'obéirait qu'aux mouvements « catastrophiques » des éléments. L'individu pilote en permanence sa glisse. S'il se laisse aller en se proje-

---

110. Voir *supra*, « De la Route à la glisse ».
111. J. Kerouac, *op. cit.*, p. 171.

tant dans le vide ou dans un espace inconnu, il n'en reste pas moins qu'il choisit lui-même l'ascendante, la prise, la vague, la bosse, l'adonnante... Il intervient sans arrêt, quêtant les plaisirs imprévus qui lui sont offerts. Entre l'individu et l'élément qu'il glisse se nouent ainsi les fils d'un jeu réciproque d'actions et de réactions pas toujours conscientes. Loin de laisser faire le substrat, ou le support de sa glisse, le glisseur n'en est pourtant pas moins façonné par lui. Là est l'ambiguïté. L'individu décode l'élément (le grimpeur « lit » une voie avant de la réaliser) mais cette compréhension ne relève pas d'un code établi. Le programme et la logique de l'action se constituent au fur et à mesure de l'engagement de l'individu dans les trajectoires. Voilà pourquoi la glisse ne relève pas d'un processus de production comme c'est le cas du sport mais, au contraire, d'une forme de création. Là où le sport réduit le geste à la technique de sa propre élaboration, la glisse promeut un processus de composition permanente de mouvements. Ainsi, le mouvement vécu du glisseur est irréductible. C'est bien cela qui est nouveau dans le monde du sport. Le mouvement vécu pour lui-même ne peut être mesuré, donc comparé. Il ne peut vivre que dans les marges, aux extrêmes, hors des balises et des limites car il n'est pas commun.

Ces différences entre les notions de sport et de glisse vont avoir une conséquence très importante pour le développement de la pratique sportive pour le plus grand nombre : il s'agira moins de favoriser la promotion de l'athlète que celle de l'individu. En d'autres termes, nous assistons depuis l'avènement des années *fun* à la valorisation de celui qui joue *just for fun !* contre celui qui rivalise *just for win !* Les signes se multiplient depuis maintenant une bonne décennie puisque déjà, en 1982, Georges Vigarello remarquait : « La nouveauté fondamentale des pratiques corporelles récentes est celle d'une montée de l'intime : l'attention va moins à la technique qu'aux transformations intérieures et personnalisées[112]. » À l'inverse de ce qui se passe dans la société sportive pour laquelle, nous l'avons vu, la « personne sensible » n'a pas d'existence au bénéfice de la « personne publique », dans le monde de la glisse la première revêt une importance considérable, la seconde n'ayant strictement aucune signification.

---

112. G. Vigarello, « Les vertiges de l'intime », *art. cit.* p. 68.

Si, depuis le début des années 80, la culture moderne oriente différemment les repères sportifs, c'est semble-t-il beaucoup plus tôt, en fait dès le début des années 60, que l'on peut percevoir une transformation explicite des normes corporelles. Georges Vigarello a bien montré comment, dans le domaine de l'éducation corporelle, une pédagogie « libératrice » ou encore une pédagogie du « sujet » centrée sur les sensations et les proprioceptions avait bouleversé certaines pratiques physiques collectives et « redresseuses » antérieures. « La perspective [...] est, plus simplement, le parti de cerner des données individuelles, celui d'indiquer des ''mal être'' et des ''mieux être'' [...], jouer sur le senti plus que sur l'apparence. Ostensiblement ici se développe un intérêt pour des sensations, une attention à des états, une prospection des solutions spécifiques à chacun[113]. »

Dès cette époque, une nouveauté se fait jour : la volonté d'exclure un corps éduqué selon des standards socialement reconnus et imposés pour valoriser des attitudes corporelles permettant l'émergence de l'individu sensible. Comme le souligne Vigarello, dès lors, progressivement, le corps s'intériorise. Son expression devient le reflet d'une sensibilité profondément personnelle hors de toute référence issue d'une norme imposée de l'extérieur. La perception kinesthésique est considérée comme le support à partir duquel doivent s'élaborer les comportements. En matière d'expression corporelle, la référence proprioceptive prend le pas sur la référence sociale. Ainsi, c'est une véritable contre-culture physique qui se manifeste au cours des années 60 sur des bases « théoriques » extrêmement proches du modernisme.

Dès lors, une lutte d'influence entre deux pédagogies corporelles va voir le jour, en France, dans le monde de l'éducation physique. Une démarche pédagogique de nature « psychomotrice » va chercher à éduquer un corps « déstandardisé » à l'écoute de ses propres sensations face à un corps instruit selon les règles de l'efficacité et de la rationalité sportive. Le sport sortira vainqueur de ce débat en 1967, lorsque des « instructions officielles » viendront orienter explicitement l'action des enseignants d'éducation physique *et* sportive. Nulle surprise à cela dans la mesure où la légitimité spor-

---

113. G. Vigarello, *Le Corps redressé. Culture et pédagogie*, thèse pour le doctorat d'État, *op. cit.*, p. 658-659. Voir surtout G. Vigarello, *Le Corps redressé*, Paris, Delarge, 1981.

tive est depuis longtemps ancrée sur son caractère d'utilité publique, comme nous l'avons vu. Reste que si l'on fait abstraction de l'orientation officielle et des actions qui en découlèrent - notamment dans le domaine de la construction des équipements sportifs, des politiques de financement et de formation de cadres techniques des fédérations sportives - force est de constater que la contreculture corporelle des années 60 va procéder à un travail souterrain pendant près de vingt ans. Il est clair, en effet, qu'elle remet nettement en question, aujourd'hui, tous les critères fondateurs des rationalités sportives.

Ce travail insidieux a revêtu de nombreuses formes très éloignées du phénomène sportif compétitif. On peut citer sans être exhaustif la bioénergie, l'expression corporelle, la gestalt-thérapie, le cri primal, la thérapie de la joie. En fait, toutes les formes d'expression individuelles issues du mouvement californien pour le « Potentiel humain ». Ce sont là des techniques « quasi thérapeutiques » dont l'objet premier est l'émergence du moi dans le but de libérer l'individu de ses inhibitions, de façon à permettre l'affirmation de sa sensibilité privée. Comme le montre Vigarello, il est remarquable que dans tous les cas c'est du corps que sont attendues les remises en cause. C'est le corps qui est interrogé. Nul doute, dans ces conditions, que les introspections proposées par cette contre-culture physique aient pu frayer les voies empruntées aujourd'hui par la glisse.

Prenons l'exemple de l'expression corporelle. Cette technique suggère l'improvisation des mouvements destinée à permettre la réapparition de comportements enfouis au plus profond de l'histoire de l'individu. Une fois mis en évidence, ces comportements sont analysés et décodés pour expliquer certains blocages de nature psychologique. L'improvisation serait donc la forme la plus pure de l'expression du moi, comme dans le cas du *happening*, du *living theatre*... ou de la course à pied. Pour ce qui concerne cette dernière, le corps ressenti et questionné que privilégie l'expression corporelle se trouve être remplacé par un corps souffrant et sondé tout au long d'une *épreuve* sportive. Mais l'objectif est identique : il s'agit de se retrouver. La revue *Grandes Courses* ne dit pas autre chose, qui affirme : « [La course] devient à la fois finalité et instrument de découverte de soi et des autres dans de nouveaux paysages, [le coureur] renoue avec des sensations qu'il avait oubliées[114]. » La seule différence tient au fait que, dans le cas de la course à pied, c'est la souffrance qui apparaît comme le vecteur le plus approprié à cette recherche de sensations, sentiments et comportements effacés. « Vive la souffrance ! », s'exclamait ainsi la revue *Montagne Magazine* commentant le marathon de l'Himalaya. Et de préciser les conditions de la course : « Œdèmes pulmonaires, dépressions nerveuses, pieds en sang, mal des montagnes, sans oublier les insignifiantes tendinites. Tous les ingrédients qui composent le cocktail sportif étaient réunis[115]. » Un plaisir nettement masochiste, donc, qui n'est pas sans atteindre un seuil pour le moins pathologique dans certains cas. Témoin, ce participant de la deuxième course du Hoggar qui annonce : « Mon but ? C'est de mourir en course[116]. »

La course de longue distance peut être une véritable thérapie[117], selon une enquête de *Jogging international*. Cette revue a interrogé l'une des participantes du quatrième relais Paris-Gao-Dakar disputé en 1988. « Elle raconte sans détour les raisons de sa course. ''J'ai vécu une enfance et une adolescence très difficiles. En grandissant, les blocages psychosomatiques sont devenus physiologiques. C'est mon médecin qui m'a ordonné de beaucoup marcher. [...]'' Après la marche forcée, M.H. s'est mise à courir [...] ; elle avale 160 kilomètres par semaine[118]. » Pour préparer ces « courses au bout de soi[119] », il n'est pas rare que les participants se transforment en véritables « boulimiques » de la course à pied. Une boulimie qui n'est pas sans conséquences sur la santé des coureurs, comme le montre le magazine. « Éric court plus de 160 kilomètres par semaine, il se lève parfois avant 4 h 30 du matin pour courir. Ses jambes et ses genoux lui font mal en permanence [...]. Agnès court depuis un an. Au bout de neuf mois d'entraînement, elle faisait déjà plus de 100 kilomètres par semaine [...]. Maintenant, elle boîte de façon très évidente et a des douleurs intenses, mais elle nie avoir mal lorsqu'on lui en parle [...]. Betsy s'entraîne

---

114. *Grandes Courses* n° 1, mai 1987, p. 4.
115. *Montagne Magazine* n° 99, novembre 1987, p. 21.
116. *AlpiRando* n° 107, février 1988, p. 10.
117. J'ai déjà développé ce thème lors du colloque « Performance et Santé » organisé à Sophia-Antipolis par l'université de Nice, en mars 1991.
118. *Jogging international* n° 53, février 1988, p. 19.
119. *Jogging international* n° 56, mai 1988, p. 82.

de plus en plus. [...] Elle commence à suivre un régime pour maîtriser encore mieux son corps, et, à moins de 45 kilos, elle pense encore devoir maigrir[120]. »

Pour certains, la foulée d'un coureur permettrait de décrypter ses angoisses. Expression du stress, elle serait une image de l'âme. Ainsi, Serge Cottereau, le « pape de la course à pied », qui a créé les 100 kilomètres de Millau, la première course sur route ouverte à tous organisée en France, estime : « On ne court pas de la même manière selon que l'on est amoureux ou déprimé, angoissé par le boulot ou parfaitement heureux de son sort. Si je vois [l'un de mes stagiaires] courir replié sur lui-même, les gestes étriqués et les épaules courbées, je sais qu'il est mal dans sa peau[121]. »

Le sportif ordalique

Une interprétation particulièrement stimulante de ces détournements de la signification du sport nous fut récemment donnée par David Le Breton dans un livre original à plus d'un titre[122]. Cet auteur analyse certaines évolutions vertigineuses et dangereuses du sport contemporain en considérant qu'il s'agit là d'une forme de retour du « jugement de Dieu », c'est-à-dire de l'ordalie. Pour lui, c'est la perte de sens et de références communautaires propres aux comportements profondément individualistes d'aujourd'hui qui pousse certains acteurs sportifs à produire eux-mêmes des limites que l'organisation sociale ne leur propose plus : « À défaut de limite de sens que la société ne lui donne plus, l'individu cherche autour de lui des limites de fait, tangibles. Il se procure, à travers le goût des obstacles et la frontalité de sa relation au monde, une occasion de trouver les repères dont il a besoin pour produire une identité personnelle[123]. » Les valeurs sociales et leurs représentations symboliques ayant perdu toute légitimité, il reste le réel, c'est-à-

---

120. *Jogging international* n° 54, mars 1988, p. 30.
121. *Jogging international* n° 92, septembre 1991, p. 2.
122. D. Le Breton, *Passions du risque*, Paris, Métailié, 1991. Sur un thème relativement proche, on pourra également consulter P. Baudry, *Le Corps extrême. Approche sociologique des conduites à risque*, Paris, L'Harmattan, coll. Nouvelles Études anthropologiques, en particulier le chapitre consacré à « La société sportive », p. 73-121.
123. D. Le Breton, *op. cit.*, p. 46.

dire l'affrontement aux substrats (l'air, la terre, l'eau) qui, dépassant les songes et les *rêveries de la volonté* pour prendre la forme d'un défi sportif lancé au danger et à la mort, produirait les conditions d'une nouvelle perception du *substratum* individuel. « Tutoyer » sa mort reviendrait ainsi à baliser sa vie. La risquer permettrait de la mettre en évidence, de lui donner une réalité en la contraignant à produire du sens.

On comprend bien, dans ces conditions, que l'exploration des extrêmes limites de la vie, là où elle est susceptible de basculer dans la mort, ne puisse se concevoir que dans les marges sociales, culturelles, juridiques et géographiques. Dans ces écarts à la norme où la glisse se déploie sous la bannière de la contre-culture. Dans ces « dead zones », réminiscences des angoisses humaines abandonnées aux marginaux où se diluent les repères. Là, l'individu en transit explore brièvement la brutalité du monde pour y puiser du sens en s'éprouvant physiquement. D'où la référence à l'ordalie, au jugement suprême, qui oriente positivement celui qui surmonte l'épreuve en lui (re)donnant le goût de vivre et, surtout, le sens de la vie par une sorte de discernement de la réalité morbide. Comme le souligne David Le Breton, il n'y a « rien de plus fort, pour se prouver son existence, que d'éprouver la mort[124] ».

L'auteur explique ainsi la recherche contemporaine du risque sportif qui permettrait à l'individu de se « (re)constituer » face à l'effacement du sens et au brouillage des repères sociaux. Nous observerons que cette recherche de l'extrême est bien différente de la « liberté d'excès » que revendiquait Pierre de Coubertin il y a un siècle. L'ascèse et le contrôle de soi, identiques à l'éthique athlétique, seraient ici sollicités sur un autre registre que celui de l'olympisme. Il s'agirait plus d'une mise à l'épreuve du corps destinée à provoquer la sensation et la souffrance que d'une mise en jeu des aptitudes capables de produire de la mesure et du chiffre. Pour le sportif ordalique, dès lors, « plus c'est dur, plus c'est bon », ou, comme l'affirma récemment le tour-opérateur Terres d'aventure, « moins ça va, plus ça va[125] ».

---

124. *Ibid.*, p. 57.
125. Terres d'aventure explique : « Aujourd'hui l'homme ne sait plus marcher. Alors, de temps à autre, l'envie lui vient de réinventer le *b a ba* du pas à pas. [...] Et, ô surprise, ce n'est pas facile, [...] tout d'un coup, la douleur se fait douceur, [...] instant jubilatoire

Lancés à la poursuite de leurs limites, ces « aventuriers » d'un nouveau type s'assurent de la réalité de certains balisages pour marquer ou repérer le cadre de l'existence, ou, plutôt, de l'« existant », en s'élançant à « corps perdu » dans les épreuves (au sens propre du terme). Et Le Breton de citer la liste, devenue litanie, de ces événements surmédiatisés en regard de leur portée réelle et au sein desquels tout classement devient superflu : « Traverser les mers à la rame, en planche à voile, en bateau, descendre des fleuves, si possible en Asie ou en Afrique, en raft, en kayak ; parcourir les déserts à pied, en ULM, en voiture, à moto, en camion, gravir les sommets à mains nues, choisir les variantes les plus difficiles, enchaîner les escalades dans le temps le plus bref, marcher, courir, chevaucher, entre deux villes, deux continents, pendant des semaines, des mois ou des années ; faire le tour du monde en traction avant, en courant, en vélo, à cheval, en marchant ; rallier le pôle en ULM, à pied, en traîneau, en ski de fond[126]... » Bref, tout est devenu bon pour « promener son ego » comme s'est plu à le souligner Jean-Louis Étienne, le marcheur du pôle Nord.

Un point me semble remarquable tant il bouleverse les repères sportifs antérieurs et, *last but not least*, permet l'éclosion de nouveaux marchés : la « défonce », l'aventure, le risque, l'affrontement des éléments ne sont plus réservés aux élites, aux athlètes, aux héros. Un peu comme si nous devions assister aujourd'hui à une étonnante résurgence de l'appel à participer cher à Coubertin. Apparaît depuis deux décennies ce que l'on pourrait appeler le sport des « gens de peu », en utilisant la formule de Pierre Sansot[127], ou l'aventure des « hommes sans qualité », pour reprendre l'expression de David Le Breton. Dit autrement, il s'agirait ici de considérer des limites physiques mesurées à l'aune des potentialités de ceux qui n'ont, jusqu'alors, jamais eu la possibilité de les exprimer.

Plus radicalement : il devient nécessaire de prendre en considération tous ceux qui n'avaient jamais envisagé qu'ils puissent pos-

---

où tout devient possible. [...] La marche vous révèle alors le plus paradoxal des paradoxes : moins ça va, plus ça va. » À la fin de l'année 1993, les organisateurs du Raid Gauloise devaient reprendre ce thème sous la forme du slogan suivant : « Vent de 100 km/heure... progression en file indienne... thermomètre à −50°... le bonheur. » *L'Équipe Magazine* n° 617, 27 novembre 1993, p. 22.

126. D. Le Breton, *op. cit.*, p. 32.
127. P. Sansot, *Les Gens de peu*, Paris, PUF, 1991.

séder en propre des virtualités aventurières ou sportives. Tous ceux,
par exemple, pour lesquels la simple éventualité de courir un marathon était exclue du fait de l'élitisme sportif ambiant. Cette frange
de la population pour qui l'ordalie ne pouvait être que subie comme
le châtiment suprême, jamais provoquée pour aller au bout de soi.
Car les « gens de peu » ne vont guère au bout d'eux-mêmes. Atteindre ses limites est un luxe. « Se connaître » implique de ne pas
rester à la place assignée pour sortir de sa réserve. Ce qui fut historiquement interdit aux hommes sans qualité. Quand la volonté
de dépasser *ses* bornes confine à l'utopie on se satisfait de son quant-
à-soi. À l'évidence, ce n'est plus le cas aujourd'hui dans le monde
de la glisse et du *fun*.

Il fut toujours nécessaire de sortir de sa condition pour en apprécier la banalité. L'accident, la maladie, le handicap physique furent
souvent ces déclencheurs de virtualités car, comme le souligne Le Breton, plus que les autres le handicapé a besoin de se produire lui-même.
« L'assignation diffuse à la mauvaise part contraint nombre de ''stig-
matisés'' à faire la preuve de leur excellence sur la scène symbolique[128]. » Dans le monde du sport contemporain, il semble bien que
cette capacité de « production de soi », hors des normes traditionnel-
les propres aux élites, soit devenue pour beaucoup - handicapés et
valides - une préoccupation inédite. Loin des consentements et appro-
bations sociales ou culturelles, les « gens de peu » *s'autorisaient* donc
eux-mêmes à participer au sport en forçant leur destin. *You can do
it* scandent ainsi les spectateurs du marathon de New York aux coureurs chancelants ; ce qui signifie que « même si tu n'es pas un champion, même si tu ne fais pas partie de l'élite, tu peux courir
42,195 km ». Le *just do it* en forme d'appel lancé aux « sportifs de
peu » par la société Nike est bien fait pour signifier ce grand bouleversement à tous les marathoniens potentiels. « Tu peux le faire » est
devenu la formule magique par laquelle l'homme sans qualités sportives acquiert le droit à l'« essentiel du sport » : la *participation*.

Le syndrome du marathon

On mesure, pourtant, la transformation que font subir à la
course à pied ses coureurs qui recherchent tout autre chose que la

---

128. D. Le Breton, *op. cit.*, p. 71.

victoire sur autrui en tentant d'explorer les limites de leur « moi »
profond. Nul doute que c'est leur « mental » qu'ils veulent décoder en torturant leur « physique ». La démarche est tellement évidente qu'on ne s'étonnera guère de constater que les plus représentatives parmi les techniques d'introspection d'origine californienne
des années 60 firent explicitement référence à la notion de *marathon*. Ce terme apparaît, en effet, comme un concept général qui
inscrit le « travail » corporel dans la durée. Celle-ci est vécue intensément, intimement et, surtout, longuement : d'où ce terme de
« marathon » utilisé pour mieux figurer la lenteur de la mise en
forme, plus exactement de la mise en gestes, des sensations et des
émotions oubliées au plus profond de la personnalité. Comme s'il
s'agissait d'attester que le temps nécessaire à cette expression ne doit
pas être mesuré à une aune communautaire mais accepté comme une
donnée individuelle, variable selon les cas, dont le cheminement dou-
loureux est justement nécessaire à la qualité de la thérapie[129].

Cette prise en compte non limitée de la durée vécue m'apparaît à l'inverse de la conception que l'on rencontre dans la gestion
du temps mesuré tel que le conçoit la société sportive. La différence tient au fait que dans le cas des thérapies « californiennes »
- pour utiliser une formule de Michel Bernard[130] - le temps est
individuel et géré de façon autonome alors que, dans l'autre cas,
il s'agit d'un temps social, référé à une échelle de nature totalement hétéronome. Ce point est primordial pour comprendre l'évolution des normes « sportives » contemporaines. Cette acceptation
de la « durée » de l'autre, en tant qu'elle peut représenter un temps
nécessaire et différent de sa propre « durée », me semble être au
fondement de l'inégalité sportive revendiquée que l'on trouve à la
base de l'engagement des « individus sans condition sportive » dans
les courses sur route. Ce qui n'est pas sans poser un problème de
gestion de ces aspirations inédites. En effet, ces différences individuelles acceptées, sinon valorisées, *au départ* de l'épreuve apparaissent bien à l'opposé de la relation égalitaire promue depuis un siècle
par le mouvement sportif. Comme l'a récemment souligné Alain

---

129. Parmi les ouvrages faisant référence à ce type de thérapies, on peut citer, en particulier : J. Durand-Dassier, *Groupes de rencontre-marathon*. Paris, Épi, 1973 ; H.M. Ruiten-
beek, *Les Nouveaux Groupes de thérapie : marathon, gestalt, bioénergie, groupes de nus,
groupes de drogués*, Paris, Épi, 1973.
130. M. Bernard, *L'Expressivité du corps*, Paris, Delarge, 1976, p. 279.

Ehrenberg[131], dans ce dernier cas, l'objectif consiste à fondre les individus dans des collectifs réglés qui n'ont qu'un seul objet : la mesure des différences individuelles *à l'arrivée* de la compétition. L'individu disparaît au bénéfice de l'expression chiffrée de sa dépense d'énergie. Dans le premier cas, les choses apparaissent différentes : c'est la relation personnelle à la douleur ou au plaisir énoncée en termes de rapport au corps qui exprime la réalité de l'engagement physique.

Le succès des pratiques thérapeutiques californiennes au cours des années 60 et 70 a tenu en grande partie à un objet unique : la recherche de sensations exclusivement individuelles et, en quelque sorte, nouvelles puisque oubliées au plus profond de l'inconscient. L'émergence laborieuse de ces sensations n'avait qu'un but : leur décryptage en vue de libérer le moi de tensions qui trouvaient leur origine dans les contraintes de la société. Là encore, c'est l'organisation sociale, et ses règles imposées aux individus, qui était mise en question. Exactement comme ce fut le cas pour le modernisme et, plus tard, pour la glisse qui s'élabore entièrement à partir de la promotion d'une sensibilité individuelle et contre le *square*, le « blaireau », le « paysage d'angle », le « coup de sifflet ». Nous l'avons vu, la glisse s'est bien construite contre les conventions sportives traditionnelles pour favoriser l'émergence d'émotions impossibles à *échanger* et dont *l'usage*, dans le cadre d'un écosystème peu réglementé, ne peut être qu'individuel. Il s'agit ici d'éprouver pour ressentir et certainement pas pour estimer, expertiser, jauger ou évaluer. Un peu comme si l'expressivité du corps était « non plus une arme de réussite sociale prosaïquement dynamisée et travaillée, mais une nature quelque peu irrationnelle où s'éprouve la fuite dans un vécu idéalisé[132] ». Il ne convient plus de mettre en jeu une motricité rationnellement organisée et arbitrée pour en mesurer les effets. Il s'agit de fixer l'enjeu au niveau de l'expression attendue d'émotions jugées « authentiques » car profondément

---

131. A. Ehrenberg estime que le sport « réconcilie ce que toute une tradition de la philosophie politique a constamment opposé : la force et le droit. La compétition est la scène où le droit du plus fort n'est jamais la force qui bafoue le droit. Le classement des uns vis-à-vis des autres - l'inégalité *a posteriori* et non *a priori* - est le sous-produit d'un affrontement entre égaux. » « Le sportif, l'homme et la juste inégalité », in *Libération*, 24 février 1992, p. 6.
132. G. Vigarello, *op. cit.*, p. 353.

personnelles tant dans leur élaboration que dans leur évaluation[133].

Apparaît ici la cause majeure de la délicate intégration des courses à pied de masse dans les structures institutionnelles, comme l'ont montré récemment différents contentieux apparus entre les organisateurs de certaines épreuves « sauvages » et la Fédération française d'athlétisme. Une compétition sportive traditionnelle est organisée autour d'un enjeu unique : la victoire. Au contraire, un marathon de masse doit proposer des enjeux multiples, aussi nombreux que peuvent être les sensations et impressions que cherchent à promouvoir autant d'individus qui sont là, non pour vaincre autrui, mais pour interroger leur personnalité profonde. Ce problème n'est bien entendu pas spécifique à la course sur route. Il doit être généralisé à l'ensemble des disciplines sportives qui ont vu récemment apparaître des innovations techniques, technologiques ou sociales aux marges de leur sphère d'influence.

Face à cette forme de reconnaissance du soi de nature « statutaire[134] » que proposent les fédérations sportives, c'est à la simple connaissance de soi que travaillent les nouveaux acteurs « sportifs ». Le cas du saut en benji, encore appelé « elastic-*fun* » ou « bungy », est particulièrement révélateur de ce qu'il faut bien considérer comme une réelle « invention » de leur sensibilité profonde pour des milliers d'individus. « Invention » au sens de véritable trouvaille permettant la mise à jour de sensations qui étaient contenues mais jamais exprimées. Il s'agit, dans le cas du benji, de se précipiter volontairement dans le vide (d'un viaduc ou d'une grue), les pieds accrochés à un élastique spécialement étudié pour cet usage. Paradoxalement, cette activité vertigineuse ne demande aucune compétence particulière, contrairement au saut en parachute, par exemple. « Saute qui veut », affirme ainsi la revue Les Nouveaux Aventuriers[135]. Cette simplicité a assuré l'incroyable succès de cette pratique. Reste qu'une fois en position il faut faire le dernier pas. Dès cet instant, plus rien ne compte que l'explosion des

---

133. *Surf Session* ne dit pas autre chose, qui souligne le fait que « la glisse est une sensation que chacun éprouve d'une manière qui lui est propre et qu'il extériorise d'une façon personnelle. [...] La glisse doit rester un concept global où toutes les différences peuvent s'exprimer ». *Surf Session* hors-série n° 18, décembre 1992, p. 37.
134. Le statut de champion, de « première série », de numéro 1, etc.
135. *Les Nouveaux Aventuriers* n° 5, novembre 1988, p. 60-62.

limites quotidiennes, comme l'explique un adepte : « Je recherche cette sensation très forte de la chute dans l'abîme pendant laquelle il n'y a rien à faire, sinon de sentir et de jouir de toutes les limites qui éclatent, de toutes les énergies négatives de l'existence ordinaire qui disparaissent[136]. » Comment peut-on intégrer une telle pratique à l'intérieur d'une structure platement comptable des performances de chacun ? Comment peut-on mesurer prosaïquement une prestation qui n'aspire qu'à la jouissance ? Est-il possible d'évaluer ce qui relève de l'irrationnel ? Au-delà de ces antagonismes avérés, il faut surtout considérer que l'usage des limites du moi est très exactement au fondement du modernisme sportif.

Retour vers le futur

Je ne suis pas historien mais je vais pourtant tenter d'esquisser l'origine de la « culture sportive » prémoderne, en exploitant d'emblée un raccourci qui pour être « historique » le sera moins en termes avérés qu'en termes *fun*. C'est-à-dire en recherchant ouvertement un second degré qui n'est guère destiné qu'à « faire masse » ou, encore, à « court-circuiter » les points de vue trop bien établis sur le sport.

Je voudrais mettre en évidence un élément « historique » des plus déconcertants et qui, à ma connaissance, n'a jamais été relevé. À la fin du XIXᵉ siècle, le futur du sport, c'est-à-dire la glisse et le *fun* que nous connaissons aujourd'hui, était inscrit dans la filiation directe de Thomas Arnold ; ce pédagogue anglais original, directeur du collège de Rugby, qui, selon Pierre de Coubertin, jeta les bases du sport moderne dans la première moitié du XIXᵉ siècle.

On a pu le constater, j'utilise certaines des analyses de Daniel Bell pour essayer d'apporter un point de vue explicatif des transformations culturelles à l'œuvre dans le domaine du sport. Le hasard a voulu que dans la définition qu'il donne de la culture Daniel Bell fasse référence à un auteur anglais, Matthew Arnold. « Le mot culture a pour moi un sens à la fois moins vaste que celui que donnent à ce mot les anthropologues qui y englobent les objets façonnés et les habitudes de vie et moins étendu que la notion

---

136. *Ibid.*

''de bon ton'' d'un Matthew Arnold pour qui la culture est la perfection de l'individu[137]. » Le hasard devient une sorte de « hasard
organisateur » de la réflexion quand on sait que Matthew Arnold
est le fils de Thomas Arnold. Celui-là même qui, aux yeux de Pierre
de Coubertin, fut l'instigateur de la « rénovation britannique » et
dont l'action pédagogique fondée sur le sport (selon Coubertin)
devait favoriser le développement de l'Angleterre industrielle, véritable « atelier du monde » du milieu du XIXe siècle[138].

Pour comprendre l'importance (en termes *fun*, bien entendu !)
de ce qui va suivre, il convient de se souvenir ici que l'action de
Coubertin en faveur du rétablissement des Jeux Olympiques reposa
principalement sur les conceptions éducatives développées à Rugby
par Thomas Arnold. Dans son entreprise très efficace de *lobbying*,
le baron de Coubertin affirma en effet : « Remarquons que de tels
principes [pédagogiques] sont absolument nouveaux ; personne n'en
a jamais conçu ni énoncé de pareils. Faire de l'organisation sportive remise aux mains du collégien et fonctionnant par ses soins
l'école pratique de la liberté, c'est ce que ni l'Antiquité, ni le
Moyen Âge n'avaient même entrevu et ce sera la pierre angulaire
de l'Empire britannique qui, au temps d'Arnold, est en train de
s'édifier[139]. »

Éducateur et innovateur pédagogique, réformateur du système
des *public schools*, il ne fait aucun doute que les points de vue
du Dr Thomas Arnold devaient marquer son fils Matthew qui, ensei-
gnant et inspecteur des écoles primaires anglaises, eut la profonde
volonté de poursuivre dans la voie tracée par son père. Ce point
est capital car, pour les historiens du sport, un problème se pose
dans la mesure où Thomas Arnold n'a guère laissé de traces écrites de ses conceptions éducatives, donc de la façon dont il concevait la culture et l'organisation sociale qui marquèrent la naissance
du sport moderne. Il reste que, sur la base de sensibilités et d'intérêts différents, son fils Matthew et Pierre de Coubertin ont tous
deux tenté de faire l'exégèse de ses idées. Si l'on connaît bien les
thèses coubertiniennes (et l'exploitation parfois caricaturale des idées
d'Arnold destinée à servir la cause du sport naissant), on connaît

---

137. D. Bell, *op. cit.*, p. 22.
138. P. de Coubertin, *Pédagogie sportive*, Lausanne, Bureau international de pédagogie sportive, 1919, p. 39 *sq*.
139. *Ibid.* p. 46.

moins le point de vue de Matthew Arnold. Or, celui-ci est particulièrement éclairant pour comprendre la véritable origine de l'« utilité sociale » qui est aujourd'hui si profondément attachée au sport. Il permet, également, de mesurer l'étonnante distance qui sépare le sport contemporain de ses conceptions originelles.

La surprise est grande, en effet, lorsque l'on constate qu'en promouvant le moi individuel et sensible, la glisse n'est peut-être pas si éloignée que cela de la véritable origine, voire de la véritable essence, du sport moderne.

Au-delà, pourtant, il faut bien convenir que la notion de hasard organisateur que j'évoquais précédemment prend une forme surprenante, sinon totalement déconcertante (mais ô combien *fun* !), puisque la fiction rejoint la réalité contemporaine du sport pour recomposer ici le scénario fameux du *retour vers le futur*.

L'histoire du sport, en effet, échafaude de curieux raccourcis lorsque l'on sait que la philosophie des mouvements beatnik et hippie, initiateurs comme nous l'avons vu amplement du concept de glisse, fut largement influencée par deux livres d'Aldous Huxley, *Les Portes de la perception*[140] et *Le Ciel et l'Enfer*[141], qui faisaient tous deux l'apologie des hallucinogènes et la promotion de la sensibilité individuelle. Aldous Huxley, alias « saint Aldous » pour les hippies, fut ainsi le premier « prophète » du mouvement du *flower power*[142].

Or, Huxley, qui est né à Godalming (Surrey) en 1894 est le fils de Julia Arnold, elle-même la nièce de Matthew Arnold et la propre petite-fille de Thomas Arnold[143]...

Il faut admettre que nous sommes là devant une remarquable singularité historique que l'on pourrait résumer de la manière suivante : le sport moderne que l'on doit entièrement à l'admiration sans bornes vouée par Pierre de Coubertin aux thèses de Thomas Arnold est aujourd'hui battu en brèche par des idées directement

---

140. Publié en français chez Plon en 1954.
141. Édité également chez Plon en 1956.
142. Voir à ce sujet A. Lombard, *Le Mouvement hippie aux États-Unis*, Paris, Casterman, 1972, p. 136.
143. Voir A. Dommergue, *L'Amour dans l'œuvre d'Aldous Huxley*, Minard, 1974, p. 5 et S. Bedford, *Aldous Huxley. A biography*, Londres, Chatto and Windus, 1973, vol. 1, p. 2. Ces informations m'ont été aimablement fournies par M. Lucien Le Bouille, directeur de l'UFR de langues vivantes étrangères de l'université de Caen et auteur d'une thèse sur Huxley.

issues des réflexions psychédéliques et alternatives de l'arrière-petit-fils de ce même Thomas Arnold !

Reste que s'il ne fallait s'en tenir qu'à cette approche, certes extrêmement *fun*, de l'histoire du sport on occulterait une dimension beaucoup plus intéressante qui nous renvoie directement aux affaires juridiques et financières qui perturbent profondément l'éthique sportive de cette fin de siècle. C'est ainsi, par exemple, que la principale réflexion qu'aurait dû suggérer l'affaire OM-Valenciennes tient au fait que les protagonistes ont confondu *moyens* et *fin*. Ce faisant, ils se sont placés en contradiction absolue avec l'éthique sportive originelle - définie par Matthew Arnold sur la base des points de vue de son père - qui considère qu'en aucun cas la pratique d'un sport et, partant, le résultat produit ne doivent être envisagés comme une fin en soi. Dès lors, les *moyens* d'y parvenir ne présentent guère d'*intérêt*.

Pour tenter de comprendre l'origine très particulière de la matrice culturelle dont est issu le sport traditionnel que nous connaissons aujourd'hui, il est nécessaire de nous attarder quelque peu sur l'œuvre de Matthew Arnold, en particulier sur son livre *Culture et Anarchie*, publié en 1869[144].

Matthew Arnold (1822-1888) est considéré comme l'un des auteurs anglais importants du XIXᵉ siècle au même titre, par exemple, que Mill (1806-1873), Dickens (1812-1870), George Eliot (1819-1880) ou encore Carlyle (1795-1881). Son œuvre littéraire s'attache surtout à décrire une société anglaise reposant principalement sur son matérialisme, son autosatisfaction et son étroitesse d'esprit. Matthew Arnold reprocha beaucoup à ses contemporains de ne regarder l'industrie et le mode d'expansion socioéconomique qu'elle engendra dès cette époque *que* comme une fin en soi et non comme un moyen de développement et de promotion de l'Homme. C'est ainsi que Matthew Arnold dénonce le benthamisme, c'est-à-dire un système philosophique qui, selon lui, met trop l'accent sur l'utile et le quantifiable et qui est prôné par la morale des philistins (la bourgeoisie) anglais. Dans la perspective arnoldienne, il s'agirait, au contraire, de valoriser l'esthétisme, qu'il

---

144. J'utiliserai la traduction française présentée par le Centre de recherche de littérature, linguistique et civilisation des pays de langue anglaise de l'université de Caen : M. Arnold, *Culture et Anarchie*, Lausanne, L'Âge d'homme, 1984. Toutes les informations sur Thomas Arnold proviennent de l'étude liminaire qui introduit l'ouvrage.

nomme l'« hellénisme », face à l'utilitarisme bourgeois qu'il appelle l'« hébraïsme[145] ». Là où le second terme valorise le rigorisme de la règle et du quantifiable, le premier promeut la perfection et la beauté.

Selon Matthew Arnold, l'hébraïsme génère des normes qui mettent en valeur l'ascétisme, l'effort, le sens du devoir et le respect de la règle. Pour sa part, l'hellénisme souligne le bien-fondé de l'hédonisme, la compréhension et l'harmonie des choses et des idées. Ainsi, un comportement hellénique acceptera les choses en l'état, telles qu'elles se présentent, alors qu'un comportement hébraïque cherchera à les transformer. On aura compris que pour Matthew Arnold il ne fait pas de doute que le progrès passe par la promotion de l'hellénisme alors même que l'Angleterre mid-victorienne, qui sécréta le sport moderne, est une nation organisée autour de l'axe hébraïque. Une organisation sociale de ce type défend l'idée que tout individu possède en droit la possibilité de s'affirmer au détriment des autres. Cette faculté institutionnelle lui confère le pouvoir d'agir selon ses propres instincts au sein d'une société puritaine préconisant l'ardeur, la puissance et la réussite - d'aucuns diraient aujourd'hui la « gagne » - mais, cela va de soi, dans le respect des règles établies. Selon Matthew Arnold, il faut voir là le socle doctrinal qui gouverne l'Angleterre jusque dans ses pratiques sportives. Ce qui, on l'admettra, apporte un éclairage « historique » (et une explication légitimant leur impact médiatique !) aux déviances éthiques de certains acteurs sportifs contemporains : « C'est de cette façon dont les barbares traitent leurs exercices physiques, les philistins leurs affaires [...] ; l'hébraïsme justifie la liberté que nous accordons à notre moi ordinaire dans les exercices corporels, dans les affaires [...] il rend le reste insignifiant[146]. »

L'ensemble de la société occidentale du XIXᵉ siècle considère le modèle de développement anglais comme un objectif vers lequel ils conviendrait de tendre. Matthew Arnold, qui a beaucoup voyagé à travers l'Europe, a bien perçu cette aspiration. Il ressort de ses observations que trois domaines propres à la société anglaise sont plus particulièrement privilégiés par les autres pays européens qui

---

145. « Pour donner à ces forces un nom dérivé de celui de deux races d'hommes qui en ont présenté les manifestations les plus remarquables et les plus éclatantes nous pouvons les appeler les forces de l'hébraïsme et de l'héllénisme. » M. Arnold, *op. cit.*, p. 125.
146. *Ibid.*, p. 144-145.

cherchent à les intégrer dans leurs modes de vie et dans leurs politiques de développement : « Ces trois objectifs sont l'entreprise
industrielle, l'exercice corporel et la liberté[147]. »

Pourtant, selon lui, la société occidentale ne serait pas dupe et
chercherait à intégrer ces objectifs non pas comme une fin mais,
bien au contraire, comme un moyen de tendre vers un modèle de
perfection humaine. Même s'il s'agit là d'une erreur de prospective
manifeste (qui fut pourtant pour ce qui concerne l'exercice corporel au fondement de la démarche coubertinienne), Arnold considère que la critique majeure développée à l'endroit de l'Angleterre
porte sur le fait que cet État n'envisage chacun de ces domaines
que comme une fin en soi qu'il faut atteindre de « façon mécanique » sans les rattacher à un objectif général de perfection. « Liberté
britannique, industrie britannique, prouesses musculaires britanni-
ques ; pour chacune de ces trois choses nous nous dépensons aveu-
glément sans songer à donner à chacune l'importance et la place
qui lui reviennent, parce que nous n'avons aucun idéal de perfection humaine harmonieuse pour servir de moteur et de guide à
nos travaux[148]. »

C'est ainsi que la société occidentale chercherait à imiter « notre
force musculaire » non pas dans l'absolu, mais en tant que moyen
d'accéder à un idéal humain que l'Angleterre ne saurait envisager.
Nous remarquerons que cette perspective humaniste d'éducation par
le sport qui a traversé le XXᵉ siècle et perdure encore aujourd'hui,
sinon dans les faits, du moins dans les discours, fut très exactement celle que Pierre de Coubertin tenta d'imposer en France à
la fin du XIXᵉ siècle. Matthew Arnold et Coubertin se rejoignent
donc quasi naturellement pour considérer que le seul modèle corporel de référence s'inscrit dans la conception de l'homme qui fut
celle de la Grèce antique. Pour l'un comme pour l'autre, ce modèle
corporel ne possédait pas en lui-même ses propres fins et, surtout,
n'était pas issu d'un « culte trop exclusif de l'ardeur, de la force
du zèle et de l'action[149]. »

L'allégeance de l'Angletere aux valeurs d'une société « mécanique » et matérielle s'impose donc comme une contradiction majeure
en regard d'une culture corporelle de type hellénique. L'idée même

---

147. *Ibid.*, p. 147.
148. *Ibid.*
149. *Ibid.*

de la perfection d'une nature humaine transcendante s'opposerait ainsi à l'individualisme et à l'aversion des Anglais pour toute limitation du libre développement de la personnalité individuelle selon le culte du « chacun pour soi ». Une société dont le credo ne consisterait qu'à promouvoir l'individu selon cette perspective « mécanique » n'aboutirait qu'à la valorisation de ce que Matthew Arnold appelle le « moi ordinaire » *(everyday self)* au détriment de ce qu'il prône, c'est-à-dire la promotion du « meilleur moi » *(best self)*.

De ce point de vue nous tenons là une ébauche d'explication quant à l'intérêt de Coubertin pour un sport éducatif de type arnoldien. En effet, en tant qu'éducateur, et à la suite de son père, Matthew Arnold s'appuya sur une conception aristotélicienne de la jeunesse pour accorder une entière confiance aux jeunes en ce qui concerne la possibilité d'accéder *naturellement* au « meilleur moi ». Ainsi affirme-t-il : « D'après Aristote, ceux qui en général peuvent être attirés par les idées et par la recherche de la loi intelligible des choses sont principalement les jeunes, remplis de l'esprit de générosité et de la passion de la perfection[150]. » Il s'agirait donc de laisser s'épanouir une potentialité innée, pour favoriser l'accès des jeunes à la « droite raison » et à la « loi intelligible des choses », autant de concepts qui, dans l'esprit d'Arnold, participent de la culture hellénique. L'éducation physique ne serait alors qu'un processus permettant à la conscience de jouer librement sur la base d'un registre d'exercices corporels dans lequel l'engagement ne pourrait être *que* désintéressé. L'objectif pédagogique étant d'éviter l'instauration d'un système rigide qui ne pourrait que générer des idées et des comportements stéréotypés. Le danger, dans ce cas, serait de favoriser la pénétration d'attitudes traditionnelles, issues d'une société anglaise confite dans ses habitudes hébraïques, à l'intérieur de cette nature humaine vierge qui appartient à la jeunesse.

En aucun cas le maître ne doit participer à l'« action » et aux « opérations pratiques » qui permettent l'accès à la « droite raison ». Cela même si la demande est expressément formulée par les élèves. Il ne pourrait que pervertir les stratégies et les structures mises en place, inventées par les jeunes, en introduisant maints « détails mécaniques » qui n'auraient pour seul résultat que l'appauvrissement de l'action. Le maître doit refuser le pouvoir. Son rôle édu-

---

150. *Ibid.*, p. 180.

catif doit se borner à modeler l'action des élèves sur des idées saines, plutôt que d'avoir la conduite de leurs activités.

Radicale, dès lors, apparaît la transformation d'une démarche
éducative qui, d'une stratégie pédagogique centrée sur le savoir du
maître et sur une discipline imposée par l'adulte, valorise, au contraire, le simple savoir-faire de l'adolescent pour l'élever au statut
d'un savoir-être reconnu institutionnellement car participant d'une
culture centrée sur la liberté d'initiative qui, seule, permet d'agir
hors des carcans et coercitions sociales. On le constate, nous sommes très proches des orientations du modernisme, du surréalisme,
du « Potentiel humain », des préceptes prônés par les tenants de
la figuration libre et de la volonté de Kerouac lorsqu'il créa la prose
spontanée.

Dans cet esprit, les organisations éducatives issues de la tradition hébraïque sont à bannir tant il est vrai qu'elles seraient inef-
ficaces pour atteindre les lois de la perfection humaine. D'autres
sont à inventer, qui ne peuvent être que le fait d'individus non
pervertis par les manifestations toujours intéressées et cupides du
« moi ordinaire ». Si l'éducation sportive permet d'atteindre ce type
d'objectif[151], encore convient-il de ne pas indexer l'action sur un
quelconque intérêt lié à un résultat quantifié : « Toute personne
qui se fait plus ou moins précisément une idée juste de la perfection humaine a clairement indiqué que l'exercice de la force et de
l'activité corporelle est subordonné à des fins plus élevées et
spirituelles[152]. »

Par des cheminements détournés, nous rejoignons ici des préoccupations qui relèvent d'une actualité sportive et judiciaire particulièrement brûlante. En effet, pour Arnold, le sport ne saurait être
un moyen. Les potentialités physiques d'un athlète relèvent en propre d'une valeur plus fondamentale que leur simple monétisation
en or, argent ou bronze. Il affirme d'ailleurs sans ambiguïté que
la « vigueur physique » doit être associée étroitement à une
« condition spirituelle parfaite » et non pas poursuivie comme une
fin uniquement subordonnée à la mesure du geste produit (performance ou score) : « Dès que nous dissocions [la vigueur physi-

---

151. Arnold affirme : « Le résultat de tous les jeux et sports qui occupent la génération
actuelle de garçons et de jeunes gens peut [établir] un type physique meilleur et plus sain
dont pourra disposer l'avenir. » Op. cit., p. 72.
152. Ibid., p. 67.

que] de l'idée de condition spirituelle parfaite et que nous [la] pour-
suivons comme nous le faisons effectivement, pour [elle]-même, et
comme fin en soi, le culte que nous [lui] vouons devient simple culte
de la mécanique, au même titre que notre culte de la richesse [...]
avec tout ce que cela comporte d'inintelligence et de vulgarité[153]. »

En d'autres termes, il semble bien que la pratique sportive attachée à promouvoir le « meilleur moi » doit instaurer une distance,
que d'aucuns qualifieront bien plus tard de « sociale », entre le geste
et la mesure de ce qu'il produit. Il convient moins de se préoccuper de la manière que de l'« art » de parvenir au résultat. Il ne
saurait être question d'envisager le sport d'un point de vue
« productif » en sacrifiant l'aspect éducatif à des objectifs platement
utilitaires ou, comme cela est le cas à la fin du XXᵉ siècle, à des
intérêts économiques. « C'est un signe d'une nature dont l'alliage
manque de finesse que de s'adonner à des choses qui ont trait au
corps ; de faire, par exemple, grand cas de l'exercice [...], de faire
grand cas de la marche, de faire grand cas de l'équitation. Tout
cela doit se faire sans y attacher trop d'importance : la formation
de l'esprit et du caractère doit être notre souci principal[154]. »

Cette perspective sera fondamentale dans l'entreprise de Coubertin
destinée à imposer le sport en France et, au-delà, pour prescrire la
rénovation des Jeux Olympiques. Dans sa campagne de promotion
du concept olympique, le baron de Coubertin affirmera souvent que
seul le sport est en mesure de forger la « musculature morale » des
individus. Dès lors, la distance nécessaire et qu'il conviendra d'instaurer obligatoirement entre l'action et son propre résultat impliquera
une « obligation d'impassibilité » qui sera reprise sous le terme anglais
de *fair play*, lequel sera jugé particulièrement éducatif par les propagandistes du sport tout au long du XXᵉ siècle. Ajoutons pour conclure sur ce point qu'il s'agit bien de *fair play* et non de *fair game*
selon la distinction que nous établissions au début de ce chapitre.
Autrement dit, le « franc jeu » n'est qu'un lien ludique qui ne peut
se développer réellement qu'en dehors des contraintes économiques
- « mécaniques » dirait Arnold. Le sport de la fin du XXᵉ siècle est
en passe d'en faire une remarquable démonstration.

---

153. *Ibid.*
154. *Ibid.*, p. 67.

3. *Les cultures sportives « digitales » et « analogiques »*

Un nouveau modèle
d'analyse du sport

*Le monde du sport traditionnel vit (au sens strict) de classements,
de mesures ultraprécises qui permettent de distinguer le premier du
second, le record de l'absence de record. Nourri de chiffres, il
s'inscrit dans un système culturel de nature numérique que l'auteur
nomme la « culture sportive digitale ». Au contraire, les nouvelles
formes de sports apparues depuis deux décennies, tout en sensibilité
et en subjectivité, fonctionnent selon une logique « floue », dite
« analogique ». Cette distinction entre cultures sportives « digitales » et
« analogiques » est indispensable pour comprendre l'évolution du sport
contemporain.*

Nous avons vu que la relation sportive traditionnelle, c'est-à-dire concurrentielle et réglementée, reposait sur la valeur d'échange attribuée à une prestation physique. Il est révélateur de constater que si nous avons à notre disposition plusieurs termes pour qualifier une performance de haut niveau nous ne disposons, par contre, d'aucune expression réellement significative pour une prestation de bas niveau ou simplement de niveau moyen. On parlera, à la rigueur, de contre-performance ou d'échec, mais aucun mot ne nous permettra d'exprimer clairement la situation de celui qui se situe dans le milieu du classement. Significativement, il sera... « dans les profondeurs du classement ». Un peu comme si cette absence de dénotation qui est aussi, clairement, une volonté de ne pas faire dans la nuance voulait indiquer que celui qui est dans cette position n'a pas d'importance réelle. Bref, comme s'il n'existait pas d'autre issue que la victoire dans le monde du sport, celui-ci ne reconnaissant que deux possibilités : *ou bien* vainqueur, *ou bien* vaincu. La situation de ce dernier n'étant guère qu'une « destruction » suivie d'une disparition, véritable mort symbolique, qui n'est autre qu'une éradication de ceux qui ne peuvent en aucun cas donner forme « humaine » au dieu des stades. Certains l'affirment d'ailleurs clairement : dans le système olympique, « il n'y a pas de numéro 2[1] ».

Si le vainqueur ne doit guère être considéré que comme un « producteur de vaincus », il faut admettre que tous les concurrents ne sont pas en position de revêtir cette dernière qualité. Les seuls « vrais » vaincus car les seuls à être légitimés en tant que tels par l'institution sportive sont le deuxième et le troisième. Ils sont les seuls à être distingués de tous les autres perdants par leur accès au podium et leur accessit en argent et en bronze. Tous les autres battus ont perdu jusqu'à la reconnaissance de leurs pairs. En réalité, ils disparaissent totalement. Ignorés de tous, il est nécessaire d'explorer laborieusement les listes litaniques des classements pour connaître leur existence. Qui se souvient des éliminées des premières séries du 400 mètres nage libre féminin des Jeux Olympiques de Barcelone, par exemple ?

Certains publicitaires ont bien saisi l'intérêt qu'ils pouvaient retirer de l'exploitation de cette situation absolument unique d'exclusion socialement fondée et justifiée offerte par le sport. En repré-

1. Selon Jean-Claude Killy, commentant la médaille d'argent de Piccard aux Jeux Olympiques d'Albertville dans une interview de L'Équipe Magazine : « Piccard, c'est une médaille d'argent, [...] je suis ravi de cette médaille d'argent mais ce n'est pas moi qui vais m'extasier là-dessus. Dites-moi qui était deuxième de la descente de Calgary, de Sarajevo, de Lake Placid ? » Il faut remarquer que dans cette interview remarquable J.-C. Killy exprima une émotion et un état d'esprit très différents de ce que l'on pouvait attendre du coprésident du COJO : celui d'un homme entièrement seul au milieu d'une organisation qui rassembla pourtant plus de 25 000 personnes durant quinze jours. « J'ai vécu ces JO sans rien dire à personne, commandant une soupe dans ma chambre d'hôtel. À la fin, je me lavais les chaussettes, parce que j'étais parti de la maison depuis trois semaines. » Il exprima surtout une réalité sportive qui puise sa « matérialité », ou sa substance, dans l'exclusion de tous ceux qui ne sont pas des vainqueurs. Les athlètes, bien entendu, mais aussi, et cela est plus surprenant, les organisateurs. Si les classements olympiques distinguent les hommes, ils discriminent aussi ceux-là même qui permettent l'expression des meilleurs. C'est ainsi que Killy est, certes, un athlète-vainqueur, mais il est surtout un organisateur-vainqueur. Il l'affirme sans fausse pudeur : « On s'est retrouvé avec des Jeux Olympiques de vainqueur. » Une formule très explicite qui est aussi un signe ; un peu comme si le sport ne pouvait se matérialiser, s'exprimer, exister, vivre, que dans une solitude absolue née d'un processus de distinction et d'exclusion d'autrui. Il est donc parfaitement normal, dès lors que l'on est distingué - athlète ou organisateur - de se retrouver seul. Seul, mais comblé. C'est ainsi qu'après ces JO réussis, Killy a pu affirmer de manière très significative : « Je suis prêt à mourir. » « Killy raconte ses Jeux », in L'Équipe Magazine, 29 février 1992, p. 26.

sentant la « juste inégalité », comme le souligne A. Ehrenberg[2], le sport légitime en même temps qu'il valorise celui qui exclut les autres de l'accès à l'« objet du désir », c'est-à-dire à la victoire. Le constructeur d'automobiles BMW, par exemple, l'a parfaitement compris. Dans une stratégie publicitaire bien faite pour flatter l'ego de ses clients qui, dans son esprit, ne peuvent être que des « premiers », il s'interrogeait lors du lancement d'un véhicule de prestige : « Dans un monde de compétition, qui se souvient des seconds ? » Ce faisant, il signifiait parfaitement que le processus sportif n'est fait que pour valoriser (au double sens du terme : mettre en valeur et donner de la valeur) d'une façon dûment fondée, car légitime, le vainqueur au détriment de tous les vaincus.

La prestation sportive de haut niveau prend le nom de victoire, de performance, de record, d'exploit ; autant d'expressions propres à exprimer sa valeur importante sur le « marché » des prouesses athlétiques. L'emploi de cette dernière formule n'est absolument pas gratuite. Il existe à l'évidence un marché de la performance sportive sur lequel se positionnent les athlètes selon leur niveau. Le vocabulaire en usage sur tous les stades du monde utilise, en effet, une expression directement issue de la sphère économique pour affirmer qu'un athlète « vaut » 9'85 sur 100 mètres. À elle seule, cette expression dédouane quiconque de toute volonté supposée de dénigrement de l'éthique sportive dès lors qu'elle affirme qu'un athlète possède une « valeur d'échange » hors sa « valeur marchande ». C'est d'ailleurs bien parce que l'« échange » est au fondement des relations qui se développent sur les stades que les « marchandises » qui s'y négocient[3] et les « affaires » qui s'y traitent avant que de s'y étaler atteignent les sommets que l'on connaît.

Comme tout échange, l'échange sportif repose sur un processus de communication. La performance *annonce* la réalité de la victoire et/ou du record en même temps qu'elle détermine la valeur de la prestation. Pour qualifier cette communication sportive,

---

2. « Le sportif, l'homme et la juste inégalité », in *Libération*, 24 février 1992, p. 6.
3. Aujourd'hui, les joueurs de football représentent réellement des « actifs », des « marchandises » ou des « biens » qui sont négociés. C'est ainsi, par exemple, que Skender Sani, président du Rapid de Vienne (le club de football le plus prestigieux d'Autriche) affirmait en 1991 : « Nos actifs se composent principalement du milieu de terrain Andy Herzog et de l'international danois Gan Fjorpoft. » Précisons que la valeur marchande de ces deux joueurs était évaluée à 35 millions de francs. *Libération*, 1er septembre 1991, p. 15.

j'utiliserai une expression qui s'appuie sur une analyse que l'on doit à Gregory Bateson : je dirai qu'elle est « digitale ». Elle se fonde, en effet, sur un temps et/ou un classement, donc sur des signes purement conventionnels : les chiffres[4]. Bateson distingue deux types de communication : la communication digitale et la communication analogique. Selon Anthony Wilden, qui a travaillé sur ce modèle théorique pour l'appliquer à l'analyse sociale[5], la première utilise des éléments discrets et des échelles discontinues du type 0 ou 1. L'exemple le plus caractéristique de ce type de communication est le langage numérique utilisé en informatique. Ainsi, de la même façon qu'un ordinateur ne reconnaîtra que le 0 ou bien le 1, les tenants de la culture sportive traditionnelle, que j'appellerai « digitale », ne reconnaîtront que le « vainqueur » *ou bien* le « vaincu ». Ils ne distingueront qu'entre l'établissement d'un record *ou bien* l'absence de record.

Dans le cas de la communication analogique, ce ne sont plus des éléments discrets qui sont utilisés mais des fonctions continues et des quantités linéaires ; autrement dit, des grandeurs réelles. Gregory Bateson explique qu'un bon exemple d'un « ordinateur analogique » est fourni par la came du télémètre d'un appareil photographique : « Il s'agit d'un mécanisme dont le fonctionnement repose sur un angle de grandeur réelle. [...] Cet angle contrôle une came qui fait avancer ou reculer l'objectif de l'appareil. Le secret du télémètre réside dans la forme de cette came qui doit être une représentation analogique de la relation fonctionnelle entre la distance de l'objet et la distance de l'image[6]. » Pour comprendre la différence avec un ordinateur digital, il suffit de prendre l'exemple de la dernière génération de magnétoscopes. Ces appareils enregistrent les émissions en signaux numériques et non plus analogiques comme auparavant. La différence est importante car, de ce fait, la barrière des standards (Pal, Secam) n'existe plus puisque ce sont des chiffres qui sont traités et non plus des signaux physiques propres à chaque standard qui sont du même type « matériel » que la came du télémètre évoqué par Bateson.

---

4. G. Bateson, *Vers une écologie de l'esprit*, Paris, Seuil, 1980, p. 126 *sq.*
5. A. Wilden, *Système et Structure*, Montréal, éd. Boréal Express, p. 162 *sq.*
6. G. Bateson, *op. cit.*, p. 127.

Dans la relation analogique, ne sera plus exploitée la fonction
« ou bien/ou bien » (ou bien 0/ou bien 1 - ou bien vainqueur/ou
bien vaincu) mais une fonction reposant sur la logique floue du
« plus ou moins ». Loin de la distinction digitale il faudra, selon
Wilden, parler ici de simple différence analogique : plus ou moins 0,
plus ou moins 1. Rapportée à notre préoccupation première - la
relation d'échange dans le domaine du sport - nous aurons ainsi
la possibilité de configurer la logique de participation des « masses » marathoniennes qui souffrent sur le macadam[7]. Là où les
« as » relèvent de la logique digitale du premier (vainqueur) et du
second (vaincu), pour les « masses » il importe peu de se classer
11 000e ou 11 001e dans un temps de 5 h 05' ou de 5 h 05'1. À
ce niveau, l'unité de classement sportif n'a rigoureusement aucune
importance alors qu'elle conditionne *stricto sensu* le statut des trois
premiers.

Nous dirons donc que pour le gros des coureurs la cohérence
analogique de leur participation s'inscrit dans une fonction classante
« floue » reposant sur une place de l'ordre de 11 000e, ou encore :
plus ou moins 11 000e (10 999e ou 11 001e). De manière très significative de la distinction qu'il convient d'opérer entre coureurs « digitaux » et coureurs « analogiques », nous pouvons considérer la façon
dont la revue *Jogging international* publia les résultats du marathon
de Paris au mois de juin 1993 (12 465 classés) en ne mentionnant
tous les noms et temps *que* pour les cent premiers coureurs. Ensuite,
seuls furent publiés les noms et les temps des coureurs classés 200e,
300e, 400e, 500e, [...] 12 300e, 12 400e. Au-delà du centième classé,
chaque coureur avait donc la possibilité de repérer l'« intervalle de
temps analogique » dans lequel il figurait. Par exemple, s'il était
classé 10 550e son temps était *de l'ordre* de 4 h 26'. En effet, le
classement proposé par la revue faisait apparaîre que le 10 500e avait
réalisé le parcours en 4 h 25'06 alors le 10 600e l'avait bouclé en
4 h 26'46.

Les « masses » sportives qui représentent la réalité de ce que l'on
nomme le « sport pour tous » peuvent donc parfaitement se
contenter d'un temps exprimé par une montre analogique (à aiguil-

---

7. Cette interprétation est, certes, méthaphorique mais j'estime néanmoins qu'elle exprime
correctement la transformation des mentalités et aspirations en cours dans le sport contemporain.

les) dont la précision sera faible. Par contre, dans les disciplines olympiques, les « as » ne seront satisfaits que par l'utilisation d'un chronomètre digital (numérique) capable de mesurer le temps au centième, voire au millième de seconde.

Cette distinction entre ce que je propose d'appeler les cultures sportives « digitales » et « analogiques » me semble essentielle pour comprendre, à la fois, la « transition culturelle » et la « contradiction culturelle » qui marquent l'évolution du sport depuis le début des années *fun*. En effet, les relations sportives induites par ces deux types de perception de la valeur du classement sont profondément différentes. Ce qui revient à envisager un point capital : le type de « services » que devront proposer les associations ou les organisations à vocation économique concernées par le développement des relations sportives analogiques devra être très différent des prestations proposées par les organisations chargées de la gestion des relations digitales.

Dans les sports digitaux, comme les compétitions olympiques, la détermination de la valeur d'échange d'un athlète sera fixée sur la base d'une confrontation qui respectera strictement l'égalité entre les concurrents. Cette obligation inhérente à la véritable relation sportive dicte les conditions de la mise en jeu : elle ne peut s'établir valablement que dans un cadre parfaitement maîtrisé et totalement stabilisé. Deux mobiles participent de cette servitude extrêmement forte et qui permet d'identifier immédiatement une relation sportive de nature digitale. D'une part, un cadre aléatoire serait insuffisamment contrôlable et ne permettrait donc pas à l'arbitre de faire respecter l'ardente obligation de l'égalité entre les adversaires. D'autre part, cette stabilité est imputable à la mondialisation du sport qui oblige à reproduire exactement les conditions de l'échange quel que soit le lieu où il s'établira[8]. Le sport de nature « digitale » ne tolère donc guère l'incertitude matérielle pour mieux mettre en œuvre cette autre incertitude, nettement plus « glorieuse », inhérente au résultat de la compétition.

---

8. Pour plus de développements sur ce thème, on se reportera avec intérêt à l'important travail de Pierre Parlebas sur « les catégories de l'espace ludosportif ». Pour lui, « la conclusion est nette : la dimension domestication/sauvagerie [ou maîtrise/aléatoire] caractérise de façon très stable les pratiques du sport de haut niveau ; les spécialités dont l'espace est stabilisé et dénué d'incertitude possèdent une fréquence écrasante, relativement aux spécialités moins domestiques (dans un rapport de 1 à 8) ». P. Parlebas, *Éléments de sociologie du sport*, Paris, PUF, 1986, p. 135.

Le caractère standard et artificiel des sites sportifs de type « digital » est obligatoire[9] pour certifier une monétisation précise des prestations sportives en or, argent ou bronze. Cette opération se fonde sur la base de l'établissement d'une frontière entre le vainqueur et les vaincus. Dans cette perspective, la situation d'*ex æquo* est l'exception qui confirme la règle. Nous noterons d'ailleurs que l'avance technologique dans le domaine de la mesure du temps et les transformations réglementaires pour cause de « téléspectacularisation » du sport vont rendre cette situation de plus en plus improbable.

Nous observerons aussi que cette situation d'*ex æquo* est explicitement rejetée par l'institution sportive. Le cas de l'arrivée de l'épreuve de marche de 50 kilomètres lors des Championnats du monde d'athlétisme de Tokyo, au mois d'août 1991, est exemplaire de cette volonté affirmée de distinguer des individus... qui ne le souhaitent pas toujours. Lors de l'arrivée de cette course, les athlètes Potachov et Perlov (tous deux membres de l'équipe d'URSS, amis dans la vie et préparés par le même entraîneur) franchirent la ligne d'arrivée ensemble en se tenant par la main. Ils furent bien entendu crédités d'un temps strictement identique (3 h 53'9). Il reste que les instances organisatrices jugèrent cette situation inacceptable car les règlements des courses athlétiques ne tolèrent - donc ne prévoient - aucune égalité. Ils trouvèrent donc le moyen de classer Potachov avant Perlov. Comme le remarqua *L'Équipe*, « les juges ont tranché, faisant un vainqueur et deux hommes malheureux : jamais un podium ne fut si triste[10] ».

Le mécanisme de distinction sportive n'est rien d'autre qu'une élimination de ceux qui ne correspondent pas à la représentation symbolique sur laquelle s'est construite la cléricature sportive. Une éradication des plus faibles indignes d'entrer dans le monde allégorique des dieux du stade, ces champions qui ont écrit la « fabu-

---

9. Cette obligation est parfaitement illustrée par l'évolution des compétitions d'escalade. Le premier championnat du monde d'escalade s'est déroulé sur une falaise, donc sur un site naturel sujet à certaines transformations dans le temps (dues à la température et à l'orientation du soleil, en particulier) et donc à autant de contestations de la part des concurrents. Très rapidement les falaises furent abandonnées au profit des structures artificielles d'escalades (SAE) qui présentent un double avantage : elles sont parfaitement maîtrisées, c'est-à-dire qu'elles ne se transforment pas au cours d'une compétition, et elles sont reproductibles. De plus, elles permettent de placer les spectateurs dans des conditions identiques à celles des autres disciplines sportives.

10. *L'Équipe*, 2 septembre 1991, p. 7.

leuse » histoire du sport en permettant à la cléricature de construire son identité historique et donc de se reconnaître à travers eux. On peut facilement comprendre qu'une telle opération soit propre à générer une situation potentiellement non maîtrisable. Le *feed-back* positif est en effet permanent dans une compétition qui ne produit qu'un seul élu. À l'évidence, nous entrons là dans le monde rationnel de la règle et de son application stricte. Les procédures conduisant à l'émergence de celui que j'ai appelé plus haut un « condensateur symbolique » ne peuvent qu'être sévèrement contrôlées, sous peine de perdre en qualité de vue. Ou, dit autrement, en qualité d'expression symbolique donnant à voir l'identité de la cléricature. En faisant strictement appliquer la règle les arbitres ont un rôle de contrôleurs de la qualité sportive. Le « zéro défaut » ne peut être que leur credo tant l'enjeu est important.

Très éloignée de la stabilité et de la standardisation obligatoires des contraintes matérielles, la culture sportive « analogique » investit massivement l'écosystème rural et urbain en valorisant plutôt ses fluctuations et son instabilité. Ne reposant sur aucun principe d'échange, elle n'est pas tenue de respecter les codes réglementaires visant à promouvoir l'égalité qui certifie la qualité des relations sportives traditionnelles. En réalité, elle relève de polarités inverses de celles qui organisent la relation sportive digitale.

Une remarque s'impose ici. Il peut paraître quelque peu simpliste d'avoir recours à une explication de nature aussi dichotomique pour expliquer l'évolution du sport. Il n'y aurait donc que deux attitudes possibles, digitale ou bien analogique ? À l'évidence ce n'est pas le cas. Il existe un large spectre de comportements possibles s'étendant entre ces deux polarités et il conviendra que chacun en tienne compte pour affiner sa propre analyse. Il importe, par contre, de construire le cadre de cette analyse. D'élaborer un modèle explicatif des changements en cours pour tenter de donner une configuration théorique à ce que d'aucuns ont appelé le théorème de la crise du sport contemporain[11]. C'est l'objet de l'essai de modélisation que je propose ici. Comme tout modèle, celui-ci ne peut être que réducteur. Je souhaite simplement qu'il donne à voir certains paramètres de la grande transition dans laquelle le

---

11. Voir *supra*, partie 2.

sport est aujourd'hui engagé, un siècle exactement après sa naissance.

Si les relations sportives digitales ne permettent que deux possibilités, accès *ou bien* non-accès à l'objet symbolique que représente la victoire, les relations analogiques excluent une telle altérité pour promouvoir une identité individuelle née d'un désir d'« objet » non plus symbolique mais imaginaire. Ne représentant aucune valeur d'échange mais une simple valeur d'usage à vocation individuelle, cet « objet », qui n'existe que dans la faculté d'invention ou de fantaisie personnelle, n'a pas pour fonction l'exclusion d'autrui de la relation établie. Il ne s'agit pas d'un rapport de type « ou bien/ou bien » qui détruirait la relation mais d'une liaison connivente qui a pour vocation de la perpétuer. On ne joue pas pour gagner, c'est-à-dire pour aboutir à un terme irrévocable, sans appel et définitif, mais pour continuer le jeu *à l'infini*. Ce qui explique pourquoi la relation sportive analogique promeut à titre de valeur cardinale la préservation et l'entretien du potentiel physique. Ainsi, dans le domaine de la course à pied, la mise en œuvre d'une relation sportive de ce type permettra d'« apprendre à défier le temps » et de « bien vieillir en courant », comme le suggérait le « magazine du plaisir de courir et de la forme », *Jogging international*, dans un dossier judicieusement intitulé « Courir bien et longtemps » (septembre 1991[12]). À l'opposé d'une telle préoccupation, la relation sportive « digitale » exploite à court terme et à courte vue le potentiel physique de l'athlète dans un objectif de rendement maximal. Ainsi sera-t-on « sportif analogique » à 60 ans et plus, alors qu'un « sportif digital » sera vieux à 25 ans.

Le domaine de la relation sportive analogique est celui du rapport à l'autre considéré comme un être sensible et non comme un personnage chiffré ou un être mathématique inscrivant son rôle dans le cadre d'un statut et d'une fonction. Cette relation participe d'un jeu permettant la connivence des individus et non leur domination mutuelle. Ce qui implique la possible absence de règles précises dans l'organisation d'un échange de ce type. Alors que dans

---

12. *Jogging international*, p. 16-35. Il s'agit là d'un thème largement récurrent dans cette revue puisque au mois d'octobre 1993 elle devait de nouveau proposer un dossier sur ce thème en constatant que « si la course à pied n'empêche pas de vieillir, elle contribue à retarder les effets de l'âge et nous permet d'avancer dans le temps en conservant notre appétit de vivre et notre santé ». *Jogging international* n° 115, octobre 1993, p. 12-23.

le monde impersonnel du sport digital la règle doit obligatoirement être fixée avant le départ, dans le cas du rapport analogique elle peut parfaitement évoluer en cours de jeu si le besoin s'en fait sentir. Comme l'explique James P. Carse en termes plus imagés : « C'est pourquoi les règles d'un jeu infini [analogique - précisé par moi] ont un statut différent de celles d'un jeu fini [digital - précisé par moi]. Elles sont comme la grammaire d'une langue vivante, alors que, dans un jeu fini elles sont comme les règles d'un débat. Dans le premier cas, on observe les règles comme un moyen de continuer à parler ensemble, dans le second on les observe comme un moyen de mettre un terme au discours de l'autre[13]. »

---

13. James P. Carse, *Jeux finis, jeux infinis. Le pari métaphysique du joueur*, op. cit., p. 18.

Le futur du sport

*Pour les « sports analogiques », l'énergie dépensée n'a pas
d'importance dans l'appréciation de l'information fournie par l'athlète
(sa performance). Ce point est peut-être le plus significatif de la
distinction qu'il faut établir avec le sport de nature « digitale » pour
lequel l'énergie dépensée EST l'information.
Cela a de nombreuses conséquences, en particulier sur le spectacle
sportif télévisé. Au-delà, l'analyse proposée montre que le futur du
sport verra une évolution sensible des équipements lourds et
l'apparition de sports inédits, les « cybersports ».*

Les sports digitaux sont des sports d'exclu-
sion pratiqués dans un objectif de reconnaissance de soi. Cette reconnaissance prend la forme d'un rang au sein d'une hiérarchie attri-
buant de ce fait un statut particulier à celui qui s'y positionne.
Ce statut correspond à une identité sportive, mais aussi sociale, qui
prend le pas sur la propre identité du champion. Les sports analogiques sont, au contraire, des sports d'inclusion que l'on pratique
simplement dans un objectif de connaissance de soi. La participation du plus grand nombre est leur raison d'être car la production
de chiffre n'est pas leur objectif. Ils ne rendent compte d'aucun
statut particulier, ni d'aucune hiérarchie à l'intérieur de laquelle
les individus pourraient se faire reconnaître. Lorsque l'on s'engage
dans une pratique sportive analogique, c'est pour savoir ce dont
on est capable, pas pour le montrer. La performance, si performance
il y a, sera connotée et non pas dénotée. C'est-à-dire qu'elle n'aura
pas de signification par rapport à une référence qui lui serait extérieure. Elle aura, par contre, un sens apprécié de façon entièrement
personnelle. L'opinion quant à la valeur de la prestation sera pri-

vée et non pas publique. Ainsi, par exemple, le coureur classé à la dernière place du marathon de Paris en 1990 ne dira pas : « J'ai réussi un temps de 6 h 12', ce qui me met à la 9 110e place. » La teneur de ses propos à l'arrivée portera plus sur ses sensations que sur la perception qu'il a de sa prestation rapportée à celle des autres[1]. Plutôt que de commenter son classement et son temps, ce coureur expliquera que « c'était dur », « qu'il en a bavé », « qu'il a failli abandonner », etc.

Se précise ainsi la différenciation que je cherche à établir. Le rapport sportif digital valorise l'échange symbolique là où le rapport sportif analogique élabore une relation imaginaire. Cette dernière se construit dans des sites peu réglementés et déstandardisés issus de l'écosystème et met en jeu des différences plus ou moins marquées entre des acteurs en situation d'autoréférence et d'auto-organisation. À l'inverse, le rapport sportif digital exploite des sites artificiels construits selon les standards et les normes des disciplines pour établir des distinctions entre des concurrents référencés hiérarchiquement et organisés sur une base hétéronome. Là où le libre arbitre commande les comportements des uns, l'arbitre sanctionne les débordements des autres. Ceux-ci interprètent (c'est-à-dire « jouent ») un rôle social parfaitement repérable, ceux-là interprètent eux-mêmes (c'est-à-dire « traduisent » ou « donnent un sens à ») leurs prestations qu'ils sont les seuls à pouvoir évoquer en termes de rapport au corps, à autrui ou à l'écosystème. La recherche de l'émotion est la raison de leur participation à un jeu qui déstabilise les repères habituels et quotidiens. La raison commande la participation des autres qui cherchent à brider leurs émotions - par la sophrologie ou le yoga, par exemple - en tant que celles-ci sont considérées comme des facteurs de déstabilisation. La sensation est le concept focal vers lequel tend la mise en jeu des rapports sportifs analogiques : elle est leur raison d'être. La sensation existe aussi dans la relation sportive digitale. Il reste pourtant qu'elle apparaît surtout comme un élément d'optimisation des habiletés motrices ou comme un moyen de discernement lorsqu'il s'agit, notamment, d'apprécier l'efficacité des trajectoires et la maîtrise des techniques.

---

1. Sur les notions de sensation et de perception ou conception, voir J.-P. Changeux, *L'Homme neuronal*, Paris, Fayard, 1983, p. 176.

Rien de nouveau sous le soleil

Il convient de noter que cette distinction que je tente de mettre en évidence n'est pas vraiment une nouveauté dans le domaine des relations que développent les hommes entre eux. Elle se retrouve sous différentes formes dans de nombreux champs de la pensée humaine. La philosophie mathématique est un bon exemple. Léon Brunschvicg notait déjà au début du siècle que ce type d'opposition était conforme à la cosmologie grecque qui distinguait le *fini* et l'*infini*. Aristote indiquait, pour sa part, que les principes des nombres étaient, d'une part, l'*Un*, d'autre part, la *dyade* du *Grand* et du *Petit*[2]. Ainsi, on peut observer que l'unité d'appréciation nuancée de la relation analogique est présente dans le *Philèbe* : « Tout ce qui devient plus ou moins, qui comporte le fort et le doux, l'excès et toute autre chose semblable, il faut le ramener au genre de l'infini comme à une sorte d'unité[3]. » On notera que Platon et les pythagoriciens professaient que l'infini était le mal alors que l'*Un*, le *fini*, autrement dit, dans la formulation que j'utilise, la nature digitale, était le bien.

En un raccourci particulièrement sommaire, nous pourrions retrouver là des fragments constitutifs de l'organisation de la cité, donc d'une certaine forme d'utilité publique, dans le rapport réglementé que promeut la relation digitale. À l'inverse les germes du désordre seraient présents dans l'essence non numérique de la relation analogique.

Reste que certains furent prompts à dénoncer le caractère irresponsable de la compétition individualiste dans la vie publique. Dans *Troïlus et Cressida*, Shakespeare porte un jugement sévère sur la digitalisation des hommes née de la quantification de leurs comportements et sur les effets pervers que ce processus induit immanquablement :

Mettez-vous vite en marche ; car la gloire chemine dans un défilé si étroit qu'un seul peut y marcher de front.
Gardez bien le sentier ; car l'émulation a mille fils qui vous suivent

---

2. L. Brunschvicg, *Les Étapes de la philosophie mathématique*, rééd. Paris, Librairie scientifique et technique, 1981, p. 58.
3. Cité par L. Brunschvicg.

un à un. Si vous lâchez pied ou si vous vous détournez de la voie directe, vite avec l'emportement d'une marée, ils se précipitent tous et vous laissent en arrière[4].

Chez Nietzsche, l'Être en tant qu'il est un avenir maîtrisé par sa volonté de puissance est symbolisé par deux concepts, Dionysos et Apollon, à la fois antagonistes et complémentaires. Antagonistes car les dionysiens, qui représentent assez bien les adeptes de la culture sportive digitale, valorisent la force ostentatoire, brutale, explosive et tragique. À l'inverse, les apolloniens apprécient la forme, l'esthétique du mouvement, l'apparence, l'illusion et le simulacre. Ces deux conceptions sont complémentaires car, personne n'étant parfait, l'Être est un combinat laborieux et permanent de ces deux divinités. Vouloir le figer est une fiction qui peut revêtir deux sens. Un sens décadent, d'une part, négatif et réactif : celui de la morale et du ressentiment qui représente l'impossibilité de transcender l'avenir et qui tente de le faire par le mensonge « sacré » de la métaphysique, comme dans le cas de la cléricature. Un sens progressiste, d'autre part et à l'inverse, avec la science, l'art ; bref, la création qui est une volonté d'interprétation du devenir.

Dans son livre *Le Cristal et la Fumée*, Henri Atlan[5] explique que pour décrire la réalité nous avons toujours besoin de deux types de principes. Le premier est un principe d'équivalence de type analogique. Le second est un principe de distinction de type digital. Pour le principe d'équivalence, toutes les formes d'énergie s'équivalent dans la mesure où celles-ci sont des potentialités indépendantes des transformations qui s'y produisent. L'information résultant de ces transformations n'est pas mesurée car elle est considérée comme analogue quel que soit le substrat (matière ou énergie). À l'inverse, « lorsque nous prenons en considération les changements qui interviennent en fait, alors, nous nous introduisons nous-mêmes dans la réalité, en tant qu'observateurs et mesureurs, car c'est nous qui produisons les changements[6] ». Atlan propose de considérer que la réalité repose sur la combinaison d'une conscience figée, mesurée, connue et stable (le cristal), issue du passé et d'une orien-

---

4. W. Shakespeare, *Troïlus et Cressida*, trad. française « La Pléiade ».
5. H. Atlan, *Le Cristal et la Fumée*, Paris, Seuil, 1979.
6. *Ibid.*, p. 162-163.

tation inconsciente, aléatoire, mouvante et simplement appréciée
faute de pouvoir en déterminer le devenir (la fumée).

Le spectacle sportif

Commencent donc à apparaître l'antagonisme patent en même
temps que la combinaison nécessaire entre les caractères digitaux et
analogiques de la culture sportive contemporaine. De même, devient
plus compréhensible la valorisation de la contre-culture dans le monde
de la glisse, celle-ci ne se reconnaissant pas dans un paradigme digital
trop proche d'un système social bâti sur la mesure des mérites individuels. Dans ces conditions, on comprendra aisément que, n'ayant
pas pour objectif de quantifier les comportements, les sports analogiques ne puissent pas être générateurs de classement, sauf à bou-
leverser totalement les conditions de leur mise en œuvre.

Il faut comprendre, ici, qu'un rapport analogique ne cherche
pas l'effet, il recherche le sens. Reprenons l'exemple de l'escalade
qui, je l'ai déjà souligné, devrait être considérée comme un véritable laboratoire d'idées par tous les acteurs économiques et institutionnels qui cherchent à adapter les services qu'ils proposent à l'évolution de la demande sportive.

Il est patent que la création au cours des années *fun* - donc
à contre-courant de la tendance générale - de compétitions d'escalade a dénaturé le « livret » et la « chorégraphie » de l'« opéra
vertical[7] » pour le transformer en « opération verticale ». Une
intervention propre à comptabiliser, pour les classer, des grimpeurs
qui perdirent dans le même mouvement leur qualité d'êtres sensibles pour se métamorphoser en êtres mathématiques. Leur personnalité, leur style disparaissant derrière les chiffres qui référencent
leurs prestations avant que de les incarner. Selon l'hebdomadaire
Le Nouvel Observateur, présentant un portrait de Patrick Edlinger,
l'interprétation de l'opéra vertical est bien différente puisqu'elle
transmute le grimpeur en « musicien du vertige » et en « danseur

---

7. J'ai déjà utilisé cette dénomination pour évoquer un spectacle d'escalade créé lors des
Hivernales d'Avignon en 1989. Elle fut également employée comme titre du (très) fameux
film sur Patrick Edlinger *L'Opéra vertical* qui diffusa la nouvelle identité de l'escalade « libre »
auprès du grand public.

du vide[8] ». Le ton et le style de l'article que propose cet hebdomadaire sont bien faits pour rendre compte du caractère parfaitement analogique de l'escalade revue et corrigée par Edlinger. Ce dernier jouerait en virtuose en grimpant « vers un éden de pureté, d'esthétique et d'instinct [...]. Il [plaque] ses accords sur les murs de la forteresse du vide [...]. Il n'en finit pas d'apprivoiser le vide pour conquérir la liberté, l'authenticité et la tolérance[9] ».

Dans ce type de rapport esthétique à la paroi, l'énergie dépensée n'a strictement aucune importance dans l'appréciation de l'information fournie par le grimpeur. Certains mettent d'ailleurs un point d'honneur à dissimuler l'effort pour mieux faire ressortir la qualité du mouvement. Ce point est peut-être le plus significatif de la distinction qu'il faut établir avec le rapport digital dans lequel l'énergie dépensée *est* l'information. Dans ce cas, c'est elle, et elle seule, qui sera mesurée. Il importe peu que le geste soit beau pourvu qu'il soit efficace.

L'entraînement et la discipline de vie que s'impose Edlinger sont très contraignants. Il déploie également des efforts conséquents pour réussir des voies spectaculaires. Or, l'énergie qu'il met en jeu n'est pas appréciée en termes de quantité mesurable mais en termes de qualité esthétique qu'il donne simplement à goûter. Edlinger grimpe pour alimenter les rêves, les siens propres et ceux des autres, pas pour nourrir les tablettes des records. « Il ne dévoile jamais ses projets, il ne veut pas que les gens rêvent avec ses rêves. Il souhaite juste les aider à lever la tête. Pour leur montrer qu'on peut monter au ciel. Pour leur jeter au visage de là-haut, comme des petits cailloux qui roulent, un peu des émotions qui les mettent en apesanteur[10]. » On ne peut dire mieux le caractère analogique de la communication qu'il fournit. Elle évoque simplement, « comme des petits cailloux qui roulent », les rapports au corps et à la falaise que représentent le rêve, l'émotion et l'apesanteur.

Inversement, la communication digitale n'évoque pas ; elle transcrit précisément l'information sur la base d'un rapport signal/bruit qui est beaucoup plus élevé que celui de la communication analogique. Ce qui revient à dire qu'une prestation d'Edlinger sera pleine

---

8. *Le Nouvel Observateur*, 14-20 novembre 1986, p. 7.
9. *Ibid.*
10. *Ibid.*

de sens alors que la performance d'un Carl Lewis établissant un nouveau record du monde de 100 mètres plat sera pleine de signification. En effet, dans la relation sportive digitale seule compte l'énergie dépensée en tant qu'elle matérialise, après transcription numérique, l'information donnant le niveau de la performance. C'est donc la transformation de l'énergie en valeur d'échange qui, référée à un code particulier, dénote ou signifie la réalité de la prestation.

On peut d'ailleurs observer, à titre anecdotique, une certaine évolution de l'abstraction numérique qui permet la transcription des performances sportives. Une évolution qui pourrait être liée à la façon dont les hommes ont progressivement maîtrisé leurs modes de déplacement. Alors qu'à la fin du XIXᵉ siècle l'accent était surtout mis sur la course contre le temps avec mesure de la distance (record de l'heure, par exemple), la mesure de la performance a bientôt évolué vers une course contre la distance avec mesure du temps. Si, à l'évidence, ces deux modalités de mesure existent toujours, il semblerait que pointe aujourd'hui un intérêt de plus en plus marqué pour des courses contre la distance mais avec mesure de la vitesse (kilomètre lancé à ski ou à VTT, par exemple). Plus surprenant : l'avenir pourrait voir apparaître des courses contre la distance qui ne s'intéresseraient plus ni au temps, ni à la vitesse, mais à l'accélération. En effet, lors des Championnats du monde d'athlétisme de Tokyo, en 1991, un nouveau système de chronométrage (mis au point par Seiko) a permis de mesurer la vitesse des sprinters par tranche de 10 mètres. On a pu ainsi démontrer que le « 10 mètres » le plus rapide fut réalisé par Carl Lewis entre les trentième et quarantième mètres de la finale du 100 mètres. Mais, surtout, le système de mesure a montré l'accélération étonnante de Lewis sur cette fraction du 100 mètres qu'il a parcourue en 83 centièmes de seconde à la vitesse de 43,4 km/h[11].

Comme chacun le sait, la vitesse étant dépassée, il se pourrait donc bien que l'intérêt des digitalisations sportives - et du spectacle induit - se porte bientôt vers une mesure inédite : la faculté des individus de libérer leur énergie de manière « explosive » en mesurant leurs capacités d'accélération sur des distances très courtes. Ce qui ne serait pas sans intérêt si l'on considère le coût de construction du mètre carré sportif...

---

11. *VO² Magazine* n° 29, octobre 1991, p. 4.

Les sports de nature digitale reposent sur des rapports binaires. Sur le plan de la métaphore, ils s'inscrivent parfaitement dans l'évolution récente des technologies digitales ou numériques propres aux ordinateurs ou aux lecteurs de disques laser, par exemple. Un esprit incisif pourrait donc envisager sereinement que le sport de Coubertin va dans le sens du progrès technologique le plus récent. Il serait donc dans l'air du temps. Il semblerait pourtant que la technologie digitale soit considérée comme bien primaire par certains ingénieurs qui se désolent qu'un ordinateur ne puisse pas faire dans la nuance. S'il peut distinguer le chaud du froid, il ne reconnaît pas le tiède. L'ordinateur « intelligent » de l'an 2000 sera capable d'une telle prouesse. Il utilisera pour cela ce que l'on appelle déjà une « logique floue » qui n'est pas autre chose que la communication analogique. La technologie digitale, pour sa part, sera cantonnée à des tâches subalternes ou hyperspécialisées.

Il ne peut être question d'envisager un tel sort pour la culture sportive digitale, qui conservera probablement un grand intérêt pour nombre de compétiteurs, de media et de téléspectateurs. Reste qu'un danger menace de la dénaturer. Comme je l'ai déjà souligné, les organisations sportives ne distinguent guère le processus chiffrant (la brigue) de la chose chiffrée (le résultat). Cette absence de distinction induit d'ores et déjà certains dysfonctionnements[12]. Je pense que l'on peut raisonnablement envisager que l'avenir doive voir ce phénomène s'accentuer. La brigue fournit, en effet, matière à spectacle. Le spectacle devenant progressivement la finalité du sport, il ne fait guère de doute que l'accent sera bientôt mis prioritairement sur le processus chiffrant au détriment de la chose chiffrée. Cette dernière n'ayant qu'un intérêt très secondaire dans la mesure où le résultat peut être renouvelé en permanence, comme le montrent, par exemple, les meetings d'athlétisme internationaux qui se succèdent à un rythme très rapide au début de chaque été[13].

Progressivement l'enjeu du sport de nature digitale se déplace. Il porte de moins en moins sur la qualité de celui qui symbolise la cléricature et de plus en plus sur la qualité du spectacle produit

---

12. Voir *supra*, « Le sport d'utilité publique ».
13. Nous pouvons d'ailleurs déjà constater l'apparition de compétitions sportives qui n'ont qu'un seul objectif : faire du chiffre ; non pas de la transcription numérique de l'énergie dépensée mais du chiffre... d'affaires.

par les acteurs sportifs[14]. Un signe ne trompe pas. Alors même que les arbitres bénévoles, issus de la base, furent depuis toujours suffisants pour gérer les procédures d'expression symboliques, on envisage aujourd'hui le recours à des arbitres professionnels pour gérer le spectacle sportif[15]. L'enjeu, en effet, devient financier. Apparaît une transformation de plus en plus évidente du système sportif en système économique. Le contrôle des procédures n'a plus pour objectif la surveillance de rapports humains mais la maîtrise de rapports d'argent. Les athlètes, notamment les footballeurs, sont devenus une « marchandise » que l'on vend, que l'on prête, que l'on troque. S'ils sont loués[16], c'est moins parce qu'ils sont dignes de symboliser l'identité de la cléricature sportive que parce qu'ils sont susceptibles de générer de la plus-value.

---

14. L'optimisation des conditions de production du spectacle sportif conduit certaines instances internationales à des propositions pour le moins surprenantes. C'est ainsi, par exemple, que le secrétaire général de la FIBA (Fédération internationale de basket) proposa récemment la création d'une Ligue européenne de basket destinée uniquement à produire du spectacle sportif télévisé. « L'organisation de cette ligue fermée [...] serait calquée en partie sur la NBA. Les équipes s'engageraient librement pour cinq ans, sans montée ni descente, avec au départ un dépôt de garantie. Chaque club - situé dans une ville ayant un aéroport et doté d'une salle de 10 000 places [...] - ne participerait pas à son championnat national et disputerait près de quarante matchs [...] de mi-septembre à mi-mars puis, ensuite, un play-off. La gestion du marketing et des droits télévisés serait centralisée par une structure autonome, [...] les parties se joueraient en quatre fois douze minutes avec des arbitres en majorité professionnels. » *L'Équipe*, 20 février 1993, p. 11.

15. Notamment dans le domaine du football : selon une étude de l'Union des clubs professionnels de football publiée en 1993, 67 % des présidents des clubs qui évoluent en division I souhaitent que « le professionnalisme soit introduit dans l'arbitrage ». D'après *La Lettre de l'économie du sport*, 31 mars 1993.

16. Dans les deux sens du terme : louangés et prêtés contre valeurs. Concernant ce dernier point, le magazine *Capital* présenta la valeur des joueurs de l'équipe « la plus chère du monde » : le Milan AC. Ainsi, par exemple, Jean-Pierre Papin fut acheté 70 millions de francs en juin 1992 et il valait toujours 70 millions au début de l'année 1993. Par contre, l'avant-centre néerlandais Marco Van Basten fut acheté 32 millions par Milan en 1987. Après trois ballons d'or, il se « négociait » entre 150 et 200 millions en 1993. Au total les joueurs du Milan AC « pesaient » 650 millions de francs en 1993. *Capital* n° 17, février 1993, p. 82. Nous n'oublierons pas, également, que c'est la « vente » d'Alen Boksic et de Paulo Futre au mois de novembre 1993 qui permit à l'Olympique de Marseille de se sortir de certaines difficultés financières. Pour pallier le départ de ces deux joueurs, Bernard Tapie introduisit un nouvel attaquant, Da Silva Anderson, dans son équipe. Ce dernier lui fut « prêté » par le Servette de Genève. À l'occasion de cette « transaction » le vocabulaire utilisé ne laisse pas de susciter un certain malaise : « Bernard Tapie [...] a obtenu un prêt jusqu'à la fin de la saison avec option d'achat. [...] ''L'objectif du Servette était de vendre Anderson, et moi je voulais un grand attaquant qui ne me coûte rien : c'est une association d'intérêt [...] ; on va essayer de le valoriser *[sic]* avant la Coupe du Monde.'' » *L'Équipe*, 13 novembre 1993, p. 4.

La condition de la « télégénie sportive » : la production de chiffres

Une question émerge : pour quelle raison certains sports apparaissent-ils plus « télégéniques » que d'autres ? Pour y répondre [17], il est nécessaire de mesurer le poids de la règle ou, si l'on préfère, du code d'arbitrage, dans la production du sport-spectacle [18].

On l'a vu, la production de règles est l'élément fondateur du sport moderne. Sans règles sportives il n'y aurait pas de jeux ni, *a fortiori*, d'enjeux sportifs. L'imposition de la règle est donc le concept le plus apte à définir le phénomène sportif spectaculaire car il le conditionne entièrement.

Pour les media, il semble que la production de chiffres appa-raisse toujours comme la condition nécessaire de la « téléspectacu-

17. J'ai déjà traité ce thème dans le cadre d'une communication présentée lors du Congrès scientifique international des Jeux d'hiver 1992 qui fut organisé à Grenoble du 2 au 8 février 1992.

18. Reste qu'au-delà de cette question il faudrait s'interroger sur la notion même de spec-tacle sportif. En effet, dans tout spectacle de ce type il semblerait bien que la communica-tion de type analogique (privilégiant l'expression) l'emporte sur la communication digitale (privilégiant le score). On a pu remarquer, en effet, que lors des Jeux Olympiques d'Alber-ville les deux émissions de télévision consacrées aux Jeux qui ont recueilli les plus grandes parts d'audience furent... les cérémonies de clôture (70,7 % de part d'audience pour 16,2 millions de téléspectateurs) et d'ouverture (75,1 % de part d'audience pour 12,5 millions de téléspectateurs). Ces chiffres émanent d'une analyse parue dans *La Tribune de L'Expan-sion* du mercredi 26 février 1992. Il faut également noter qu'à cette occasion le patinage artistique précéda de loin les épreuves purement « sportives » comme la descente, le slalom ou le hockey. Le patinage libre dame a « fait » 14,2 millions de téléspectateurs (61,5 % d'audience) et la danse sur glace par couple 13,7 millions (53,4 % d'audience) alors que la descente hommes n'a recueilli les suffrages « que » de 10,5 millions de personnes (69,4 % d'audience). Ce point fut confirmé lors des JO de Lillehammer au cours desquels la chaîne américaine CBS a obtenu la sixième plus forte audience télévisée depuis les débuts de la télévision avec sa soirée patinage du 23 février 1994 (110 millions de téléspectateurs améri-cains). *Libération*, 28 février 1994, p. 35. Or, pour certains media comme *L'Équipe*, il sem-blerait que le patinage artistique ne soit pas réellement un sport... En effet, en 1984, lors des JO de Sarajevo, *L'Équipe* s'interrogea sur le fait de savoir si la danse sur glace était « un show ou un sport ». La réponse du quotidien fut sans ambiguïté : la danse sur glace n'est pas un sport mais un show. Commentant la victoire du couple anglais Torvill-Dean, le journaliste Alain Chermann devait affirmer : « J'ai vécu [...] un grand spectacle, un grand moment de télévision [...]. Mais jamais je ne me suis senti concerné sur le plan sportif. J'éprouve une certaine gêne à l'écrire... » *L'Équipe*, mercredi 15 février 1984, p. 2. Ces remar-ques liminaires doivent donc modérer la portée de l'analyse qui suit quant au caractère pure-ment spectaculaire (au sens de pourvoyeur de spectacle pur) du sport.

larisation » ou de la télégénie des sports (au sens où une discipline sportive « impressionne » bien le téléspectateur comme un sujet photogénique impressionne bien la pellicule). En réalité, elle n'est que la condition suffisante. La condition nécessaire est la bonne « capacité télégénique » du code réglementaire dans la mesure où il commande entièrement le niveau atteint par la production de chiffres. On le voit, par exemple, lorsqu'il devient indispensable de modifier les règles d'une discipline pour la rendre plus télégénique, c'est-à-dire plus efficace quant à sa capacité de dramatisation du spectacle sportif.

Cette efficacité qui est classiquement évaluée en points Audimat ou Médiamat, repose sur deux facteurs complémentaires : la capacité de production de chiffres, d'une part, le temps nécessaire à cette production, d'autre part. L'efficience sportive télévisuelle sous contraintes médiamétriques se résume donc en une phrase : la production de chiffres doit être la plus élevée possible dans des intervalles de temps bien maîtrisés dégageant des périodes de jeu particulièrement brèves.

On mesure, dans ces conditions, toute l'importance de la règle qui est susceptible d'évoluer pour optimiser le volume de chiffres produit et le temps de cette production (panier à trois points au basket et « jeu décisif » au tennis, par exemple [19]). Si le chiffre est

---

19. De nombreux dirigeants sportifs étudient actuellement la meilleure façon de « télé-spectaculariser » leur discipline en en modifiant les règles. Ainsi, la Coupe du Monde de football 1994 a produit un spectacle de qualité en grande partie grâce aux trois points accordés en cas de victoire. Ce système repris pour le Championnat de France 1994-1995 a perturbé bon nombre d'entraîneurs en début de saison. En escrime, le Masters d'épée qui s'est déroulé au cirque d'Hiver à Paris lors du week-end du 1er mai 1993 a vu la mise en place de plusieurs innovations réglementaires. Les matchs se sont déroulés en trois reprises de trois minutes, les touches étaient toutes additionnées et l'assaut était arrêté une fois le temps écoulé. La règle traditionnelle de l'écart de deux touches fut supprimée. Par contre, pour maintenir la qualité « dramatique » du spectacle, si un tireur en venait à posséder huit touches d'avance le match était stoppé. Ajoutons que pour la première fois des masques transparents permettaient de visualiser l'effort produit sur le visage des compétiteurs. Toutes ces innovations s'inscrivent dans la volonté du président de la Fédération internationale d'escrime, René Roch, qui cherche à améliorer la « médiatisation » de sa discipline. En effet, l'escrime fait probablement partie des disciplines considérées comme peu télégéniques par le CIO et qui, comme telles, sont menacées par la révision du programme olympique. La lutte tente également - désespérément - de devenir plus « téléspectaculaire » pour éviter de disparaître en partie du programme olympique. Dans un article intitulé « Robin se bat pour une lutte plus show », L'Équipe devait affirmer au mois d'août 1993 : « La lutte [...] de par ses règles a tendance à sombrer dans le rétro [...] d'où une image médiatique peu valorisante. » Daniel Robin, qui fut médaillé olympique et qui est aujourd'hui expert-conseil auprès de la

devenu le langage universel du sport comme a pu le souligner le quotidien *L'Équipe*, la règle est la grammaire qui organise sa normalisation et, dans la perspective qui nous préoccupe, la « performativité télévisuelle » de la production de ce langage. Le rôle de la règle sportive est donc essentiel, qui doit permettre une importante fabrication de chiffres dans un temps acceptable pour rendre une discipline « téléspectaculaire ».

La notion de « temps de production de chiffres » est considérée comme très importante par les media audiovisuels. De ce fait, cette notion préoccupe fortement certaines organisations sportives internationales. C'est ainsi, par exemple, que l'Association des joueurs de tennis professionnels (ATP) s'est engagée dans une réflexion destinée à réduire sensiblement le temps de jeu. À partir de l'été 1994, on a ainsi vu apparaître dans le cadre de certains tournois internationaux des expériences visant à « supprimer le break après le premier jeu de chaque set pour enchaîner trois jeux de suite [et à] supprimer l'avantage à 40 A [le jeu étant remporté par celui qui marque le point][20] ».

D'une manière générale, les sports les plus appréciés des téléspectateurs sont ceux qui permettent la plus grande fluctuation du score. Cette fluctuation est, en effet, la seule possibilité de renversement ou d'évolution rapide du jeu, rendant par là même ce dernier d'autant plus dramatique ; donc d'autant plus spectaculaire. Or, cette fluctuation est contrainte par le code réglementaire.

Prenons le tennis et le football américain. Si l'on excepte le football européen et la course automobile de Formule 1, ces deux disciplines sportives sont celles qui recueillent le plus grand nombre de suffrages parmi les téléspectateurs au moment des grands événements qui scandent leur calendrier[21]. Il se trouve que ces deux sports sont parmi ceux dont les codes réglementaires permet-

Fédération internationale de lutte, expliquait également que les règles sont à changer pour donner plus de « panache » aux lutteurs ; qu'il est nécessaire de modifier la tenue « qui a besoin d'un coup de jeune », etc. *L'Équipe*, 25 août 1993, p. 2.

20. *L'Équipe Magazine*, 4 juin 1994, p. 88.

21. Lors du dernier Super Bowl, plus de 130 millions de téléspectateurs américains suivirent la retransmission du match, selon l'institut de sondage AC Nielsen. Précisons que lors de la Coupe du Monde de football qui s'est déroulée en juillet 1994 aux États-Unis, l'audience cumulée a été estimée à 31 milliards de téléspectateurs par le magazine *Capital* : « Le double des Jeux de Barcelone ; quatre fois le score d'une saison entière de Formule 1. » *Capital* n° 33, juin 1994, p. 103.

tent la plus importante production de chiffres et, partant, qui autorisent des évolutions très rapides du score. Exprimé autrement, nous
pouvons dire que leurs règlements respectifs autorisent un codage
numérique quasi permanent des actions de jeu. En fait, ces dernières sont digitalisées ou numérisées en continu car les joueurs
« marquent » - c'est-à-dire convertissent leurs mouvements en points
ou en actions susceptibles d'évaluation, donc en chiffres - durant
des périodes de temps extrêmement brèves.

Un indice de la « téléspectacularisation » potentielle d'une discipline sera donc le nombre d'arbitres présents sur le terrain. En
effet, les contraintes de production de chiffres dans un temps très
court obligent les acteurs à recourir aux services d'arbitres particulièrement nombreux. C'est ainsi que dix arbitres et juges-arbitres
sont présents sur le court lors de la finale de Roland-Garros ; cela
pour deux joueurs. Le cas du football américain n'est pas moins
exemplaire : ils sont sept arbitres à officier au cours d'une partie
comme le Super Bowl. Remarquons que, dans les deux cas, le
recours à la technologie s'avère de plus en plus nécessaire au respect des règles. Dans le cas du tennis, ce sont des radars qui sup-
pléent aux arbitres lors des services. Par ailleurs, l'*instant replay*,
c'est-à-dire le recours à un « arbitre vidéo », est utilisé par la National Football League américaine depuis 1986.

Le cas du football américain est réellement exemplaire de cette
capacité de numérisation ou de digitalisation permanente des actions
de jeu. Dans cette discipline sportive, tout est prétexte à fournir
du téléspectacle chiffré. La présence du chiffre est constante tant
sur l'écran que dans les commentaires des journalistes. Tout le règlement est conçu pour permettre aux équipes de coder numérique-
ment leurs actions de manière ininterrompue. La structure du terrain est bien faite pour cela : long de 100 yards, il est divisé en
bandes de 10 yards elles-mêmes subdivisées en dix zones de 1 yard.
Les procédures de jeu également : chaque équipe doit conquérir
une zone de 10 yards en quatre essais au maximum pour obtenir
quatre tentatives supplémentaires. La marque est elle-même sujette
à différenciations numériques. Il n'existe pas moins de quatre façons
de marquer des points. Chacune se distingue par le score établi :
6 points pour un touchdown, 1 point pour sa transformation, 3
points pour un field goal, et 2 points pour un safety. Le temps
de jeu, enfin, est divisé en quatre quarts-temps de quinze minu-

tes de jeu effectif. Autrement dit, le chronomètre étant arrêté à la fin de chaque phase de jeu et chacune d'entre elles produisant du chiffre (de la progression mesurée en yards ou des points), cela revient à considérer que chaque action permet de digitaliser d'une manière ou d'une autre les comportements des joueurs. Il existe d'ailleurs aux États-Unis des statisticiens qui analysent le jeu en permanence pour comptabiliser le nombre de yards gagnés par les running back au cours de la saison. C'est ainsi que le joueur classé premier au top-rushing 1991 fut Emmit Smith (des Dallas Cowboys) avec 1 563 yards gagnés. Ces mêmes statistiques nous apprennent que le running back des Lions de Detroit a réussi 220 yards pour quatre touchdowns le 24 novembre 1991 contre les Vikings. Ce qui, paraît-il, relève de l'exploit[22].

Je propose d'appeler « taux de digitalisation potentiel » (TDP) cette capacité de numériser en permanence les actions de jeu qu'offrent les règles de certains sports. Cette notion pourrait constituer un indice permettant d'évaluer le caractère téléspectaculaire d'une discipline. Ce pourrait être également un critère d'appréciation de la qualité d'un événement sportif. En effet, dans cette perspective, un « taux de digitalisation réel » (TDR) peut permettre de calculer très simplement le caractère spectaculaire de l'événement en multipliant le nombre de points marqués par le nombre d'actions offensives (attaques) et en divisant le résultat par le temps de jeu effectif. Plus le chiffre obtenu sera élevé, plus l'événement considéré sera téléspectaculaire. Un calcul basé sur la moyenne d'une saison permet d'établir sans difficultés un classement des disciplines les plus intéressantes ainsi que des équipes ou des athlètes les plus téléspectaculaires.

Si l'on compare les TDP des jeux de football européen et américain, on ne manque pas de remarquer qu'ils ne sont pas loin de se situer aux deux extrémités d'une échelle sur laquelle seraient placés les TDP de l'ensemble des sports médiatisés. Le Super Bowl se présente ainsi comme une partie de gagne-terrain qui digitalise en permanence, à la fois, le temps de jeu, les zones de jeu et les

---

22. Je dis *paraît-il* car, comme tous les Français, je suis bien incapable de saisir toutes les subtilités de ce jeu. Il reste que l'on note une volonté manifeste de la NFL américaine de s'imposer en Europe par l'intermédiaire, notamment, du lancement en 1995 de la World League of American Football. À cette occasion Marc Lory, le nouveau PDG de la World League, devait affirmer : « Il faut changer les règles du jeu pour le rendre plus attrayant et excitant pour le public européen. » *Sport Première Magazine* n° 41, décembre 1994, p. 19.

actions de jeu, permettant de produire des chiffres à un rythme
très important (toutes les quinze secondes environ). Il offre au téléspectateur une succession de phases d'action bien repérables, et,
de fait, l'ensemble apparaît aux yeux d'un Européen comme particulièrement discontinu. À l'inverse, le football européen est un
jeu de balle linéaire et continu qui peut parfaitement se conclure
sur un score nul. C'est-à-dire sans aucune production de chiffres,
donc sans digitalisation. Or, même dans ce cas, il n'est pas exclu
que le taux de satisfaction des téléspectateurs soit malgré tout élevé.
Ce qui serait proprement inimaginable dans le cas des sports américains comme le football, le base-ball ou le basket.

Affublé d'un faible TDP mais atteignant néanmoins des taux
d'écoute exceptionnellement élevés, le football européen se présente
comme l'exception qui confirme la règle. Reste que de nombreuses tentatives sont faites par certains media pour produire artificiel-
lement du chiffre et donc augmenter la digitalisation des comportements des joueurs : classement du meilleur buteur, de la meilleure
défense, de la meilleure attaque, pourcentage de buts encaissés à
domicile ou marqués à l'extérieur, nombre de buts marqués à droite,
à gauche, au centre, aux 18 mètres, dans les 6 mètres, moyenne
de buts sur le week-end, etc. Nous assistons actuellement à une
volonté évidente de produire du chiffre à partir de ce jeu qui en
produit très peu. S'il voit le jour, le projet d'augmenter la surface
des buts confirmera cette entreprise progressive consistant à téléspectaculariser le foot en élevant son TDP.

Tableaux de chiffres, histogrammes, diagrammes, hit-parades des
joueurs et des équipes, l'ensemble étant élaboré sur la base de critères non réglementaires car non prévus par le code d'arbitrage du
football, apparaissent donc pour les media comme un moyen efficace de rendre compte, chiffres à l'appui, d'un sport qui, somme
toute, n'est guère pourvoyeur de données chiffrées. Dans sa livraison du 23 janvier 1993, analysant les buts marqués au cours de la
saison 1992-1993, *L'Équipe* devait s'exclamer : « Buts : ça va
mieux ! » À cette occasion, le quotidien présenta dans une rubrique intitulée « Statistiques » l'évolution du nombre de buts marqués par les équipes de division I depuis l'année 1984. La description minutieusement quantitative de l'évolution des saisons faisait
ainsi apparaître que « l'expérience des dix dernières années montre
que la différence entre la moyenne (à mi-saison) et la moyenne

finale atteint parfois 0,10 point (1985, 1987, 1991). Mais même si on retombait à 2,30 buts par match d'ici au mois de mai, ce serait déjà meilleur que les trois dernières saisons. Et surtout en comparaison de la dernière, lors de laquelle, rappelons-le, fut égalé le plus mauvais total de l'histoire du championnat (2,09) *[sic]* ». Suivait une analyse détaillée des moyennes de l'ensemble des pays européens de laquelle il ressortait que c'est en Belgique que l'on marque le plus de buts (3,25 buts par match) et au Portugal que l'on en marque le moins (2,18)[23].

Cette volonté délibérée de faire coûte que coûte « rendre chiffres » au football[24] se trouve confortée par certaines recherches universitaires. Deux semaines avant la Coupe du Monde de football qui s'est déroulée en Italie en 1990, la revue *New Scientist* présenta les travaux de deux chercheurs anglais de l'université de Liverpool. Ceux-ci ont élaboré un programme informatique destiné à digitaliser les stratégies des équipes de football sur la base de la quantification des comportements de chaque joueur[25]. Ils ont ainsi mis en évidence certains paramètres reposant sur des données chiffrées qui expliqueraient précisément les raisons d'une victoire. Celle-ci serait le résultat de la combinaison de quatre critères quantifiables : la durée de possession du ballon ; la capacité de conserver le ballon devant les buts en attaque comme en défense ; la capacité d'atteindre les buts adverses en partant du centre du terrain ; le nombre de fautes concédées sur les ailes. Ce travail a permis de

---

23. *L'Équipe*, 23 janvier 1993, p. 4.
24. Ce dessein se retrouve également dans les retransmissions de courses automobiles. Ainsi, TF1 a introduit le jeu de « top position » dans le domaine de la Formule 1. Ce jeu consiste, pour un téléspectateur, à donner le nom des trois premiers pilotes à un moment donné de la course. Il oblige ainsi à fractionner l'épreuve en microclassements destinés, semble-t-il, à entretenir l'incertitude du résultat final... sinon l'attention du téléspectateur-zappeur lors de certaines épreuves au cours desquelles la domination des meilleurs coureurs « tue » le spectacle. De ce point de vue, lors d'une réunion de la Fédération internationale automobile qui s'est tenue à Paris au mois d'août 1993, il fut clairement établi qu'il était devenu nécessaire d'augmenter le caractère spectaculaire des courses de F1. Diverses formules furent envisagées dont celle de rendre quasiment obligatoire l'arrêt aux stands en limitant la capacité des réservoirs. Or, on sait à quel point cet arrêt peut modifier le classement et permettre, accessoirement, de produire des chiffres supplémentaires en mesurant le temps d'immobilisation du pilote... et en classant les équipes de mécaniciens. On notera par ailleurs que l'expression « tuer » se retrouve dans le langage des sports collectifs. Au cours d'un match de rugby, par exemple, on dit qu'un joueur « tue le match » lorsqu'il marque un essai décisif. C'est-à-dire lorsqu'il digitalise définitivement les comportements chiffrés des deux équipes, annulant ainsi toute possibilité de produire un spectacle sportif dramatique.
25. *New Scientist* n° 1719, 2 juin 1990, p. 54-59.

montrer des différences significatives entre le jeu des équipes reposant non pas sur des impressions subjectives mais sur des mesures
chiffrées.

À terme, nous pouvons penser que l'exploitation de ce type de
données facilitera le travail des journalistes de la télévision en leur
permettant de fonder leurs commentaires sur des chiffres très nombreux, comme cela est possible dans le cas du tennis, du basket,
du base-ball ou du football américain. Il apparaît, en effet, qu'il
s'agit là d'une revendication « quasi corporative » de la part des
commentateurs spécialisés dans le football. Cette nécessité de faire
produire plus de chiffres au football est probablement justifiée par
le fait que ce sport apparaît de plus en plus aux yeux des media
comme un *antispectacle* selon l'expression de *L'Équipe Magazine*[26].
Un antispectacle par insuffisance de digitalisation, et qui, comme
tel, est sévèrement jugé par la presse. Évoquant les finales des Coupes d'Europe, *L'Équipe* estimait en 1987 : « La dernière finale à
grand spectacle [...] remonte sans conteste au 25 mai 1977. [...]
Depuis les artistes se sont transformés en apprentis comptables
[*sic*][27]. » Il est donc évident que la capacité comptable ou, si l'on
préfère, la capacité de production de chiffres que recèle une discipline sportive induit directement son succès médiatique[28].

Aujourd'hui, les sports fournissant des chiffres en nombre insuf-
fisant semblent bien condamnés par le PAF. Il est exclu qu'ils puissent retenir l'attention des différentes chaînes ; donc présenter un
intérêt quelconque pour les sportifs eux-mêmes. En athlétisme, le
cas du record de l'heure est très significatif de cette désaffection
audiovisuelle. Courir durant une heure sans aucune production chiffrée hormis les temps de passage ne constitue plus un spectacle sportif produisant de l'audience. Dans ces conditions, tout le monde
s'en désintéresse, à commencer par les coureurs eux-mêmes. En 1987,

26. *L'Équipe Magazine*, 23 mai 1987, p. 80.
27. *Ibid.*
28. Reste que les choses doivent être relativisées car les « excès de vitesse » sont aussi particulièrement pénalisants. C'est ainsi que les 105 *aces* réussis par le joueur de tennis Goran
Ivanisevic lors du tournoi de Stuttgart au mois de février 1992 ont créé une véritable polémique tenant à la piètre qualité du spectacle tennistique « servi » par ce joueur qui fut,
caractère aggravant, le vainqueur de l'épreuve. Certains envisagent donc de réduire la possibilité de produire du chiffre directement à partir du service pour prolonger la durée de
l'échange, donc la qualité supposée du spectacle, en modifiant les règles du tennis. On
consultera avec intérêt le dossier intitulé significativement « Haro sur les Rambo » consacré
à ce problème par *Tennis de France* n° 469, mai 1992, p. 42-50.

le club d'athlétisme de la principauté de Monaco organisa le Critérium mondial de l'heure pour battre le record du monde de la distance parcourue en une heure sur une piste d'athlétisme. Établi en 1976 par un coureur inconnu, le record devait être pulvérisé lors de cette tentative. Or, non seulement il ne fut pas battu, mais il ne fut même pas approché. La raison d'une telle déconvenue est simple : faute de couverture télévisuelle suffisante, aucun des meilleurs coureurs mondiaux n'avait jugé la course suffisamment intéressante pour y participer. Si les télévisions ont fait défaut, c'est d'abord parce qu'il leur paraissait inconcevable de couvrir un spectacle sportif linéaire et sans aucune discontinuité durant une heure. Trop simple, trop peu digital[29], ce record est un exploit sportif d'un autre temps. Inventé au XIXᵉ siècle au moment où l'homme cherchait à vaincre les distances en diminuant les temps de parcours (grâce à l'automobile, notamment) le record de l'heure était adapté à la société industrielle naissante. Il ne semble plus adapté à une société de communications rapides.

Un spectacle de ce type n'est plus conforme à ce qu'il faudrait peut-être appeler les « normes télévisuelles de production de chiffres sportifs » - points d'audience et points marqués - auxquelles se trouvent confrontées les chaînes lors de la retransmission d'un événement sportif. Aujourd'hui, la télévision tente de pallier la capacité d'attention relativement courte du téléspectateur-zappeur en choisissant des sports présentant des successions de phases de jeu très brèves et très intenses. Ces moments d'émotion seront d'autant plus téléspectaculaires qu'ils seront « dramatiques ». Or, à quoi tient le caractère dramatique d'un spectacle sportif ? À une simple comparaison de chiffres : ceux produits par le vainqueur et ceux que produit le vaincu[30].

---

29. Contrairement au record de l'heure cycliste qui permet une importante production de chiffres (les temps de passage) toutes les quinze ou vingt secondes.
30. J'admets volontiers que les choses peuvent dans certains cas être plus complexes. La qualité du spectacle sportif peut aussi reposer sur la créativité technique et la beauté gestuelle. Il faut envisager, toutefois, que de nos jours l'énergie est de plus en plus dépensée pour produire du chiffre et non pas du geste dont on goûtera simplement l'esthétique. Certains se désolent d'ailleurs de voir le champ de la créativité sportive se réduire face aux contraintes engendrées par les normes télévisuelles de production de chiffres. Analysant la créativité esthétique du champion du monde de surf Kelly Slater, le magazine *Surf Saga* estime : « Il n'est qu'à jeter un coup d'œil sur d'autres sports pour s'apercevoir que le surf [continu d'être créatif]. Comparons avec le tennis où la puissance des coups éradique largement la finesse du jeu. Les « artistes » tels Panata dans les *seventies* ou McEnroe dans les *eighties* sont déboulonnés par les bûcherons de la lignée Lendl : Courier, Becker, Agassi sont avant tout des cogneurs... Autre exemple, le rugby, et son jeu de trois-quarts. Les Trillo, Maso, Codor-

La rentabilisation du sport[31]

Construite sur le modèle techno-économique, la société sportive de nature digitale a aujourd'hui rattrapé son modèle qui tente sur elle des expérimentations nettement « contre nature ».

Contre nature humaine, quand on constate la conversion des hommes en « produits commerciaux ». Ce qui, on le notera, est un étonnant retour en arrière dans les rapports humains que seul le sport se permet de pratiquer ouvertement.

Contre nature sportive, également, quand on observe que la discipline qui rencontre le plus grand succès en France n'est guère considérée qu'à l'instar d'une banale source de profit par ses principaux responsables. Les dirigeants les plus médiatiques du football ne s'en cachent d'ailleurs pas. En 1989, Bernard Tapie soulignait qu'il ne fallait pas « dénoncer systématiquement l'argent dans un sport professionnel[32] ». Il a probablement raison. Il reste que pour le président de l'OM le succès sportif semblait surtout se mesurer à l'aune de la recette, ce qui devient nettement plus problématique en regard du fameux « sport authentique » : « Marseille-Racing au Parc, 28 000 spectateurs payants. Bordeaux-Racing : 11 000 entrées payantes. C'est cela mon juge de paix[33]... » Si l'on considère le caractère déraisonnable des sommes en jeu dans le monde du football, on comprend facilement que l'importance de la réussite sportive en Coupe d'Europe de football, par exemple, se confonde largement avec l'importance des enjeux financiers. Ce qui compte, c'est moins le caractère symbolique de la victoire que

---

niou, fous du stade, ivres de l'efficacité du beau jeu, sont laminés par des Mesnel, des Sella, des Horan, garçons efficaces en attaque comme en défense mais dont la créativité gestuelle laisse sur sa faim l'amateur d'imprévu et d'émotion. » Autrement dit, il ne faudrait surtout pas que les producteurs de spectacle sportif sacrifient « la créativité sur l'autel de la puissance ». *Surf Saga* n° 1, p. 4. Vœux pieux ! Car un problème demeure : apprécier la beauté d'un geste sportif suppose une compétence technique et esthétique. Ce qui ne peut être le fait que des spécialistes, que d'une « élite » qui, en tant que telle, ne fera guère de points Audimat.

31. Cette notion de rentabilisation est fondamentale lorsque l'on sait que les droits de télévision pour les Jeux Olympiques d'été sont passés de 6,36 millions de francs en 1960 à 465,87 millions en 1980 pour atteindre le chiffre étonnant de 3 201,20 millions de francs en 1992 à Barcelone. Le comité organisateur catalan a perçu 74 % de cette masse et le CIO environ 10 %.

32. *Le Sport*, 1er décembre 1989, p. 5.

33. *Ibid.*

l'accès au tour suivant qui rapportera entre 15 et 20 millions de francs selon la qualité de l'adversaire.

Ce n'est pas le lieu, ici, de traiter de certaines « affaires », mais une question se pose réellement : peut-on encore inverser le processus de *feed-back* positif (affairisme, surentraînement, détection précoce, dopage, tricherie...) à l'œuvre dans le sport professionnel pour revenir à l'état originel de l'éthique sportive ? La réponse est probablement négative. Ce qui revient à envisager que le sport digital *d'utilité publique* ait sans doute vécu. Émerge à sa place, progressivement, un sport *d'utilité économique* dont les règles seront bientôt conçues dans un objectif très particulier. Elles n'auront plus pour fonction l'expression de la symbolique sportive en la personne du champion. Élaborées pour téléspectaculariser les comportements sportifs, elles auront pour mission d'exprimer la symbolique économique de l'excellence en la personne du « gagneur[34] ». Ce qui aura au moins le mérite de clarifier l'image du sport de nature digitale. En effet, depuis les années 30 qui ont vu l'accélération du processus de professionnalisation, ce type de rapports sportifs était simplement perçu comme tel. Il sera bientôt conçu comme tel[35].

Dans une perspective similaire, les stades seront de moins en moins considérés comme des « immobilisations » pour devenir des produits financiers « actifs ». Jean-Claude Darmon, que d'aucuns appellent le grand argentier du football français, soulignait il y a quelques années : « Tôt ou tard on amènera le spectacle avant le match. Puisqu'on dispose maintenant de stades qui peuvent accueillir beaucoup de monde, on va s'efforcer de rassembler aux alentours des baraques foraines [*sic*], de lancer des feux d'artifice[36]. » Étonnamment naïf, ce type de proposition n'a plus cours aujourd'hui car il fleure trop l'« amateurisme ». Nous n'en étions là qu'au début

---

34. Sur ce point, voir A. Ehrenberg, *Le Culte de la performance*, Paris, Calmann-Lévy, 1991.
35. Encore convient-il de noter que tous les observateurs ne semblent pas se résoudre à une telle perspective. Robert Parienté, journaliste à *L'Équipe*, n'est pas d'accord, qui prône un retour aux « fondamentaux » du sport. Commentant la volonté des sprinters français du relais 4 fois 100 mètres de monnayer leurs succès athlétiques, Parienté s'en offusquait quelque peu : « L'argent ne fait pas le bonheur, dit-on. On souhaite pourtant tous les trésors du monde à ces quatre mousquetaires qui demeurent capables d'honorer d'autres contrats, plus glorieux et donc plus lucratifs. Il conviendrait, pour cela, qu'ils acceptent de revoir leurs fondamentaux, de continuer à former une équipe et non pas une société anonyme. » *L'Équipe*, 2 septembre 1991, p. 3.
36. *L'Équipe Magazine*, 28 janvier 1984, p. 44.

de la véritable « marchandisation » du football. De façon nettement moins archaïque, le même homme élaborait quelques années plus tard une stratégie d'animation du parc des Princes, qui fut confiée à la Société d'exploitation sport et événement (SESE) : « On doit donner un rythme de vie quasi quotidien à un Parc utilisé jusqu'ici tous les quinze jours. En lui conservant sa position haut de gamme. Alors nous créons un practice de golf, une salle de fitness, des restaurants de qualité, une garderie pour enfants, des salles de vidéo-projection[37]. » D'autres projets devaient également être étudiés : bétonner la surface qui entoure le Parc pour permettre des présentations de véhicules automobiles, créer une salle de cinéma, organiser des expositions de peinture « de très haut standing », accueillir des séminaires[38].

Bref, l'époque est à la rentabilisation composite, sinon hétéroclite, des stades, mais aussi des gymnases, des piscines, de tous ces investissements qui n'étaient guère que des sites sportifs il y a moins d'un quart de siècle et qui deviennent aujourd'hui des opérations financières. Est-ce une bonne chose ? Pour beaucoup, la question ne mérite même plus d'être posée tant la vague rentabilisatrice a déferlé depuis une bonne dizaine d'années. La question doit toutefois être soulevée car elle porte en germe des effets pervers extrêmement graves pour l'identité et l'image du mouvement sportif.

Entendons-nous bien, il ne s'agit pas de discuter le point de vue selon lequel il est absolument nécessaire de gérer au plus près les investissements très importants consentis par les collectivités locales pour la construction des équipements sportifs. Il s'agit simplement d'évoquer une alternative en forme de questions : si la contrainte gestionnaire est si prégnante aujourd'hui, alors qu'elle ne semblait pas si importante il y a seulement quinze ans, n'est-ce pas tout simplement parce que la rentabilité des équipements sportifs de nature digitale n'est plus véritablement assurée ? Ces équipements sportifs construits selon certaines normes préconisées par la première loi-programme d'équipements et de modernisations des installations sportives, qui date du 28 juillet 1961, correspondent-ils toujours à la demande sociale ?

Et si la réponse était négative...

---

37. *L'Équipe*, 25 juillet 1990.
38. *Ibid*.

Vertiges virtuels et « cybersports »

En matière d'équipements sportifs, des initiatives se dessinent, qui exploitent clairement l'utilité ludique que promeuvent certaines pratiques de nature analogique. Pionniers dans ce domaine, les investisseurs qui ont pris le risque d'innover, notamment en milieu urbain, ne sont pas encore payés de retour. Il semble pourtant que la voie de l'innovation, pour étroite qu'elle soit, n'en est pas moins aujourd'hui la seule alternative possible en matière de construction d'équipements lourds. La raison est évidente. On ne construit pas un équipement sportif sans envisager l'avenir. Une piscine construite en 1995 devra toujours être utilisée en 2020. Dans ces conditions, il est clair que le cahier des charges ne doit pas reposer sur des préceptes datant de trente ans mais sur des principes formatés aux normes du futur.

Il est significatif que les nouvelles structures « sportives » innovantes qui se développent depuis maintenant dix ans en France rejettent fortement les contraintes de construction qui émanent directement des règlements sportifs digitaux. Jusqu'à certaines formes qui, mi-ludiques mi-ornementales, excluent les standards de la décoration sportive classique. Ainsi le Thalassa Parc du Grau-du-Roi fit appel à l'un des leaders de la figuration libre[39], le peintre *fun* Hervé Di Rosa, pour concevoir certains équipements. Même si le coût du mètre carré sportif est moindre que celui du mètre carré ludique, il se pourrait bien que le stade du troisième millénaire prenne la forme inattendue d'un « site d'aventure sportive » (SAS).

Ce projet, conçu par le laboratoire que dirige Christian Pociello à l'université d'Orsay avec l'aide de la mission technique de l'équipement du ministère de la Jeunesse et des Sports, risque de redéfinir totalement les normes en matière de construction et d'architecture sportives. Dans le cas particulier d'un SAS, toute la structure sera exploitable : planchers, murs extérieurs et intérieurs, toits, sous-sol, environnement aérien immédiat. L'objectif sera la pratique en milieu urbain de certaines activités qui se déroulent habituellement en pleine nature comme le ski, le parapente, le VTT, la spéléologie, la plongée sous-marine[40].

---

39. Voir *supra*, « L'athlète, le rocker et le surfer ».
40. D'où la notion, ou la métaphore, de « sas » entre le monde urbain et la nature.

Le grand intérêt d'un SAS devrait être son adaptabilité. Il sera conçu comme une sorte de laboratoire d'idées capable d'inventer des pratiques sportives ou, plus simplement, d'adapter certaines activités, issues du changement social ou de l'innovation technologique, aux contraintes de l'environnement urbain. En « veille sportive » permanente, selon Christian Pociello, il pourrait ainsi se « créer » lui-même. Autrement dit, il collera étroitement à une demande sportive qui évolue constamment[41].

Dans un futur relativement proche, l'innovation en matière d'équipements sportifs portera probablement sur l'introduction d'un type de matériel qui inaugurera une véritable profusion de nouvelles sensations « sportives ». Essentiellement vertigineuses, celles-ci sont inconcevables aujourd'hui tant est encore grand notre conformisme face aux standards architecturaux antérieurs. Des indices se multiplient pourtant, qui montrent comme un réinvestissement créatif en matière de conceptions d'équipements lourds à vocation sportive. L'Aquaboulevard de Paris, le récent stade de plongée de Villeneuve-la-Garenne (ouvert en 1993) ou la piscine à « vraies vagues » d'Étampes qui fut inaugurée au mois de juin 1993[42], ainsi que les multiples initiatives locales établissant de nouvelles références en matière d'architecture redéfinissent ouvertement le « paysage sportif français ». Même si les résultats financiers ne sont pas toujours à la hauteur des espoirs, ces projets novateurs sont bien le signe d'un renouvellement des attentes, sinon des besoins, d'un marché qui, reconnaissons-le, se cherche encore.

Les choses s'accélèrent nettement. L'incroyable intérêt pour les « découfleries » des Jeux Olympiques d'Albertville laisse à penser que le public sportif est sans doute prêt à goûter l'innovation. Dans le cas particulier d'Albertville, il faut admettre que le pari était osé, qui proposa une cérémonie d'ouverture « Anticonoclaste Bas-

---

41. Voir C. Pociello, G. Baslé, « Espaces et équipements sportifs : innovation, prospective et management », in *Sport et Management*, sous la direction de A. Loret, Paris, Dunod, 1993.
42. *Surf Session* s'enthousiasme : « Pour la première fois en Europe, on a pu produire des vagues frontales déferlantes, dites vagues de surf, de plus d'un mètre de hauteur. Elles permettent la pratique du bodysurf, du bodyboard et du surf. Le bassin mesure 22,50 mètres sur 67,50 mètres, avec une profondeur maximum de 1,80 mètre. » *Surf Session* n° 71, juin 1993, p. 57. D'autre part, le magazine de skate *B. Side* n'est pas en reste, qui explique : « Il est question d'améliorer cette piscine en aménageant une sorte de récif artificiel en plein milieu de façon à permettre le déferlement d'une gauche et d'une droite et de la doter d'une bulle pour pouvoir se la donner l'hiver [...] c'est bien cool tout ça, non ? » *B. Side* n° 28, août 1993, p. 35.

Rock » [sic], pour reprendre l'expression exacte du programme officiel des Jeux[43]. La formule relevait d'une hardiesse étonnante face à des usages olympiques particulièrement enclins à respecter la tradition. Or, si l'on analyse[44] la structure de la démarche artistique de Philippe Decouflé, force est d'admettre qu'il chercha surtout à déconstruire le geste sportif traditionnel. La mise en scène échafauda une véritable « quatrième dimension sportive » en projetant les corps dans un espace absolument nouveau. Il me semble que c'est dans cette direction que le regard des innovateurs devra se tourner. En effet, la chorégraphie surréaliste de Decouflé nous introduisit dans une sorte d'apesanteur qui, pour être artistique, fut surtout culturelle et « sportive ». L'artiste-chorégraphe nous désigne, dès lors, distinctement, les voies que devront ouvrir les avant-gardes sportives.

Figure emblématique de la cérémonie d'ouverture des Jeux d'hiver, le « ballet des élastiques » exploitait parfaitement cette recherche permanente de sensations « icariennes » qui est le propre du sport des années fun. Remarquons que, d'ores et déjà, certaines propositions récentes mettent en œuvre des équipements sportifs qui autorisent des procédures vertigineuses de ce type. Ainsi le Space Camp, élaboré en collaboration avec l'astronaute Patrick Baudry à Cannes-La Bocca, semblait avoir correctement maîtrisé l'« insolite sportif » au point de proposer ce que l'on pourrait appeler un « sport du troisième type[45] ». C'est-à-dire une pratique « sportive » qui introduit réellement l'individu dans la troisième dimension. Non pas d'une manière éphémère comme c'est le cas lors des impulsions et autres « prises d'appel » traditionnelles, mais en continu, autrement dit en maîtrisant les temps de « vol ».

Le registre sensationnel proposé aujourd'hui s'élabore à partir d'une technologie jusqu'ici inconnue dans le monde du sport. La pratique du volley-ball, par exemple, développe un plaisir sans com-

---

43. Alberville 1992, *Programme officiel*, p. 51.
44. Voir à ce sujet I. Lefèvre, « Danse et sport au jardin d'Olympie ou la nouvelle alliance : Decouflé aux JO d'Alberville », in *Actes du colloque Sport, culture et tradition*, Montpellier, 14-16 mai 1993, UFR-STAPS de l'université de Montpellier.
45. Il convient de noter que les propositions sportives inédites du Space Camp furent jugées suffisamment intéressantes et sérieuses pour faire l'objet d'un article de quatre pages dans *L'Équipe Magazine*... même si, depuis, comme ce fut le cas pour de nombreux équipements sportifs innovants, des difficultés financières sont apparues. *L'Équipe Magazine* n° 435, 29 janvier 1990, p. 50-53.

mune mesure avec les suggestions habituelles dès lors que les joueurs, séparés par un filet très spécial, sont reliés au plafond par un système élastique qui renouvelle tous les équilibres[46]... D'autre part, outre les vagues artificielles désormais classiques, l'air pulsé à grande vitesse dans des espaces clos devrait bientôt autoriser la création d'activités « sportives » surprenantes. Si le succès du Super-fundoor de Bercy (qui permet aux funboarders d'exploiter un « vent » produit par des ventilateurs géants) a beaucoup surpris les milieux du windsurfing, certaines propositions récentes ne devraient pas déroger en confondant bientôt les sceptiques. Ainsi, le *body flying*, ou *wind tunnel*, est un espace de vol virtuel au sein duquel le corps subit la pression maîtrisée d'un courant d'air engendré par un énorme ventilateur. Ce « tunnel à vent » recrée toutes les conditions de la chute dans le vide et permet les frénésies les plus acrobatiques. À n'en pas douter, nous sommes bien là devant des engouements qui redéfinissent toutes les procédures sportives réglementées et les comportements techniques stabilisés d'hier[47]. Une remise en cause qui se déploie, à l'évidence, sous les couleurs du *fun*, du plaisir, du jeu, du déséquilibre recherché et de la quête iconoclaste de sensations vertigineuses et voluptueuses.

Dans cet esprit, on notera certaines propositions tout à fait remarquables mais qui surprennent nettement dans le monde de la compétition sportive. Prenez le Xtreme Surf Contest, une épreuve de snowboard qui s'est déroulée dans un endroit perdu et désertique de l'Alaska ; en fait « dans le trou du cul du monde », selon la revue *Anyway*. Le principe du Contest était le suivant. Un *rider* (un concurrent) accompagné de cinq juges décollait en hélicoptère à la recherche d'une pente appropriée... L'un des *riders* explique : « Tu survolais, puis d'un seul coup tu voyais une combe qui te plaisait. Alors l'hélico te déposait au sommet et redécollait. Après

---

46. Le Space Camp proposait un jeu de ce type, mi-volley, mi-trampoline.

47. Jusqu'à certaines activités historiques qui se trouvent aujourd'hui confrontées à l'« artificialisation » technologique. Le golf, par exemple, voit apparaître des technologies inédites qui redéfinissent les modalités d'entraînement de cette pratique plusieurs fois centenaire. La société Zebra Diffusion, par exemple, diffuse depuis peu un produit très original : le Pro Swing System. Il s'agit d'un système permettant de pratiquer une forme de « golf artificiel ». Un club électronique associé à un analyseur de mouvement permet de mesurer différents paramètres : force de la frappe, angle du club, vitesse et direction de la balle, distance de la trajectoire. Connecté à un téléviseur, cet appareil permet de visualiser le coup sur des parcours différents.

c'était à toi de rider pendant maximum une demi-heure et les juges
dans l'hélico te suivaient et notaient ta technique, ton style, ton
agressivité, etc. Mais tu n'avais pas intérêt à te gourer dans ton
passage lorsque tu survolais l'endroit, parce qu'avec 40 à 45 degrés
de pente au sommet, le droit à l'erreur était plutôt léger [...]. Je
dois avouer que cela a été très dangereux [...]. Enfin, on voulait
du surf extrême, ça crois-moi, on en a eu[48]. » Il s'agit là du
« free ride » poussé à son extrême limite car ce qui compte c'est
moins la compétition que la « survie ». « Personne ne courait vraiment contre les autres, parce que c'était trop noueux [...], la course
était aussi la vie ou la mort. Réellement, c'était si tu tombes, tu
meurs [...]. John Griber fit une folie en commençant son *run* avec
le plus grand saut depuis la corniche sommitale. Mal contrôlé, il
a glissé et s'est rétabli avant de rebondir sur des rochers sans fin
[...]. Par moment c'était simplement pénible à regarder[49]. » Nous
sommes très loin, on le constate, du simple ski hors piste. En réalité aucune comparaison n'est possible car il s'agit à proprement
parler d'une innovation totale dans le monde du spectacle sportif.
Une nouveauté qui pourrait bien rapidement faire l'objet d'une
mise en scène téléspectaculaire tant le caractère télégénique des *runs
Xtrêmes* semble élevé.

Plus « extrême » encore : le magazine *L'Événementiel* rapportait en 1991 que l'Union pour la promotion de la propulsion pho-
tonique (U3P) avait lancé le projet d'une « régate de voiliers solaires » ayant l'obligation de rallier la lune « par la seule force de la
lumière du soleil[50] ». Même si le magazine émettait quelques
réserves sur la faisabilité de cette « compétition », il n'en reste pas
moins qu'il notait également que des organismes comme le CNES
et Matra Space étaient impliqués dans le projet et que la chaîne
espagnole de grands magasins Corte Ingles devait prendre à sa charge
une bonne part du budget du vaisseau européen ; à suivre, donc...

Pour en revenir aux équipements, le SAS, le Space Camp, le
wind tunnel, le bassin de vagues artificielles, apparaissent comme
des structures permettant de pratiquer « virtuellement » des activités sportives de pleine nature en milieu urbain. Il s'agit là, malgré
tout, d'une pratique « réelle », même si elle se conçoit sur un site

48. *Anyway* n° 20, décembre 1992, p. 28.
49. *Wind Surf des Neiges* hors-série n° 25, février 1993, p. 44-47.
50. *L'Événementiel* n° 9, janvier 1991, p. 9.

artificiel. Or, les sports de glisse du troisième millénaire pourraient bien se concevoir d'une tout autre façon.

Dans certaines de leurs modalités de réalisation (notamment leurs modalités d'apprentissage), ils passeront progressivement d'un environnement naturel (la réalité aujourd'hui) à un environnement qui « s'artificialisera » progressivement (certaines formes de la réalité présente mais surtout celle de demain), pour exploiter enfin un environnement virtuel (la réalité d'après-demain). Nous entrerons alors dans l'ère des « cybersports » qui nous introduiront dans le « cyberspace sportif ». C'est-à-dire dans un espace non euclidien capable de produire des « équipements sportifs » d'une nature très particulière, mi-réelle, mi-artificielle, en fait virtuelle.

Il ne s'agit nullement de science-fiction[51], encore moins d'une boutade[52], mais bien d'une hypothèse qui se fonde sur les possibilités nouvelles - et étonnantes ! - qu'offrent les plus récents développements de l'infographie[53]. Cet outil, encore quelque peu rudimentaire en regard des possibilités qu'il offrira dans l'avenir, va permettre de concevoir une représentation du monde radicalement différente. La nouveauté réside dans la possibilité de construire un environnement virtuel au sein duquel l'homme pourra agir. « Il s'agit d'un espace artificiel, visualisé à l'aide de techni-

---

51. Du 10 au 12 décembre 1993, la société de VPC Les 3 Suisses présenta un Espace Aventure à Paris. L'une des « attractions interactives » proposées n'était pas autre chose qu'un vol de deltaplane virtuel au-dessus de New York. Le quotidien *Libération* explique : « La tête dans la boîte, suspendu à 30 centimètres du sol, maintenu par des harnais de deltaplane, la main sur la barre de commande, vous survolez un New York artificiel... » *Libération*, 1er décembre 1993, p. 34. D'autre part, dans sa livraison du 24 décembre 1993, *Le Nouvel Économiste* présenta les « dix technologies qui auront changé la vie en l'an 2003 ». Pour cet hebdomadaire économique que l'on ne peut guère accuser de légèreté, le ski virtuel est à portée de bâtons... « Les images qui s'affichent sur l'écran changent au fur et à mesure que le skieur modifie sa position. S'il regarde devant lui, la montagne lui ''saute'' au visage. Quand il lève les yeux, il voit le ciel bleu. Un simulateur de pentes reproduit les forces de la gravitation et, raffinement suprême, le son des skis glissant sur la neige. Grâce à un bouton placé sur son doigt, le skieur peut adoucir la pente ou la rendre encore plus escarpée. » *Le Nouvel Économiste* n° 926, 24 décembre 1993, p. 46-51.
52. Même si dans son numéro 132 du mois de décembre 1991 la revue *Planchemag* a consacré un dossier (sous la forme d'un article de science-fiction) au funboard du futur, intitulé « 2001 l'odyssée du *fun* », dans lequel elle analyse sur le ton de la plaisanterie ce qu'elle appelle le « surf virtuel » (p. 38-44).
53. Pour proposer cette nouvelle perspective, j'ai utilisé le numéro spécial de la revue *Art Press* hors-série n° 12, 1991 - en particulier l'article présentant les travaux et réflexions de Philippe Queau qui a publié *Metaxu : théorie de l'art intermédiaire*, Champ Vallon, 1989.

ques de synthèse d'images, et dans lequel on peut "physiquement" se déplacer. Cette impression de "déplacement physique" est donnée par la conjonction de deux *stimuli* sensoriels, l'un reposant sur une vision stéréoscopique totale et l'autre sur une sensation de corrélation musculaire, dite "proprioceptive", entre les mouvements du corps et les modifications apparentes de l'espace artificiel dans lequel le corps est plongé[54]. »

La technologie (aujourd'hui particulièrement délicate et « lourde » à piloter) nécessaire à cette reconstruction du monde à la mesure de l'individu est fondée sur deux types d'instruments. D'une part, un casque de visualisation équipé de deux écrans miniatures placés devant les yeux autorise une vision stéréoscopique d'un environnement reconstitué par numérisation. D'autre part, une combinaison (de la forme d'une combinaison de plongée mais conçue à partir d'un matériau différent) équipée de capteurs reliés au casque permet de « corréler » l'espace virtuel et le corps de celui qui s'y déplace. Cette corrélation proprioceptive est rendue possible grâce à un traitement informatique des multiples paramètres résultant de l'activité développée par l'individu dans l'espace numérisé et de la vision qui lui est associée. Toute action « physique » de celui qui se « déplace » dans l'espace reconstitué le modifie donc en conséquence. Réciproquement, toute modification de l'espace tridimensionnel qui « environne » l'expérimentateur fait naître de nouvelles possibilités d'action.

C'est très exactement là que se situe la possibilité d'innovation « sportive ». La réalité virtuelle va autoriser de multiples formes d'activité totalement inattendues. En particulier, si l'on considère le domaine de l'apprentissage des sports à risques qui seront simulés ou de la pratique des sports de glisse qui, on l'a vu, exigent une capacité d'adaptation permanente aux fluctuations de l'environnement. Entre l'individu et l'élément qu'il glisse s'ourdissent les fils d'un jeu réciproque d'actions et de réactions qui devrait bien s'accommoder des nouvelles possibilités offertes par l'activité développée en environnement « sportif » virtuel. Le programme et la logique de l'action du glisseur pourront être modélisés puis reconstitués et proposés virtuellement au fur et à mesure de l'engagement des individus dans les trajectoires ; les uns et les autres se

---

54. Ph. Queau, « Les vertus et les vertiges du virtuel », in *Art Press, op. cit.*, p. 162.

façonnant réciproquement. Pour virtuels qu'ils seront, les vertiges nés de ce type de mouvements n'en porteront pas moins sur un registre de sensations parfaitement capables de répondre à certaines aspirations inassouvies des glisseurs de demain.

Un danger menace : celui de se contenter des cybersports ou de la glisse virtuelle. En effet, l'activité sportive virtuelle pourra revêtir une véritable réalité pour certains, qui estimeront - peut-être avec juste raison d'ailleurs ! - qu'il ne s'agira nullement d'une illusion mais que, bien au contraire, les sensations produites seront parfaitement authentiques. En conséquence, la découverte puis l'initiation à cette nouvelle forme d'activité « sportive » pourraient faire naître des perspectives insoupçonnées faites d'« objets sportifs virtuels » ou de « techniques sportives virtuelles » inventés et développés par des sportifs mutants. La mise à l'écart du sport « euclidien » au bénéfice d'expérimentations quelque peu « métaphysiques » particulièrement généreuses en nouvelles sensations peut, dès lors, être raisonnablement envisagée. En effet, il est nécessaire de comprendre que le corps ne sera absolument pas inactif dans les cybersports. Son activité sera simplement d'une autre nature. Comme le souligne Philippe Queau, ces techniques de simulation introduisent le corps dans un univers encore inconnu, à la fois intermédiaire, hétérogène, symbolique *et* réel, bref dans une autre dimension de l'action physique humaine traditionnelle. « Il ne s'agit pas simplement de contempler, à distance, l'image de quelque chose, mais de s'immiscer dans les interstices d'une réalité composite, mi-image, mi-substance[55]. »

Reste qu'une contradiction se fait jour, qui ne sera pas pour déplaire aux sceptiques. À n'en pas douter, cette technologie digitale (ou numérique) va permettre le développement d'une forme hybride de cette relation sportive de nature analogique que je tente de mettre en évidence...

Distinction ou simple différence ?

J'ai souligné plus haut qu'il n'était pas question de se limiter à une approche dichotomique opposant les deux natures digitale et

---

55. *Ibid.*

analogique qui, selon moi, permettent de caractériser le sport contemporain dans son évolution la plus récente. Même si ce fut largement le cas pour l'ensemble de mon propos, je maintiens ce point. En effet, si j'ai exploité cette partition stricte c'est pour bien montrer qu'un processus de transformation est à l'œuvre. Reste que ce processus est dans une phase de transition, pas de stabilisation. Il semble bien qu'il faille plutôt différencier que distinguer les deux systèmes de valeurs. Autrement dit, nous serions en réalité devant un écart à la norme sportive, pas réellement devant sa négation. Il s'agira donc de prendre la mesure de la complexité de ce phénomène en considérant que, s'il apparaît global dans l'analyse que je propose, il est surtout composé de réalités éclatées, lesquelles procèdent de nombreux critères et d'autant d'innovations que chacun, selon la position qu'il occupe sur le spectre des comportements sportifs, sera à même de juger « progressives » ou « régressives ».

Les cultures sportives digitale et analogique ne sont donc pas (pas encore ?) irréductibles et, en l'état actuel de l'évolution du sport, le passage de l'une à l'autre relève plus d'une fluctuation que d'une métamorphose. Progression ou régression ? La question ne doit pas être posée en ces termes car il s'agit d'une évolution qui, pour apparaître contradictoire aujourd'hui, n'en sera pas moins naturelle lorsqu'elle pourra être appréciée à l'aune du changement social. Dès lors, il ne faut surtout pas considérer la glisse et son totem *fun* comme une simple mise en question de la tradition sportive. Une mise en question du sport qui, selon les points de vue, serait liée *ou bien* à des valeurs de progrès, *ou bien* à des valeurs de régression. Les évolutions, transformations ou révolutions considérées à un moment particulier se traduisent toujours par des ruptures que l'on apprécie positivement ou négativement selon la position que l'on occupe dans le système qui se transforme. Pourtant, si l'on observe cette transformation sur le long terme, celle-ci s'apparente à une alternance de fluctuations qui sont autant de conversions et d'ajustements, d'adaptations et de renoncements, l'ensemble mêlant tradition et innovation pour écrire l'histoire en train de se faire.

Remarquons simplement, à titre particulièrement exemplaire des fluctuations sportives contemporaines, la réactualisation récente de la technique du télémark dans le domaine du ski. Cette technique, dite *non agressive skiing*, émerge aujourd'hui parallèlement au snowboard alors même qu'elle date du XIXe siècle[56].

À l'évidence, en sport comme ailleurs, « l'histoire repasse les plats », selon l'expression du magazine *Nouvelles Sensations*[57]. Ce serait donc une erreur que d'apprécier, aujourd'hui, la valeur de la transition dans laquelle le sport est engagé sans l'envisager sur le long terme.

Un facteur essentiel devra modérer l'enthousiasme de ceux qui verront dans la glisse analogique la seule issue possible : la réalité matérielle et culturelle du sport de nature digitale doit être comprise et appréhendée à l'échelle du XXe siècle. Elle s'inscrit donc dans l'histoire de la société industrielle. Au-delà, il conviendra également de ne pas oublier que la relation compétitive est une forme invariable et structurante de la relation humaine. Par contre, en l'état actuel de l'analyse, les comportements sportifs de nature analogique doivent être simplement discernés et saisis à l'échelle des années *fun* (les années 80). Ce qui n'est pas du tout la même chose. Ils apparaissent comme des « radicaux libres » ou comme des indices d'évolution qui se positionnent aux marges d'une société sportive historique. Une forme possible d'avenir du sport devra donc être décodée, décryptée, comprise et négociée dans ces marges, c'est-à-dire aux extrêmes, hors des limites, des balises, des règles et des procédures sportives classiques. Dans ces zones indécises et incertaines, « univers irrésolus[58] », là où niche l'innovation et palpitent les avant-gardes.

Après m'être hasardé sur ces « chemins de traverse » (pour reprendre le titre du livre de Nicolas Hulot[59]) en essayant d'y débusquer l'innovation sportive, je vais tenter l'impossible en entreprenant de la figer dans un tableau. Insulte à la créativité sportive des années *fun*, ce tableau ne doit être pris que pour ce qu'il est,

---

56. Le télémark aurait été inventé en 1868 par le Norvégien Sondre Norheim. Cette technique consiste à enchaîner les virages en pliant un genou vers l'avant, l'autre jambe étant repliée en arrière, l'ensemble correspondant assez bien à une sorte de génuflexion. Au début des années 40, la technique de virage dite « christiania » devait remplacer le télémark. Ce dernier fut réhabilité aux États-Unis au début des années 70 et en France au cours des années *fun* (1987, à Saint-Gervais). Le télémark est donc un véritable retour aux sources du ski. Voir en particulier « Vade retro télémark », in *Montagne Magazine* n° 113, mars 1989, p. 44-47.

57. *Nouvelles Sensations* dans un dossier consacré au télémark, décembre 1989, p. 41.

58. Selon l'expression de Karl Popper, *L'Univers irrésolu. Plaidoyer pour l'indéterminisme*, Paris, Herman, 1984.

59. N. Hulot, *Les Chemins de traverse*, Paris, Presses Pocket, 1990.

c'est-à-dire pour une esquisse de clarification et une ébauche de
construction de la réalité multidimensionnelle et évolutive du sport
contemporain. J'y ai regroupé un ensemble de critères que j'estime
fortement représentatifs des deux types de rapports sportifs dont
j'ai voulu montrer la réalité.

COMMENT REPÉRER LES DEUX TYPES
DE CULTURES SPORTIVES [60]

LA CULTURE SPORTIVE DIGITALE	LA CULTURE SPORTIVE ANALOGIQUE
le geste est mesuré	le mouvement est vécu
la règle fonde le jeu	la règle n'est pas le jeu
arbitre	libre arbitre
agôn/alea	*mimicry/ilinx*
site standardisé	écosystème/réalité virtuelle
code	contexte
organisation centralisée	auto-organisation
structure pyramidale	réseau
compétition	participation
hiérarchisation	personnalisation
reconnaissance de soi	connaissance de soi
dénotation	connotation
valeur d'échange	valeur d'usage
feed-back positif	*feed-back* négatif
exploitation du potentiel physique	entretien du potentiel physique
utilité publique	utilité ludique
symbolique	imaginaire
raison	émotion
effet	sens
rationnel	irrationnel
transmission d'abstractions	évocation de rapports
l'énergie est capitale	l'énergie a peu d'importance
l'énergie est mesurée	l'esthétique est appréciée
exclusion	intégration
domination	connivence
individuel ou collectif	interindividuel
perception	sensation
technique	technologie
distinction	différenciation
référentiel	différentiel
fini	infini
« moi ordinaire » (M. Arnold)	« meilleur moi » (M. Arnold)
« dionysien » (Nietzsche)	« apollonien » (Nietzsche)
« cristal » (Atlan)	« fumée » (Atlan)
Perceval	Peter Pan

60. Cette présentation s'inspire largement de la proposition formulée par Anthony Wilden
op. cit., *Système et Structure*, p. 162 *sq.*

« L'essentiel... »

*Les acteurs politiques, institutionnels et économiques devront apporter
des solutions à ces sportifs d'un nouveau type issus des années fun.
Dans la mesure où ils préfèrent partager émotions ou sensations en
participant à une manifestation festive plutôt qu'en se mesurant dans
le cadre réglementé d'un banal championnat, il s'agira de répondre à
leurs besoins nouveaux en proposant des services et des prestations
eux-mêmes inédits. Il faudra bien finir par admettre que si pour
certains la devise est « Plus haut, plus vite, plus fort ! », pour les
plus nombreux « l'essentiel est de participer ».*

L'ensemble des acteurs économiques et ins-
titutionnels qui travaillent ou qui œuvrent dans le domaine du sport
se trouvent confrontés aux fluctuations d'un environnement sportif
traversé par des aspirations, des désirs, des modes, des techniques,
des technologies et des comportements totalement nouveaux et qui,
de ce fait, brouillent tous les repères antérieurs. Cette grande transformation, que l'on doit à la glisse et à son totem *fun* qui ont
engendré des rapports sportifs de nature analogique, modifie considérablement le système symbolique duquel est issu le sport
traditionnel.

Le marché des consommations et besoins sportifs analogiques
devenant potentiellement très important, chacune de ces deux catégories d'acteurs s'intéresse bien entendu à ces masses inorganisées
mais riches de promesses contenues. Si, forts de leur expérience du
marketing et de la communication, l'affaire se présente assez bien
pour les premiers, les seconds, par contre, rencontrent plus de difficultés. Le problème sur lequel ils butent concerne l'intégration
des pratiquants « sauvages » dans le cadre des structures sportives
existantes. Dans l'esprit de beaucoup, une telle opération devrait
passer le plus simplement du monde par la conversion des aspira-

tions analogiques en désirs de type digital. Il semblerait que ce soit là l'unique voie explorée actuellement par nombre de fédérations en charge de la gestion des disciplines olympiques. En effet, peu avisées en terme d'analyse marketing, ces organisations conçoivent difficilement de changer la nature même du « service » qu'elles proposent pour l'adapter à la demande du « marché[1] ». Certes, il faut bien admettre que ce service relève de leur « métier » traditionnel, historique pourrait-on dire. En d'autres termes, il a fait ses preuves. Justement, là est le problème : il a tellement fait ses preuves qu'il n'a presque pas évolué depuis des décennies. Il s'appuie toujours sur les mêmes règles strictement contraignantes, sur une « vision fédéraste [sic] » du sport[2], en décalage flagrant avec les nouvelles aspirations et comportements apparus au cours des années *fun*.

Les fédérations sportives qui réagissent de la sorte sont en contradiction totale avec cette théorie commerciale qui veut que tout produit et tout service possède un cycle de vie. Largement admise par l'ensemble des spécialistes du marketing, cette conception repose sur une idée force : sur un marché donné, l'apparition puis la diffusion d'un produit ou d'un service n'est pas linéaire, elle comporte des étapes dont il s'agit de tenir compte. « Dans sa formulation ''classique'', le cycle de vie du produit est présenté comme

1. Certaines initiatives ou opinions encore marginales laissent néanmoins entrevoir une volonté marketing qui s'affirme nettement au sein de certaines fédérations. Un exemple parmi d'autres, lors de son élection à la tête de la Fédération française de tennis, Christian Bimes devait expliquer : « Nous venons de perdre 20 000 licences à deux reprises. On dit que le tennis est arrivé à son maximum. Moi je dis qu'on peut augmenter le nombre de licenciés avec une licence plus moderne et plus attractive. » Il reste qu'en termes de « services sportifs », les propositions du président de la Fédération française de tennis étaient surprenantes : « Il faut donner [à la licence] le format d'une carte de crédit et que cette licence donne des avantages à son propriétaire. Par exemple que lorsqu'il arrive à Orly, il faut qu'il puisse bénéficier d'une réduction sur Air Inter ou Air France. Il faut qu'elle soit véritablement un plus. » Concernant la réalité sportive du service rendu, les propositions étaient nettement moins précises : « La plus grosse déperdition vient de la tranche d'âge 15-23 ans parce qu'on ne fait rien pour retenir ces jeunes dans les clubs après qu'ils soient passés par les écoles de tennis. On va créer un système pour les intéresser. Il y a les femmes aussi qui disputent de moins en moins de tournois et donc prennent moins de licences. [...] On va leur redonner le statut qu'elles méritent. » *L'Équipe*, 10 février 1993, p. 9. Il faut noter que nombreuses sont les fédérations qui voient fondre leurs effectifs dans cette tranche d'âge des 15-25 ans. Ainsi, par exemple, la Fédération française d'athlétisme remarquait en 1992 que « depuis 1968, le nombre de juniors a chuté de près de moitié ». Voir *Athlétisme* n° 355, octobre-novembre 1992, p. 41.
2. Selon le terme utilisé par l'un des membres du comité directeur de la Fédération française d'athlétisme lors de sa réunion du 19 septembre 1992. *Athlétisme*, *ibid.*, p. 42.

comportant quatre phases actives (introduction, croissance, maturité, déclin) suivant une phase sans activité commerciale importante : la phase 0 [3]. »

La phase 0 correspond à la période d'élaboration du produit ou du service. La phase d'introduction est la période au cours de laquelle l'entreprise s'efforce de faire admettre le nouveau produit sur le marché. La phase de croissance est celle de la montée en puissance et de la conquête du marché. La maturité est l'époque de la stabilisation ; le produit ayant rencontré son marché, sa fabrication et sa diffusion sont bien maîtrisées. La dernière phase, enfin, est celle qui voit apparaître les premières difficultés qui prennent la forme de pertes progressives de parts de marché malgré tous les efforts du fabricant. Nous remarquerons que l'on retrouve là le cycle de vie d'une cléricature (voir *supra*, « Le sport d'utilité publique »).

Sur la base de cette analyse [4], il s'avère qu'une fédération qui n'envisagerait que la simple intégration/assimilation des pratiquants analogiques dans le cadre de ses structures traditionnelles estimerait que le « sport pour tous » de nature digitale se situe, aujourd'hui, soit en phase 2 (croissance), soit en phase 3 (maturité). Or, toutes les données concordent, ce n'est pas le cas.

Pascal Garrigues le remarque dans l'enquête de l'INSEE : la compétition perd du terrain [5]. Un point de vue que confirme l'INSEP, qui montre que sur 73,8 % de « sportifs [6] » français seuls 11,3 % sont des adeptes de la compétition digitale [7]. Mais il y a plus intéressant encore en termes d'analyse stratégique, c'est-à-dire en considérant les quelques années qui nous séparent encore de l'an 2000. Traditionnellement, ce sont les plus jeunes (12 à 25 ans)

3. G. Marion et D. Michel, *Marketing, mode d'emploi*, Paris, Les Éditions d'organisation, 1990, p. 122. On trouvera cette notion de cycle de vie des produits analysée dans tous les ouvrages de marketing.
4. Et à condition, bien entendu, d'accepter de considérer le sport comme un produit ou comme un service. Une position de principe qui sera désapprouvée par un grand nombre de sportifs... mais qui semble de plus en plus recueillir les suffrages des acteurs économiques qui cherchent à structurer le marché du sport, comme le remarquait le quotidien *Le Monde* dans sa livraison du 10 juin 1992 : « Saisi par le commerce et la gestion, le sport [...] est appelé à devenir une activité [économique], certes exceptionnelle, mais régie par les mêmes règles que les autres. » (dossier « Initiatives »).
5. P. Garrigues, *op. cit.*, p. 20.
6. Rappelons que, dans cette enquête, la définition du sport est la suivante : « Le sport est ce que font les gens lorsqu'ils disent qu'ils font du sport. »
7. *La Pratique sportive des Français, op. cit.*, p. 55.

qui forment le gros des adeptes de la compétition. Or, outre le fait qu'en France les adolescents sont aujourd'hui une catégorie d'âge qui « perd du terrain[8] », il se trouve que, lorsqu'on les interroge, les jeunes des années 90 ne semblent plus aussi friands qu'il y a un quart de siècle des rapports sportifs de nature digitale. Une enquête du ministère de l'Éducation nationale réalisée en 1985 montrait que 59 % des élèves du secondaire pratiquaient le sport sans esprit de compétition. Seuls 26 % d'entre eux se déclaraient compétiteurs. À la question : « La compétition sportive représente-t-elle pour vous l'élément le plus attirant du sport ? » ils n'étaient que 37 % à répondre oui. Par contre, 61 % estimaient que ce n'était pas le cas[9]. Récemment, le journal *L'Équipe* lui-même devait se rendre à cette évidence : lorsqu'ils font du sport, les jeunes de 15 ans le pratiquent pour « s'éclater », pas pour devenir un champion[10].

Cette réalité des années 90 correspond à une tendance lourde des années *fun*. Dans un dossier intitulé « Avoir 30 ans en l'an 2000 », *L'Express* montra (en 1987) que la relation compétitive n'était pas vraiment la « tasse de thé » des 15-20 ans. À la question : « Quels sont, parmi les mots suivants, les trois qui définissent le mieux, selon vous, ce que sera la France de l'an 2000 ? » les 15-20 ans de 1987 répondaient : la compétition (38 %, mot classé en deuxième position), la concurrence (36 %, mot classé en troisième position), la hiérarchie (9 %, mot classé en seizième position). Par contre, lorsqu'on leur demandait à partir de la même liste de mots : « Quels sont les trois mots qui correspondent le mieux à la France que vous souhaitez ? » la compétition ne recueillait plus

---

8. Le rapport de l'INSEE portant sur la démographie française en 1991 (publié en 1993) montre une France qui vieillit. Entre les années 1990 et 1991, le nombre des plus de 60 ans a augmenté de 175 000, pour dépasser les 11 millions, alors que les moins de 15 ans n'augmentaient que de 45 000 et représentaient moins de 11,5 millions d'individus. Depuis 1980, si la France a gagné 2 millions de personnes de plus de 60 ans, elle a perdu 600 000 jeunes de moins de 15 ans. À l'évidence, il s'agit là d'une donnée très importante pour les fédérations sportives françaises. Voir également le rapport de l'INSEE du mois de décembre 1994 : « Économie et statistique. Projections démographiques. Comportements individuels et choix collectifs », Paris, INSEE, n° 274, 1994-4.
9. Sondage Éducation nationale-SPRESE, réalisé au cours du premier semestre 1985 sur un échantillon de 4 985 lycéens de l'enseignement public.
10. In : « Sondage : les 15 ans et le sport », *L'Équipe Magazine*, samedi 25 avril 1992, p. 46-49. À la question : « Pourquoi pratiquez-vous [le] sport ? » 48 % répondent « pour m'éclater avec les copains » et 12 % « pour devenir un champion ». Sondage réalisé par l'Institut de l'enfant, IED, du 7 au 31 mars 1992 et portant sur 203 questionnaires traités.

que 12 % des suffrages (classée onzième), la concurrence 5 % (classée treizième) et la hiérarchie 1 % (classée seizième)[11].

Cette distance que prennent aujourd'hui les adolescents français vis-à-vis de la compétition est un critère d'analyse essentiel pour
l'ensemble des acteurs institutionnels, politiques et économiques qui
s'intéressent au sport[12]. En effet, il peut signifier que la « maturité » des comportements sportifs digitaux est en phase terminale
de son cycle de vie. Dès lors, nous serions à la veille d'une transformation très importante de la demande de sport. Une évolution
qui affecterait profondément le paysage sportif français du début
du troisième millénaire car elle obligerait à reformuler entièrement
la configuration de l'offre sportive traditionnelle. En effet, si les
jeunes eux-mêmes aspirent à autre chose qu'à une relation de type
digital cela signifie que le marché n'est plus là où on l'attend. En
réalité, force est d'admettre que sa structure s'est transformée tant
sur le plan de ses désirs et de ses besoins (nous venons de le voir),
qu'au niveau de sa composition démographique. Ce dernier point
est capital.

Si l'on raisonne à vingt ans (les années 2010), c'est une véritable « révolution démographico-sportive » qui se prépare. Nous l'avons
dit, l'âge ne constitue plus un réel obstacle à la pratique. L'enquête
de l'INSEP le montre : les personnes dites du troisième âge sont

11. La liste de dix-sept mots comprenait : la technologie, la liberté, la solidarité, la justice,
l'égalité, le dynamisme, l'innovation, le pouvoir du citoyen, la grandeur, l'assistance, la
compétition, la concurrence, le pouvoir de l'État, la hiérarchie, la bureaucratie, l'étatisme,
le déclin. Sondage réalisé par l'institut Louis-Harris, du 28 août au 4 septembre 1987, auprès
d'un échantillon national de 454 personnes représentatif de la population française âgée de
15 à 25 ans. Méthode des quotas. *L'Express*, 2 octobre 1987, p. 96-101.
12. On peut d'ailleurs ajouter que, lorsqu'ils s'engagent dans une pratique sportive, les
jeunes s'orientent de moins en moins vers les services proposés par les organisations sportives traditionnelles. Une enquête récente du CRÉDOC a mis en évidence le fait que « les sports
en vogue aujourd'hui chez les jeunes peuvent souvent se pratiquer en dehors des associations ». Au-delà, il convient également de remarquer que, selon cette même enquête, on
assiste à un tassement de la progression des adhérents de moins de 40 ans dans les associations sportives. Ce point pourrait vite se révéler une véritable calamité si ces organisations
ne s'avéraient pas capables de réagir promptement. *L'Équipe Magazine* du 18 septembre
1993 s'inquiète d'ailleurs de cette situation en affirmant : « Une étude récente du CRÉDOC
sur les associations ainsi que les ventes des articles de sport de la saison 1992 illustre bien
ce qui est devenu une tendance majeure de l'activité sportive en France, la conquête de
nouveaux territoires échappant le plus souvent aux fédérations. [...] Si les Français continuent à adhérer aux associations sportives (elles regroupent 8,5 millions d'individus) c'est
surtout grâce à l'augmentation du taux d'adhésion chez les plus de 40 ans [...] au contraire
des moins de 24 ans où est apparu depuis quatre ans un tassement des adhésions. » (p. 75).
Voir le rapport *Participation des Français à la vie associative*, Paris, CRÉDOC, 1993.

de plus en plus sportives. Au cours des années *fun*, 53,5 % des Français entrant dans cette catégorie (65 ans à 74 ans) estimaient avoir une activité qu'ils considéraient eux-mêmes comme « sportive ». Il convient surtout de noter l'évolution de cette tendance. Même si les sources ne sont pas les mêmes et intègrent des éléments différents qu'il convient de prendre avec précaution, la comparaison avec l'enquête de l'INSEE sur les comportements de loisirs des Français de 1967 est particulièrement éclairante. En effet, l'évolution de la pratique est sensible, qui montrait un taux d'activité des « 65 ans et plus » particulièrement faible en 1967, puisqu'il se situait à hauteur de 2,3 % de cette catégorie d'âge[13].

Cela signifie que le marché du sport *glisse* sensiblement dans la pyramide des âges. C'est une orientation qui ne devrait pas se modifier, bien au contraire, car les années 2010 seront les années du « papy-boom ». Ex-génération du « baby-boom » ces futurs sexagénaires sont aujourd'hui des quadragénaires particulièrement sportifs puisqu'ils représentent 21,6 %[14] des licenciés des fédérations et, surtout, 72 %[15] d'entre eux déclarent avoir une activité sportive. Ils n'étaient, selon l'INSEE, que 25 % en 1967. J'ai déjà souligné le fait que cette tranche d'âge possède une double particularité. Elle a « fait » Mai 68 et fut la première génération de l'histoire à bénéficier d'un enseignement sportif obligatoire au cours de sa scolarité. Ce dernier point explique le taux de pratique élevé d'une génération qui fut véritablement marquée par l'action des enseignants d'éducation physique et sportive depuis un quart de siècle. Les conditions de vie et de santé de ces futurs retraités seront probablement telles[16] qu'il est difficile d'imaginer qu'ils cesseront leur activité sportive au moment de prendre leur retraite. C'est-à-dire à un moment où ils pourront lui consacrer plus de temps qu'ils n'auront jamais pu le faire.

Le point essentiel porte sur le fait que cette génération de « papy-boomers » particulièrement sportifs sera très nombreuse. Donc, que le marché du sport qu'elle engendrera sera important.

---

13. Pour une étude exhaustive des enquêtes sur le sport réalisées en France depuis trente ans, voir P. Irlinger, « Analyse de la demande en activités physiques et sportives en France », in *Sport et Management*, sous la direction de A. Loret, Paris, Dunod, 1993.
14. Source : INSEP, rapport cité p. 64.
15. Source : INSEP, rapport cité p. 40.
16. Voir à ce sujet M. Cicurel, *La Génération inoxydable*, Paris, Grasset, 1989.

En 1985, l'INSEE estimait le nombre des plus de 60 ans à 12 millions en l'an 2000. Ils seront 15,3 millions en 2020. Il ne fait aucun doute que le glissement de cette génération dans la pyramide des âges bouleversera profondément la structure du marché du sport. Les transformations porteront essentiellement sur trois points : le matériel et les équipements lourds devront être adaptés, de même que les prestations proposées par les clubs de nature associative et par les entreprises de services sportifs. Pour cela, il est impératif que le mouvement sportif réfléchisse dès maintenant aux types de services qu'il devra offrir à ce marché dans dix ans, car il est indéniable que, loin du rapport sportif digital, la demande des « papy-boomers » bousculera la tradition sportive. Le sport qu'ils pratiqueront ne relèvera pas de l'imposition d'une règle fixée de manière hétéronome, mais d'un code de conduite individuel élaboré selon leur libre arbitre.

D'ores et déjà, aujourd'hui, certains exemples sont particulièrement significatifs. Ainsi, lors du troisième supermarathon du Colorado (USA) qui s'est déroulé en 1992, c'est un couple français dont les deux membres étaient âgés respectivement de 54 et 56 ans qui fut « classé » dernier. Le magazine *Jogging international* explique les motivations qui ont poussé ces coureurs très particuliers à participer à cette épreuve de 160 kilomètres : « Depuis onze ans, ils courent main dans la main les sommets et les supermarathons pour échapper au ghetto des clubs du troisième âge auxquels [ils] seraient voués sans cela. Ils sont derniers au classement, mais tout autant que les premiers ils sont acteurs à part entière[17]. »

Pour gérer au plus près ces nouvelles aspirations « analogiques », il est nécessaire que les acteurs politiques et économiques ne considèrent pas la culture sportive historique comme une vertu cardinale qui s'opposerait au vice rédhibitoire des pratiques de glisse. Envisager le problème de la sorte reviendrait à le considérer à partir d'un point aveugle qui ne permettrait pas de distinguer que l'on parlerait alors de deux choses bien différentes. La « vertu » sportive est cet ensemble de valeurs qui transcendent attitudes et comportements à partir d'une vérité considérée *a priori* (seulement *a priori* !) comme vraie et qui fut construite de toutes pièces par la cléricature[18] sportive au cours du XXe siècle. De son côté, le

---

17. *Jogging international* n° 106, décembre 1992, p. 84.
18. Voir *supra*, « Le sport d'utilité publique ».

« vice » né du désordre des pratiques « sauvages » relève de l'innovation sociale. Autrement dit, il s'inscrit dans un principe de réalité. Sa vérité peut être appréciée en permanence à l'aune d'une matérialité qui est celle du marché qu'il a fait naître. L'erreur consisterait donc à ne pas envisager qu'une nouvelle « matrice culturelle organisante[19] » soit à l'œuvre aujourd'hui pour ne percevoir l'avenir de la cléricature sportive qu'à travers la mémoire de ces clercs.

Le mouvement sportif doit être conscient d'une donnée essentielle dont la prise en compte ou non dans ses stratégies de développement futures possédera - n'ayons pas peur des mots - un caractère quasi historique en regard de la fonction institutionnelle du sport depuis près d'un demi-siècle. S'il refuse de prendre en compte l'innovation sportive analogique, il se condamne à gérer un domaine qui se réduira graduellement sous l'effet conjugué de deux phénomènes. D'une part, les acteurs économiques imposeront progressivement leurs propres critères de gestion. Ce faisant, ils créeront de nouvelles règles de comportement qui ne manqueront pas d'échapper aux fédérations. D'autre part, les acteurs sociaux imposeront tout aussi promptement des comportements qui ne seront « sportifs » que parce qu'ils diront qu'ils le sont et qui, de ce fait, se positionneront aux marges des structures sportives traditionnelles.

Si l'évolution vers un sport « d'utilité économique » est d'ores et déjà fortement contraignante mais, semble-t-il, acceptée comme un mal nécessaire, ce n'est pas encore vraiment le cas pour le phénomène sportif de type analogique ou, si l'on préfère, « d'utilité ludique ». Ce serait même plutôt l'inverse : les fédérations cherchant contre toute logique à infléchir cette réalité sociale massivement innovante pour tenter de l'adapter à leur « métier » traditionnel.

À l'évidence, cette tentative n'est qu'un leurre.

Chercher à convertir les pratiquants « sauvages » à la culture sportive digitale, c'est vouloir leur imposer la primauté d'un geste mesuré alors qu'ils n'aspirent qu'à vivre leurs mouvements. C'est leur demander d'exclure toute recherche de sensations générées par leurs « conduites motrices » pour mieux mettre en valeur les représentations chiffrées de ces dernières. C'est leur imposer la perte de

---

19. Voir *supra*.

l'usage de leurs émotions et impressions individuelles au bénéfice d'une transcription numérique qui en permettra l'échange[20].

Imaginons un instant que ces sensations et impressions individuelles prennent simplement le nom de « plaisir », ou de *fun*. Est-il concevable de référer un plaisir profondément personnel à une échelle de mesure collective ? Peut-être, mais alors cela revient à accepter que ce plaisir soit apprécié selon une norme extérieure et donc à envisager sa dévalorisation possible.

Il se trouve que le plaisir que l'on éprouve à pratiquer un sport de nature analogique relève d'un comportement volontaire et que cette volonté possède une caractéristique fondatrice : elle se développe « si j'veux ! » (pour reprendre le slogan d'une publicité du Club Méditerranée) ; autrement dit, en excluant tous les systèmes d'affectations sociales ordinaires des conduites individuelles. Il ne peut s'agir que d'un comportement pour lequel tout devra être *loisible* puisqu'il n'existe que parce qu'il se positionne dans un domaine théoriquement vierge de toutes les contraintes de la vie quotidienne : celui de la *vacance* des normes sociales et professionnelles habituelles. Hors de toutes les références chiffrées traditionnelles (classements scolaires, rémunérations et indices, prix, taux de rendement des actions, montant de remboursement des crédits, etc.), les pratiques sportives de loisirs doivent être vécues de plein gré et, surtout, loin des « chiffres sociaux » pour exister en tant que telles. Elles doivent pouvoir trouver leur réalisation en dehors de tous les modèles courants de soumission fortement coercitive des qualités individuelles (le statut professionnel, par exemple).

Dans ces conditions, acceptera-t-on facilement que ce plaisir soit apprécié (grevé ?) à l'aune d'une autorité quelconque ? Acceptera-t-on, surtout, d'investir ce plaisir au sein d'une démarche sportive réglementée présentant - caractère aggravant ! - toutes les formes d'un quotidien subordonné à ces exigences professionnelles platement rationnelles que justement l'on cherche à fuir ?

La réponse probable est non !

---

20. Dans sa livraison du mois de janvier 1995, la revue *Snow Surf* met clairement en évidence le fait que pour certains leaders d'opinon du snowboard, les notions de « valeur d'échange » ou de « valeur marchande » des objets ou des sensations n'ont pas de réelle signification en regard de leur « valeur d'usage » ou de leur « utilité » réelle. « [Il faut] oublier la notion de ''valeur marchande'' et se contenter de la seule ''valeur d'utilité'' des objets. » *Snow Surf* n° 15, janvier 1995, p. 35.

Les acteurs politiques, institutionnels et économiques qui auront la charge de l'organisation, du développement et de la promotion du sport dans les années à venir devront transformer cette négation en stratégie positive d'intégration de cette nouvelle donne. Il s'agira d'adapter l'offre de services sportifs traditionnelle pour apporter des réponses qualitativement adaptées aux besoins de ces « sportifs » d'un autre type. Ceux-là mêmes, de plus en plus nombreux, qui préfèrent partager leurs émotions en prenant part à une « corrida »[21], c'est-à-dire en participant simplement, *just for the fun*, à une manifestation au caractère ludique et festif affirmé, plutôt que de se mesurer dans le cadre réglementé d'un banal championnat.

Cela ne devrait pas poser un problème d'éthique insurmontable. Après tout, si pour certains il est indispensable d'aller toujours *plus haut, plus vite*, et d'être toujours *plus fort*, il ne faudrait tout de même pas oublier que, pour *tous* les sportifs, *l'essentiel est de participer*.

---

21. Voir *supra*.